Andreas Lium

Oslo 2001

d.d. Arthur Sandved

# Historien om Universitetet i Oslo

John Peter Collett

# HISTORIEN OM UNIVERSITETET I OSLO

Universitetsforlaget 1999

ISBN 82-00-12937-3

2. opplag 1999

Sats: Bjørn Jensen, T-O Grafisk as
Trykk: Gjøvik trykkeri as, Gjøvik 1999
Innbinding: Gjøvik bokbinderi as

Tekstredaksjon: Janne Gro Rygg og Tarjei Selman
Registre: Halvor Melbye Hanisch
Prosjektledelse: Akademisk publisering as

Omslag: Millimeter Design
Illustrasjonen er et utsnitt av håndkolorert litografi
etter Joachim Frich fra Karl Johans gate 1854 NBO/NA.
Foto fra Blindern: Ståle Skogstad

Frontispise s. 2: Edvard Munch/BONO 1999, Solen, 1916,
fondbilde i Aulaen (foto: O. Væring eftf.)

Fotografier er levert av:
Restaureringsatelieret, Oldsaksamlingen, IAKN, Universitetet i Oslo:
s. 103, 135, 151, 155, 163, 175, 219
Lill-Ann Chepstow-Lusty, Universitetets Myntkabinett, Universitetet i Oslo:
s. 26, 50, 71, 110, 127, 195, 215, 259
Ståle Skogstad, Informasjonsavdelingen, Universitetet i Oslo:
s. 190, 202, 206, 247
O. Væring (eftf):
s. 10, 18, 34, 42, 62, 78, 87, 94, 118, 143, 182, 226, 239

Rettigheter:
78: Gustav Vigeland/BONO 1999
94: Erik Werenskiold/BONO 1999
103: Halfdan Strøm/BONO 1999
118: Edvard Munch/BONO 1999
135: Henrik Lund/BONO 1999
143: Per Krohg/BONO 1999
155: Reidar Aulie/BONO 1999
163: Hugo Lous Mohr/BONO 1999
175: Hugo Lous Mohr/BONO 1999
190: Per Palle Storm/BONO 1999
202: Arnold Haukeland/BONO 1999
206: Harald Dal/BONO 1999
219: Jan Sæther/BONO 1999
226: Hannah Ryggen/BONO 1999
239: Odd Nerdrum/BONO 1999
247: Naum Gabo/BONO 1999

# Innhold

# Forord

Denne boken har som siktemål å gi en kortfattet fremstilling av hvordan Universitetet i Oslo er blitt til, hvordan institusjonen har virket i det norske samfunn siden 1813 og hvilke endringer universitetet har gjennomgått frem til i dag.

Begrensningen i sidetall har gjort det nødvendig å velge ut med hard hånd. Viktige fag og disipliner, sentrale personer og begivenheter er knapt nevnt eller helt utelatt. En fremstilling som denne kan bidra til å gi en oversikt over hva vi vet – og hva vi ikke vet – om universitetet, om de ansatte, om studentene, om undervisningen og forskningen, og om hvordan universitetet som kilde til kunnskap, utdannelse og status har spilt en rolle i Norge og internasjonalt.

Boken er blitt til som en del av forskningsprosjektet om universitetets historie som drives ved Historisk institutt, i regi av Forum for universitetshistorie. Forfatteren har hatt støtte fra kolleger ved prosjektet og fra en voksende gruppe hovedfagsstudenter som har fulgt arbeidet med entusiasme, som har gitt viktige bidrag hver på sitt område, og som ikke har unnlatt å si fra der hvor fremstillingen kunne forbedres. En hjertelig takk til dem alle.

En av dem som fulgte arbeidet med interesse, fikk ikke leve lenge nok til at hun fikk se boken ferdig. Som medlem av bokkomiteen ga informasjonsdirektør Tove Nielsen god hjelp. Det er forfatterens håp at leseren vil kunne føle noe av varmen fra Toves engasjement for det universitet hun var så sterkt knyttet til.

Oslo, 19. juli 1999
*John Peter Collett*

*Marmorbyste av Grev Wedel ca 1820 (Hans Michelsen)*

# I

# Universitetet blir til

UNIVERSITETET I OSLO har en kort historie i forhold til universitetet som lærdomsinstitusjon i Europa. Allerede på 1100-tallet var det dannet skoler i Paris og Bologna som tiltrakk seg studenter fra fjernt og nær og som fikk sin organisasjon og sine privilegier stadfestet av geistlige og verdslige myndigheter. I de følgende århundrene ble en rekke universiteter opprettet. De første i Skandinavia kom i Uppsala i 1477 og i København i 1479.

Betegnelsen universitet var tatt i bruk i Paris tidlig på 1200-tallet: *universitas magistrorum et scolarium*, best oversatt med «lærernes og studentenes interessefellesskap». Studenter og lærere var gått sammen i et laug for å forsvare sine interesser på linje med andre samfunnsgrupper i middelalderen, som handelsmenn og håndverkere.

Forut for dannelsen av universitetene hadde det vært et sterkt oppsving i interessen for antikkens språk og filosofi. Latin og skolastisk filosofi ble universitetenes felles lærdomsgrunnlag. I tillegg kom studier i teologi, jus og medisin. Etter hvert ble universitetene fastere organisert med fakulteter for hvert av fagstudiene og et filosofisk fakultet som tjente som felles inngangsport. Til det filosofiske fakultet hørte studiet av *artes liberales*, herunder latin og filosofi. Universitetene tildelte gradene *baccalaureus*, *magister* og *doctor*, men mange studenter søkte seg til universitetet for å følge undervisning uten sikte på en grad.

Middelalderens universiteter var internasjonale. Latin var felles undervisningsspråk, og studentene hadde forholdsvis ensartet bakgrunn fra latinundervisning på lavere nivå. Studenter fra Norge søkte seg til universiteter i Mellom-Europa allerede på

1100- og 1200-tallet. De aller fleste av dem tok sikte på en karriere innen kirken. På 1300-tallet var universitetsstudier i praksis blitt en nødvendig kvalifikasjon for å få et bispesete eller andre sentrale geistlige embeter i Norge. Men det var også flere norske universitetsstudenter som fikk viktige verdslige posisjoner som kongens betrodde rådgivere.

Fra 1400-tallet var det vanlig at norske studenter søkte seg til universitetene i Nord-Tyskland, særlig til Rostock. Ved universitetet i Rostock ble det opprettet et norsk studenthjem, bekostet av geistlige myndigheter i Norge. Det var ikke i Norge noen selvstendig statsledelse som hadde ressurser til å stifte et eget universitet slik det skjedde i Sverige og Danmark på 1400-tallet. Norge var glidd inn i union med Danmark.

Reformasjonen i Danmark-Norge i 1536 innledet en sentralisering av prestestudiet til Københavns universitet. Det ble forbudt for kongens undersåtter å studere ved utenlandske universiteter uten at de først hadde studert i København. Kongen reorganiserte det tidligere katolske universitet og gav det vidstrakte jordegods for å sikre økonomien og bidra til å betale studentenes oppholdsutgifter.

Studiene i København skulle gi prestene skolering i den rette lutherske lære, og de skulle også læres opp til lojalitet mot kongen. Universitetet ble et sentrum for den ideologiske ensretting som fulgte etter reformasjonen, og det ble et viktig redskap for å bygge ut et moderne statsapparat i Danmark-Norge. Universitetets hovedoppgave ble å utdanne kongelige embetsmenn.

## De første norske universitetskravene

I 1629 bestemte kongen at teologisk eksamen fra universitetet skulle være obligatorisk for å inneha prestestillinger i den dansknorske kirke. Dette fikk konsekvenser for nordmennenes holdning til universitetet. Allerede tidlig på 1600-tallet var det et så stort antall norske studenter i København at de hadde organisert seg i et eget studentersamfunn. Norske studenter hadde like rettigheter som danske til å søke støtte til opphold ved universitetet fra de stiftelsene som ble opprettet for dette formål. Kravet om at alle prester skulle ha embetseksamen fra København, innebar likevel en økt belastning på de norske borgerfamilier som ønsket å sette sønnene sine i prestelære. Hittil hadde vanlige menighetsprester kunnet få den opplæring de trengte ved bispesetene i Norge. Det føltes som en stor tilleggsbyrde for familiene å skulle bekoste universitetsstudier i København.

I 1661 møtte de norske stenderrepresentantene for siste gang. Kong Frederik 3. hadde tatt enevoldsmakt og innført arvekongedømme i Danmark-Norge, og stendene ble sammenkalt for å gi sitt formelle samtykke. Ved denne anledning ble det for første gang uttrykt ønske fra Norge om å få opprettet et eget universitet. I hyllingadressen fra kjøpstadsborgerne ble det bedt om «at herudi Riget maatte anordnes et Academie, hvor godt Folkes Børn, der til bogelig Kunster holdes, indenlands betimelig kunde erlange deres gode Fundament og ei i deres Ungdom til Forældrenes Møie og Omkost udenlands forskikkes».

Byborgernes ønskemål var et krav om rettferdighet og likebehandling i forhold til kongens danske undersåtter. Men borgerrepresentantene tilføyde som begrunnelse at et norsk «akademi» ville tjene kongen «varig berømmelse» og være «Riget en herlig beprydelse». Et universitet ble vurdert både som nasjonalt symbol med høy prestisje og som institusjon for samfunnsmessig nytte.

Enevoldskongen vendte kravet det døve øre. Nederlaget i krigen med Sverige rett før hadde tappet statsfinansene, og det var ikke anledning til pengekrevende nye tiltak. Dessuten ville en desentralisering av universitetsstudiene gå stikk imot kongens politikk. Utdannelsesmonopolet for Københavns universitet ble tvert om styrket under de følgende kongene. I 1736 ble det stilt krav om juridisk eksamen fra universitetet for alle som skulle bekle dommerembeter i tvillingrikene. Det innebar at eksamen i København ble obligatorisk for enhver nordmann som tok sikte på en karriere som sivil embetsmann.

# Norske universitetsplaner i 1760- og 70-årene

Klagene over vanskelighetene og utgiftene som nordmenn hadde med å studere i København gjenspeiler seg i at nordmennene var sterkt underrepresentert blant studentene. Gjennom hele 1700-tallet utgjorde nordmenn bare vel 15 prosent av det samlede studenttallet ved Københavns universitet, mens den norske befolkning utgjorde 40 prosent av Danmark-Norges innbyggere. Likevel skulle det gå hundre år før det igjen ble reist krav fra norsk side om et eget universitet.

Kravet ble reist fra miljøet rundt Det Kongelige Norske Videnskabers Selskab, som var stiftet i Trondhjem i 1760. I opplysningstidens Europa var det dannet en rekke selskaper eller akademier for å fremme vitenskapelige studier. Selskapet i Trondhjem var den nordligste utløperen. Selskapet gjorde arbeidet for et norsk universitet til sin hovedsak.

Snart syntes det å åpne seg muligheter for et universitet i Norge. En av selskapets fremste menn, biskopen i Trondhjem Johan Ernst Gunnerus, ble i 1771 kalt til København av den mektige minister Johan Fr. Struensee. Struensee styrte rikene i den svekkede kong Christian 7.s navn og hadde innledet en hektisk reformprosess i opplysningstidens ånd. Gunnerus hadde tidligere vært professor ved Københavns universitet, og Struensee gav ham i oppdrag å forberede en universitetsreform. Gunnerus grep anledningen til å foreslå at det ble opprettet et nytt universitet, som skulle legges til Norge.

Det nye universitet skulle ikke bare være for norske studenter. Gunnerus foreslo at det ble lagt til Kristiansand. Da kunne studenter fra Jylland like gjerne reise dit som til København. Studietilbudet skulle være som i København, med innledende undervisning i filosofi, klassiske språk og naturvitenskap, og undervisning frem til embetseksamen i teologi, medisin og jus. Universitetet i Kristiansand skulle først og fremst være et billig tilbud om universitetsutdannelse til norske og jyske studenter som ikke hadde noen velstående familie i ryggen.

Det lå også i planene større ambisjoner for utvikling av et

vitenskapelig miljø i Norge. Gunnerus forutsatte at Det Kongelige Norske Videnskabers Selskab skulle flytte fra Trondhjem til Kristiansand. Dette ville legge grunnen for en sammenkobling av akademi og universitet, av lærdomsformidling og kunnskapsutvikling.

Norge var tilbakestående på mange områder fordi det manglet kunnskap i landet, hevdet Gunnerus. Bare man skulle bygge en vindmølle, måtte man hente eksperter fra utlandet. Dette ville bli bedre hvis anvendt matematikk ble dosert ved et skikkelig universitet. Universitetet ville også hjelpe frem andre fag som mineralogi, medisin og kirurgi – fag som var nødvendige for å fremme næringsliv og legevesen.

Disse tankene pekte mot et universitet mindre preget av å være presteskole og mer innrettet mot naturvitenskap og praktiske formål, noe som lå opplysningstidens menn på hjertet. Men Gunnerus' universitetsplaner var et kompromiss mellom slike ønsker og det som var strengt nødvendig for å få til en nødtørftig embetsmannsskole i Norge. Noe utover dette ville være økonomisk uoverkommelig.

Det var nytteløst å be om tilskudd til et norsk universitet fra kongens kasse, mente Gunnerus. Andre finansieringskilder måtte finnes. Ett av Gunnerus' forslag var å overføre midler fra Ludvig Holbergs testamentariske gave til Sorø akademi. Christian 4. hadde opprettet skolen i Sorø i 1623 som et «ridderakademi» for adelens sønner og som deres alternativ til universitetet, men siden var akademiet kommet i forfall og var blitt stengt. Holberg, som selv var professor ved Københavns universitet, hadde ikke høye tanker om universitetsstudienes verdi. Han testamenterte sin store formue til Sorø akademi for at det kunne gjenåpnes og bli et reelt alternativ til universitetet. Gunnerus hevdet at det ville være i giverens ånd å bruke pengene på et universitet i Norge i stedet. Sorø akademi hadde ikke oppfylt forventningene og var igjen i tilbakegang.

Universitetsplanene vakte stor begeistring i Norge. Struensee hadde innført full trykkefrihet, og det kom en mengde innlegg med klager over at Norge ikke hadde noe eget universitet. Klagene spente fra misnøye med at Københavns borgere tjente store summer på de norske studentene og at unge studenter ble lokket av alle slags fristelser i København, til anklager om at nordmennene ble tvunget til å studere i København for at de «des bedre skulde kunne holdes i Lydighed». Tilsvarende stor ble skuffelsen i Norge da planene ble lagt til side. Struensee skal selv ha avvist dem før han ble styrtet og henrettet i januar 1772. Det konservative regimet som overtok, oppmuntret ikke til ytterligere debatt om et norsk universitet.

## «Universitetsurolighederne» i 1790-årene

I slutten av 1780-årene ble det igjen fremsatt ønskemål fra Norge om et eget universitet. Kronprins Frederik hadde tatt makten i 1784. De første årene av hans regjering var preget av liberalitet og opplysningstro, og det var store forventninger til hva han kunne bidra med til å fremme vitenskap og utvikling. I 1788 besøkte kronprinsen Trondhjem, og i møte i Det Kongelige Norske Videnskabers Selskab ble ønsket om et norsk universitet lagt frem for ham personlig: «Længe – længe har Norge sukket etter et Universitet, Ypperste Kronprinds! ... Længe var Norge det eeneste Kongerige blant slebne Riger, som savnede denne dyrebare Skat,» uttalte selskapets preses, stiftsprost Hagerup. Kronprinsen ble forsikret om at Norge selv skulle klare utgiftene: «Vi begjærer ikke Penge; Midlerne til at skaffe os et Universitet har vi hos os selv.»

Dette dannet opptakten til en livlig kampanje for et norsk universitet gjennom første halvdel av 1790-årene. Denne gang var det velstående trelasteksportører og godseiere på Østlandet som førte an i debatten og la tyngde bak de norske universitetskravene. Debatten ble ført med stor glød. I årene som fulgte ble den omtalt som «Universitetsurolighederne i Norge».

Kampanjen ble innledet av sognepresten i Eidsberg Jacob Nicolai Wilse. I 1793 inviterte han til et offentlig møte i Christiania for å drøfte universitetssaken og for å starte innsamling av penger til et norsk universitet. Wilse var en embetsmann etter

16

opplysningstidens ideal. Ved siden av prestegjerningen drev han naturvitenskapelige studier, og han var engasjert i praktiske tiltak for å fremme jordbruket. Han brevvekslet med ledende vitenskapsmenn i utlandet og utgav omfangsrike bygdebeskrivelser med observasjoner av topografi og næringsliv.

Universitetsmøtet fikk stor oppslutning. Det ble nedsatt en stor komité til å arbeide videre med saken. Sammensetningen av komiteen viste hvilke kretser som nå førte an. Foruten Wilse selv bestod den av flere av Christianias fremste embetsmenn og boklig lærde, og fremtredende medlemmer av byens handelspatrisiat. Blant dem var Bernt Anker, innehaveren av Christianias største handelshus.

Komiteen utlyste en pris for den beste avhandlingen om hvordan et universitet i Norge kunne innrettes. Fjorten bidrag kom inn. De bidragene som komiteen premierte, gav tydelig uttrykk for at et norsk universitet måtte bli noe annet enn et tradisjonelt universitet. Vinneren av førstepremien, den norskfødte økonom og embetsmann Christen Pram, ville ikke bruke betegnelsen universitet i det hele tatt, men holdt i stedet konsekvent på «høyskole». Det var ikke tale om at universitetet i Norge skulle supplere Københavns eller tilby et tilsvarende studium. Det måtte bli et alternativ til Københavns universitet.

I opplysningstiden var det en generell tendens til å nedvurdere universitetene. De ble ansett som tilbakeskuende og unyttige. I sin komedie tegnet Ludvig Holberg karikaturen av landsbygutten Rasmus Berg, som etter noen uker ved universitetet vendte tilbake som Erasmus Montanus, full av latinske brokker og kvasilærdom. Universitetet hang igjen i latin og skolastisk filosofi i stedet for å undervise i vitenskaper som kunne være til nytte.

Et norsk universitet måtte være et redskap for å fremme utviklingen av Norge i opplysningstidens ånd. Forfatteren som fikk annenpremie, juristen C.U.D. von Eggers, selv professor ved Københavns universitet, gjorde den nasjonale oppgaven til hovedsaken: Det gjaldt å skaffe Norge «et National-Universitet, ikke at give det heele Europa et almindeligt Universitet». I hans forslag lå en klar kritikk av Københavns universitet, som på tross

*Frederik 6., oljemaleri u.å (Jens Juel)*

av mange reformforsøk hadde holdt naturvitenskap og økonomi nede. Slike vitenskaper var det opplysningstiden mente var nyttige for utviklingen av landet.

Argumentene for et norsk universitet var preget av sterk patriotisk språkbruk. Mangelen av et universitet stod som et viktig symbol på nasjonal tilsidesettelse. Selv Skottland, Irland og Finland, som heller ikke var selvstendige stater, hadde egne universiteter. Fra 1773 hørte Kiels universitet til det dansk-norske monarki, slik at også kongens tysktalende undersåtter hadde fått sitt eget universitet. Bare Norge ble nektet et universitet.

I Danmark kom det ulike reaksjoner på de norske universitetsønskene. Delvis ble de møtt med velvilje. Kronprinsens svoger, hertug Frederik Christian av Augustenborg, som var København-universitetets patron og kronprinsens rådgiver i undervisningssaker, var i utgangspunktet positiv. Han hadde selv ivret for reform av Københavns universitet. Men det kom også kritiske motinnlegg fra dansk hold. Flere universitetsprofessorer engasjerte seg mot de norske universitetsplanene.

Noe uventet kom et av motinnleggene fra en nordmann, rektor ved Christiania katedralskole Niels Treschow, byens mest fremstående akademiker. Han advarte mot et universitet i Norge. Det ville bli for kostbart – en «videnskabelig Luxus» som ikke ville finne grobunn i et fattig land som Norge. I stedet foreslo Treschow at katedralskolenes øverste klasse ble bygget ut med universitetsforberedende undervisning.

Universitetskomiteen i Christiania sendte i april 1795 en søknad til kongen om å opprette et universitet i Norge. I november kom avslaget fra regjeringen, begrunnet med at økonomien ikke tillot et slikt tiltak. Men regjeringen bestemte som plaster på såret at norske studenter kunne avlegge den første eksamenen ved universitetet – examen artium – ved de norske katedralskolene. Det var på linje med det Treschow hadde foreslått.

Det var flere grunner til at regjeringen avslo de norske universitetskravene. Kronprinsen holdt konsekvent på helstatspolitikken. København skulle være tvillingrikenes sentrum, politisk, økonomisk og kulturelt. Norsk separatisme ble ikke tålt. Regjeringen så med skepsis på de kretsene i Norge som hadde stilt seg bak universitetsplanene. Det var de samme som hadde hatt kontakt med Gustav 3. av Sverige i de årene han forsøkte å nøre opp under norsk misnøye og lokke nordmennene til å søke sammen med Sverige. Kontakten var opphørt ved Gustav 3.s død i 1792, men i de følgende årene hadde nordmennene markert en demokratisk opposisjon til regjeringen i København. Fortrolige rapporter til kronprinsen fortalte om demonstrativ feiring i Christiania av revolusjonsbegivenhetene i Frankrike. Flere av universitetskomiteens medlemmer var på listen over de farligste opposisjonelle.

Problemet med å finne finansieringsmuligheter var en tungtveiende grunn til at søknaden om et norsk universitet ikke førte frem. Universitetskomiteen i Christiania hadde foreslått at det norske universitetet skulle finansieres ved overføringer fra Danmark. Komiteen tilbød å skaffe penger til å bygge hus og skaffe bibliotek ved innsamling i Norge, men for å dekke de årlige utgiftene pekte man på inntekter fra fondsmidler som hittil var gått til Danmark. Holbergs gave til Sorø akademi ble nevnt, men i tillegg ble det foreslått å overføre midler fra selve Københavns universitet. Komiteen kjente til at det var planer i København om å selge det store universitetsgodset for å øke kapitalavkastningen. Økningen alene ville kunne dekke hele utgiftsbudsjettet for et norsk universitet, mente komiteen, «saa vove vi allerunderdanigst at bede Deres Majestæt, om at i det mindste *Halvdelen* af dette Overskud maatte bestemmes for det Universitet, som Deres Majestæt vilde lade oprettes i Norge».

Et slikt forslag var dømt til å bli avvist. Salget av universitetsgodset var planlagt for å skaffe nødvendige midler til Københavns universitet selv og for å gjennomføre reformer som lenge hadde vært ønsket ved universitetet.

I Norge ble det stor skuffelse over avslaget. Jevnt over ble det antatt at pengemangelen var et påskudd, og at det lå andre motiver bak. Men det var også et nederlag for nordmennene at de ikke kunne anvise økonomiske midler til et universitet i eget land. Innsamlingen som var forsøkt satt i gang i Norge, ble mislykket.

Etter 1795 ble det stille om de norske universitetsønskene. Den dansk-norske regjering holdt seg unna konfliktene i Europa som fulgte etter den franske revolusjonen, og i høykonjunkturen som fulgte av krigstiden, tjente de norske trelasteksportørene gode penger. I oppgangstidene ble den nasjonale misnøyen dempet. Men initiativtagerne til universitetsplanene ville ikke helt slippe taket. I 1796–97 ble det holdt en serie forelesninger i Christiania over forskjellige vitenskapelige emner. Det møtte mange tilhørere, både kvinner og menn fra byens dannede borgerskap. Bernt Anker holdt forelesninger i fysikk. Niels Treschow foreleste over Kants filosofi. Forelesningene var ment som en demonstrasjon av at det i Norge fantes krefter som kunne holde forelesninger på universitetsnivå. Treschows forelesninger over Kant ble senere trykt både på dansk og i tysk oversettelse, og de bidro til å markere Treschow som en av Danmark-Norges fremste vitenskapsmenn. I 1804 ble han utnevnt til professor i filosofi ved Københavns universitet.

Bernt Anker glemte ikke helt universitetssaken. Som barnløs testamenterte han hele sin formue til en stiftelse, Det Ankerske fideikommis. Avkastningen skulle blant annet gå til å støtte «Studenter af Hoved, som mangle Evne at soutinere sig ved Universitetet». Norske universitetsstudenter var dermed innsatt som medarvinger til en av landets aller største formuer.

## Universitetssaken tas opp igjen

Universitetskravet ble reist på nytt i 1809. Danmark-Norge var da trukket inn i krigen mellom Storbritannia og maktene på det europeiske kontinent, som hadde sluttet seg til Napoleon. Britene overfalt København i 1807 og bortførte den dansk-norske flåten for å hindre at den falt i Napoleons hender. Danmark-Norge gikk deretter i allianse med Napoleon.

Følgen var at Norge ble isolert fra Danmark. Britiske krigsskip sperret trafikken til sjøs, og på land utbrøt det krig med Sverige, som var på Storbritannias side. Kronprins Frederik – som i 1808 ble konge under navnet Frederik 6. – måtte oppnevne en regjeringskommisjon i Christiania til å styre landet på kongens vegne. Resultatet var at det i Norge nå fremstod kretser som kunne gi tyngde til en selvstendig linje på tvers av den danske kongens politikk.

I 1809 ble Sverige slått av Russland og tvunget til å avstå Finland. Det ble revolusjon i Sverige, og kongen ble avsatt. Til ny tronfølger valgte den svenske riksdag prins Christian August av Augustenborg. Christian August nøt stor popularitet i Norge. Han hadde vært øverstkommanderende for den norske hær i krigen mot Sverige, og han var regjeringskommisjonens formann.

Innenfor det østlandske handelspatrisiatet var det nå kretser som igjen tok opp ideen om en tilnærming til Sverige. I dette miljøet stod det frem en leder av betydelig format, grev Herman Wedel-Jarlsberg. Han var embetsmann med erfaring fra regjeringskontorene i København, og han var av byrd Norges fremste adelsmann. Gjennom ekteskapet med Karen Anker, datter og enearving av Bernt Ankers bror Peder, var han kommet inn i Christiania-patrisiatets ledende familier. Han hadde vært den drivende kraften i regjeringskommisjonens arbeid.

Den danske helstatspolitikken hadde vært ødeleggende for Norge, mente grev Wedel. Han arbeidet for at Norge skulle få eget konstitusjonelt styre i en union med Sverige. Selv om det ikke var mange som i 1809 stod klare til å følge Wedels plan om en union med Sverige, var det overveldende oppslutning om et patriotisk krafttak som Wedel og hans krets stod bak: Da Christian August forlot Norge for å bli svensk tronfølger på slutten av året 1809, ble det ved avskjedsfesten stiftet Selskabet for Norges Vel.

Denne foreningen, som snart fikk tillatelse til å kalle seg Det kongelige Selskab for Norges Vel, fikk øyeblikkelig stor tilslutning. Selskapets formål skulle være å arbeide for alt som kunne tjene Norges materielle og åndelige fremgang. Det ble organisert med lokale underavdelinger og en sentral direksjon i Christiania. Wedel og svigerfaren Peder Anker var blant de første medlemmene av direksjonen. Arbeidet for et norsk universitet ble en av selskapets hovedsaker. Allerede i desember 1809 var det utlyst offentlig konkurranse om en prisoppgave «Om et Universitets

Oprættelse i Norge». Innleveringsfristen var 1. november 1810. Wedel og Anker gav penger til å premiere de beste bidragene som kom inn.

## Kongelige planer

De nye universitetsinitiativene i Norge ble lagt merke til på høyeste hold i København. Frederik 6. var sterkt mot tanken om et norsk universitet. På nyåret 1810 sendte han svogeren prins Fredrik av Hessen til Norge som visestattholder. I en hemmelig instruks skrev kongen: «... at oprette, som mange mene, et Universitet, er vist ei af Nytte; det vilde alt mer stadfæste den skadelige Tendents af Afsondring af begge Riger ... herimod maa arbeides; alt, som ei bidrager til den nøieste Forbindelse og Union af det hele forenede Monarki, maa bortfjernes». I lys av det som var skjedd i Sverige, fryktet kongen at Norge kunne gå tapt for det oldenborgske kongehus. Alt som kunne splitte Danmark og Norge fra hverandre, måtte motarbeides.

Samtidig strakte kongen seg for å redusere norsk misnøye med fellesregjeringen. Han gikk med på flere krav om tiltak for å fremme norsk næringsliv. I februar 1810 tok kongen opp spørsmålet om det også gikk an å imøtekomme noen av de norske ønskene i universitetssaken. Et eget universitet i Norge ville kongen fortsatt ikke høre tale om. Et slikt prosjekt ville støte på «næsten uovervindelige Vanskeligheder» og «i det hele synes kun lidet tilraadeligt», men «saa kan det paa den anden Side ikke negtes, at det vilde medføre store Fordele for Vore norske Undersaatter, om saadanne Foranstaltninger kunde træffes, at de hverken behøvede at sende deres Børn, som ønske at opoffre sig for Videnskaberne, saa langt bort, førend de havde naaet en noget modnere Alder, ei heller at bekoste deres Underholdning her ved Universitetet i længere Tid end udfordres for til større Fuldkomenhed at uddyrke de høiere Videnskaber, der egentlig udgjøre Undervisningsgenstanden ved et Universitet».

Kongen foreslo at det skulle opprettes professorater knyttet til de norske katedralskolene. Studentene skulle kunne følge forelesninger ved katedralskolene frem til examen artium og til examen philologico-philosophicum (anneneksamen) som var felles for alle embetsstudentene. Begge skulle kunne avlegges på stedet. Det ville også kunne gis undervisning i jus og teologi, slik at studentene fra Norge kunne oppholde seg i København bare i den siste delen av studiet. Embetseksamen skulle fortsatt bare holdes i København, og det skulle heller ikke opprettes noe medisinstudium i Norge.

Med dette forslaget siktet kongen mot å ta brodden av noen av de norske klagemålene som var kommet frem i universitetssaken. Han sendte forslaget til uttalelse i universitetsdireksjonen – Directionen for Universitetet og de høiere Skoler – som var det regjeringsorganet som hadde ansvar for høyere undervisning, og hvor hertugen av Augustenborg var formann.

Ved behandlingen i universitetsdireksjonen tok saken en ny vending. Medlemmene mente at kongens forslag ville bli altfor kostbart å gjennomføre. Det ville trenges minst syv professorer ved hver av de fire katedralskolene, og det ville være vanskelig nok bare å finne så mange kompetente folk. Direksjonen mente dessuten at slike universitetsforberedende studier ville være til liten hjelp for det som egentlig var nordmennenes behov. De ville ikke fremme norsk jordbruk, skogbruk, bergverk, industri eller handel. For slike formål trengtes det en helt annen type utdannelse.

Direksjonen foreslo at det i stedet skulle opprettes en «Læreanstalt for Ustuderede» i Norge, en høyskole for studenter uten examen artium og uten krav om latinkunnskaper. Ved denne høyskolen skulle det undervises i matematikk, kjemi, naturhistorie, økonomi og teknologi. Eventuelt kunne det undervises i mer tradisjonelle universitetsfag for studenter som ønsket å fortsette studiene ved universitetet senere.

Kongen bifalte direksjonens forslag og bad om at det ble utarbeidet en plan for en slik høyskole i Norge. Den kunne gjerne bli forbundet med Bergseminaret på Kongsberg. Bergseminaret var opprettet i 1757 for å utdanne ledere til de norske bergverkene. I 1786 var det blitt reorganisert og betydelig utvidet. Det hadde tre lærere og underviste i en fagkrets som spente fra matematikk, kjemi og fysikk til praktisk bergteknikk og arkitektur og tegnekunst.

## Konkurrerende universitetsplaner

Universitetsdireksjonens forslag om et «Akademi for de tekniskoekonomiske Videnskaber» var en radikal idé i opplysningstidens ånd. Forbilder kunne direksjonen nærmest ha funnet i Frankrike. Etter revolusjonen ble de franske universitetene nedlagt. I stedet ble det opprettet spesialiserte høyskoler for å utdanne statens funksjonærer.

Flere av dem som arbeidet for universitetssaken i Norge, støttet tanken om en læreanstalt lik den universitetsdireksjonen foreslo. Det Norge trengte var «Oplysning i oekonomiske, Bergverks-, Vand og Skibsbygnings- og, om man vil, flere saadanne til Livets Brug og Landets Natur passende Videnskaber og Kunster». Uttalelsene kom fra kretser som stod Wedel nær.

Det skulle imidlertid vise seg at nordmennene ikke var tilfreds med en teknisk-økonomisk høyskole lagt til Kongsberg. Noen reagerte med harme på forslaget og mente at det bare var spillfekteri satt i gang i København for å motarbeide de norske universitetsønskene.

Da Det kongelige Selskab for Norges Vel delte ut prisene for de innsendte avhandlingene om universitetssaken, ble det med all tydelighet slått fast at Norge ønsket seg et «fuldstændigt Universitet». Førstepremien gikk til avhandlingen *Mnemosyne*, innsendt av adjunkt ved Kristiansands katedralskole Nicolai Wergeland. Den var en lang utlegning av at Norge trengte et universitet «af første Rang» – fullt utbygget med alle vitenskapsgrener.

Et universitet var en nødvendighet for enhver nasjon som ønsket å utvikle seg til en kulturstat, hevdet Wergeland, og i et universitet måtte alle vitenskaper være representert, siden de alle hørte sammen og befruktet hverandre gjensidig: «Uagtet Videnskaberne ere mangfoldige, udgjøre de dog kun eet Væsen.»

Wergelands skrift bar preg av at den europeiske debatt om uni-

*Niels Treschow, sølvmedalje 1813 (I. Conradsen)*

versitetene og deres rolle i samfunnet hadde tatt en ny vending. I Tyskland hadde det reist seg en bevegelse som tok til orde for reform av universitetet i nyhumanistisk retning. Bevegelsen vendte seg vekk fra opplysningstidens nyttetenkning. I det nye universitetsidealet lå en forestilling om at karakterens dannelse («Bildung») hos de kommende statstjenere var universitetsstudienes egentlige mål, og at studiet av klassiske språk og filosofi skulle danne kjernen i dannelsesprosessen. Filosofien var overbygningen over enkeltvitenskapene. Reformbevegelsen forbindes gjerne med Wilhelm von Humboldts navn. Som prøyssisk minister hadde han formulert prinsippene for Berlins universitet, som ble grunnlagt i 1810.

Wergelands skrift vakte stor begeistring i Norge. Det var allmenn oppslutning om kravet om et fullstendig universitet. Når den norske opinionen sluttet opp om dette kravet, var nok årsaken jevnt over mer prosaisk enn Wergelands filosofiske argumenter om vitenskapens enhet. Et universitet med et filosofisk fakultet og et fakultet for jus og teologi var nødvendig for at universitetet skulle kunne utdanne de to viktigste grupper av embetsmenn. Nordmennene ville først og fremst ha en institusjon som kunne utdanne embetsmenn i deres eget land.

Grev Wedel hadde fortsatt planer om en teknisk-økonomisk høyskole i beredskap, men også han sluttet seg til Wergelands konklusjon: Norge måtte få et fullstendig universitet.

## Grev Wedels reise til København

I februar 1811 ble grev Wedel overraskende kalt til København av Frederik 6. Kongen så med skepsis på Wedel og hadde ham mistenkt for å intrigere med svenske kretser. I Sverige var det skjedd store forandringer. Tronfølgeren var død, og til ny tronfølger valgte riksdagen Napoleons marskalk Jean Baptiste Bernadotte, som tok navnet Carl Johan. Frederik 6. fryktet at det skulle komme nye svenske forsøk på å fravriste ham Norge.

Under oppholdet i København kom Wedel etter kongens ønske til å beskjeftige seg med den norske universitetssaken. En tradisjon vil ha det til at kongen ble overrasket da Wedel ankom København før han hadde ventet, og at det i farten måtte finnes et påskudd for hvorfor Wedel var tilkalt.

Grev Wedel satte seg ned med universitetsdireksjonens medlemmer, og sammen utarbeidet de en plan for et norsk universitet. Det måtte bli et fullstendig universitet, fastslo Wedel: «Efter Alt hvad han kjendte, havde hørt og fornummet, var det det norske Folks eenstemmige og ivrige Ønske og Haab.» Fikk Norge et fullstendig universitet, ville det «blive modtaget med aabne Arme, blive yndet, søgt og understøttet, og end mer binde Nationens Hjerter til den Konge, som stiftede det». En annen type læreanstalt ville ikke vinne tilslutning og heller ikke få økonomisk støtte fra nordmennene.

Det siste punktet var viktig. Finansieringen av universitetet ble hovedsaken i forhandlingene med universitetsdireksjonen, og Wedel hadde sterke kort på hånden. Selskabet for Norges Vel hadde allerede vedtatt å starte en landsomfattende innsamling til universitetet. I tillegg kunne Wedel vise til at det i Norge fantes midler til å sikre de årlige driftsutgiftene til et universitet i Det Ankerske fideikommis, stiftelsen som var opprettet etter Bernt Ankers død i 1805. I fremtiden ville fideikommissets avkastning være tilstrekkelig til å «afgive endog det meste af hvad som behøves til et Universitets aarlige Underholdning,» argumenterte Wedel. Nordmennene kunne denne gang komme med et tilbud om å sikre finansieringen. Til gjengjeld forlangte de at kongen gav dem et fullstendig universitet.

Wedel ble enig med universitetsdireksjonen om hvor universitetet skulle ligge. Mange byer hadde vært foreslått, men valget var nå snevret inn og stod mellom Christiania og Kongsberg. Wergeland hadde foreslått Christiania. Wedel og universitetsdireksjonen valgte Kongsberg. Praktiske hensyn veide tyngst for Kongsberg. Det ville bli billigere for lærere og studenter å bo på Kongsberg, universitetet kunne bruke Bergseminarets bygninger og utstyr, og byen gav gode muligheter for mineralogiske studier og praktisk forstvitenskap. Dessuten trengte Kongsberg ny sysselsetting. Som amtmann i Buskerud var grev Wedel vel kjent med krisen som rammet Kongsberg da Sølvverket ble lagt ned i 1806.

Med universitetsdireksjonens støtte kunne Selskabet for Norges Vel starte innsamlingsaksjonen i juni 1811. Resultatet gav et overbevisende bilde av hvilken betydning nordmennene tilla universitetet. Da innsamlingen ble avsluttet i 1813, hadde det tegnet seg 3600 givere, alt fra rikfolk til vanlige bønder. Det alt vesentlige kom fra Østlandet og kystbyene på Sørlandet. Fra Vestlandet, Trøndelag og Nord-Norge kom det bare mindre bidrag.

Innsamlingen startet på et heldig tidspunkt. «Lisensfarten» – eksport av trelast på lisens fra Storbritannia på tross av den formelle krigstilstand – bragte i et par år eventyrlige inntekter til landet. Det var denne kortvarige overfloden som gav grunnlaget for gavmildheten. Men velstandstiden opphørte før innsamlingen ennå var avsluttet.

De mest betydelige gavene var tilsagn om årlige bidrag som skulle hvile som evigvarende heftelse på givernes jordeiendommer. De største av disse bidragene ble tegnet av grev Wedel, Peder Anker og andre av de ledende innenfor Østlandets handels- og godseierpatrisiat. Det er disse bidragsyterne som kan regnes som universitetets egentlige stiftere, skrev jernverkseieren og historikeren Jacob Aall i sine erindringer. Hvis vi inkluderer bidraget som var forventet å komme fra Det Ankerske fideikommiss, var det det østlandske patrisiat som hadde stilt til disposisjon det vesentligste av de midlene som var nødvendig for å få universitetet på fote.

Utover de nevnte kildene var det én vesentlig inntekt som kunne regnes med. I forbindelse med universitetsplanene hadde kongen besluttet at det benifiserte gods i Norge – i hovedsak eiendommer som hadde tilhørt presteembetene siden middelalderen – skulle selges og danne grunnstammen i et fond. En del av fondets avkastning skulle gå til universitetet.

## «Et fuldstændig Universitet»

Kongen oppgav enhver motstand mot de norske universitetsønskene. I reskript av 2. september 1811 bestemte Frederik 6. at den læreanstalt han hadde besluttet å opprette i Norge, skulle «gives saadan Udvidelse, at samme bliver et fuldstændigt Universitet». Det norske universitetet skulle etter kongens bestemmelse være et universitet for vitenskapelige studier og utdannelse av embetsmenn for staten. Men det skulle også være en høyskole for norsk næringsliv, som skulle undervise «i almeennyttige Videnskaber for saadanne Ustuderede, hvis nærmeste Formaal er at vinde praktisk Duelighed for det borgerlige Liv». På dette punktet sluttet kongen seg til universitetsdireksjonen, som ikke ville slippe tanken om en teknisk-økonomisk høyskole i Norge. Kongen godkjente valget av Kongsberg som universitetsby. Bergseminaret ville inngå i universitetet som en del av avdelingen for «Ustuderede».

Da kongens beslutning var fattet, kunne forberedelsene til det norske universitetet settes i gang. En stor komité med medlemmer i København og i Christiania ble nedsatt for å forestå de praktiske forberedelsene. Det skulle ordnes med lokaler, det skulle anskaffes bibliotek og vitenskapelig utstyr, og det skulle ansettes en vitenskapelig stab.

Forberedelsene gikk raskere enn forventet. I juni 1813 var universitetet i gang – men i Christiania og ikke på Kongsberg. Når Kongsberg ble frafalt som universitetsby, var det blant annet av grunner som Niels Treschow tok opp i et brev til kongen i oktober 1811: «Skal Universitetet ... meest fordelagtig virke paa Sæderne, saa kan dette ikke skee, med mindre dets Virksomhed gaar ud fra samme Sted, som tillige er den fælles Regierings, den finere Levemaades og i en vis Henseende endog Fordannelsens Hovedsæde, kort fra Landets Hovedstad, Christiania.» Fredrik av Hessen støttet Treschow. Han skrev til kongen at Kongsberg «har en mørk, høist melankolsk Beliggenhed» og var en altfor liten by for et universitet.

Etter at kongen sluttet seg til valget av Christiania som universitetsby, kunne man ta opp om det også var mulig å inkludere et medisinsk fakultet. Så lenge universitetet skulle legges på Kongsberg, var alle enige om at det der var uaktuelt med et legestudium, men i Christiania fantes det sykehus som kunne benyttes i undervisningen. Kongen gikk med på å utvide med et medisinsk fakultet. Antall lærerstillinger ble fastsatt til 25 professorer og i tillegg to lektorer i «de nyere Sprog».

Det universitetet som fikk kongens endelige godkjennelse i april 1812, ville være et universitet som skilte seg vesentlig fra tradisjonen i Europa, med større vekt på historie, naturvitenskap og økonomi og mindre på klassiske språk. Det var planlagt åtte fakulteter, derav et matematisk, et naturvitenskapelig og et økonomisk fakultet. Det var en fakultetsinndeling i opplysningstidens ånd. Planen om et eget økonomisk fakultet med tre lærerstillinger ville sette Christiania-universitetet i en særstilling. Knapt noe universitet i verden hadde den gang et eget økonomisk fakultet. Enda mer radikal var tanken om en avdeling for praktisk utdannelse for studenter uten examen artium, «et Institut, som ikke blot i sin Stiftelse vilde være ny, men og i det angivne Omfang endnu for Tiden det eneste i sit Slags,» som universitetsdireksjonen påpekte.

Det nye universitetet fikk navnet Det kongelige Frederiks Universitet – på latin *Universitas Regia Fredericiana*. Navnet ble foreslått som et uttrykk for takknemlighet til stifteren Frederik 6. Takknemligheten fra Norge var med et stort forbehold. Selskabet for Norges Vel arrangerte store festligheter over hele landet og også i København for å feire det nye universitet på slutten av året 1811. Feiringen ble vel så mye en demonstrasjon av norsk nasjonal selvbevissthet. Universitetet var det nordmennene selv som hadde fått i stand.

Når Frederik 6. først hadde gått med på de norske universitetsplanene, strakte han seg langt for at de skulle bli til virkelighet. Løftene om bidrag som skulle være tilstrekkelige til å opprette universitetet uten utlegg fra statskassen, hadde vært avgjørende for at kongen kunne bifalle planene. Samtidig var ikke kongen blind for at det kunne trekke ut med å få midlene disponible. I april 1812 gav han ordre om at pengene som trengtes inntil videre kunne forskutteres av kongens kasse. Det var denne økonomiske garantien som gjorde det mulig å få universitetet i gang.

Kongen hadde heller ikke avslått alle ønsker fra Norge om tilskudd til universitetet fra danske kilder. Dubletter fra biblioteker og samlinger i København skulle sendes til Christiania som grunnstammen for det nye universitets samlinger, og nordmennene fikk oppfylt sitt ønske om et betydelig bidrag fra Sorø akademis formue. På denne måten fikk det norske universitet et tilskudd fra Ludvig Holbergs testamentsgave.

Frederik 6. tilføyde en personlig gave. I Christiania hadde en bygningskommisjon begynt å se seg om etter tomt for et universitetsanlegg. Den hadde sett på flere eiendommer utenfor byen og hadde festet seg ved den store gården Tøyen, som eieren var villig til å selge. Kjøpesummen ble betalt av Frederik 6. med midler fra hans private kasse.

# 2

# Universitetet i embetsmannsstaten
## 1813–80

D ET NYE UNIVERSITETET kunne knapt ha startet under vanske-
ligere forhold. Krigen sperret forbindelsen fra København til
Christiania. Fem av de syv første professorene som var utnevnt
skulle forlate stillinger i København. De skulle også ha med seg
grunnstammen til det nye universitetets bibliotek. Det ble for-
handlet med den britiske regjering om å få fritt leide mellom
krigsskipene som blokkerte Kattegat, men tillatelsen uteble. Uni-
versitetslærerne måtte etterlate både bagasje og boksamling i
København mens de selv tok seg nordover på egen hånd.

I Christiania fantes ikke lokaler innrettet for universitetet. Det
måtte improviseres med å leie undervisningsrom i privathus.
Virksomheten startet med examen artium i juli 1813 for det før-
ste kullet på 18 studenter. Undervisningen til anneneksamen
begynte i august, fortsatt uten boksamling eller annet utstyr.
Først i juni 1815 ankom de første bøkene fra København.

Ytterligere åtte professorer og lektorer ble utnevnt sommeren
1814. De var de første som fikk sin utnevnelse av en egen norsk
regjering. Ved freden i Kiel januar 1814 var Frederik 6. blitt
tvunget til å avstå Norge til kongen av Sverige. Nordmennene
nektet å underkaste seg. De sluttet opp om stattholderen, prins
Christian Frederik, og erklærte Norge som en selvstendig stat.
17. mai 1814 ble en norsk grunnlov vedtatt av Riksforsamlingen
på Eidsvoll og Christian Frederik valgt til norsk konge.

Det ble en dramatisk overfart for de nyutnevnte universitets-
lærerne som skulle reise fra København til det nye selvstendige
Norge. En av dem var astronomen Christopher Hansteen, som
var blitt lektor i anvendt matematikk. Han hadde valgt mellom

*A.M. Schweigaard, statue i bronse 1882 (Julius Middelthun)*

å ta seg til Christiania landveien over Sverige og underveis bli avkrevd troskapsed til den svenske kongen, eller å forsøke å ta seg frem gjennom den britiske marineblokaden. Det siste var nå blitt enda farligere, siden den danske regjeringen truet med dødsstraff for dem som på denne måten ville unngå å bli undersått under den svenske kongen. Hansteen valgte likevel sjøveien. Han kjøpte en liten båt og hyret et mannskap av norske matroser som var sluppet ut av britisk krigsfangenskap. Først ble båten jaget av en svensk kaper. Den greide de å seile fra, men så ble båten oppbragt av et engelsk krigsskip. Den engelske kapteinen lot imidlertid nåde gå for rett og lot dem seile videre.

Det universitetet som Hansteen møtte i Christiania var en ganske annen institusjon enn slik den var tenkt i planene fra to år tidligere. Universitetet var ikke et supplement til Københavns universitet som et tredje lærested for embetsmenn i det oldenborgske riket – det var det eneste universitetet i et land som kjempet desperat for sin selvstendighet. I selvstendighetskampen var universitetet havnet midt i sentrum. Fire av universitetets lærere hadde møtt som utsendinger i Eidsvollsforsamlingen. To professorer gikk inn i regjeringen.

Selvstendigheten ble av kort varighet. Etter et kort felttog kunne Carl Johan tvinge Norge inn i en union med Sverige under felles konge høsten 1814. Men det var under bibehold av egen grunnlov og med fullt indre selvstyre for Norge.

## Embetsmannsstatens universitet

Universitetets oppgave å utdanne embetsmenn for staten var alene tilstrekkelig til å gjøre det til en av det nye Norges aller viktigste institusjoner. I den nye staten fikk embetsmennene en helt sentral posisjon; så sentral at Norge i perioden 1814–84 av historikeren Jens Arup Seip er blitt betegnet som «embetsmannsstaten». Embetsmennene stod ikke bare for utøvelsen av sine oppgaver som amtmenn, dommere, prester eller offiserer. De kom til å fylle de fleste funksjoner i styret av staten. De dominerte lenge Stortinget, fylte sentraladministrasjon og lokalforvaltning, og de satt i regjeringen. Embetsmennene utgjorde en elite av dannelse og kunnskap og ble den nye statens selvsagte ledere. De fremstod som bærerne av Norges selvstendighet gjennom de første tiårene av unionen med Sverige.

Høsten 1814 vedtok Stortinget – sterkt dominert av embetsmenn – endringer i 17. mai-grunnloven, som styrket embetsmennenes stilling i det norske samfunnet. En av endringene gikk ut på at bare innfødte nordmenn kunne bli embetsmenn i Norge. Bestemmelsen ble innført for å hindre den svensk-norske kongen fra å utnevne svensker til norske embeter. Grunnloven fastsatte enkelte unntak fra denne regelen. Ett av unntakene var universitetet, hvor det ble åpnet for å utnevne utenlandske statsborgere til professorer og lektorer.

Embetsmennenes posisjon som Norges styrende elite ble sterk fordi de savnet konkurranse fra andre grupper i samfunnet som kunne aspirere til lederfunksjoner. Det velstående patrisiatet av godseiere og trelasteksportører, som hadde vært bærere av Norges selvstendighetsønsker før 1814, fikk et kraftig knekk i den økonomiske krisen som rammet landet i årene som fulgte. Krisetiden etter Napoleonskrigene ble for Norge en langvarig økonomisk depresjon, og de fleste av de gamle handelshusene gikk under.

Universitetet var av dem som tapte på krisen. Det Ankerske fideikommis, som var forutsatt å skulle dekke en vesentlig del av universitetets driftskostnader, gikk konkurs i 1819. Fideikommiset hadde vært pålagt å yte et årlig beløp som var større enn de samlede lønnsutgiftene til professorene. Også flere av dem som hadde tegnet seg for bidrag til universitetet ved innsamlingen i 1811, fikk vanskeligheter med å betale. Universitetet var planlagt som en langt på vei selvfinansiert institusjon. I stedet ble det nå helt avhengig av bevilgninger fra Stortinget. Det eneste tilskudd av betydning utover statsbevilgningene ble universitetets andel av utbyttet fra det benefiserte gods. Salget av dette godset var startet etter vedtak i Stortinget i 1821. Inntektene skulle tilfalle Opplysningsvesenets Fond. Universitetet mottok tredjeparten av fondets årlige inntekter.

Det nye Norges statsfinanser var i svært slett forfatning. For å få staten på fote gikk regjeringen og Stortinget inn for en hard sparepolitikk. Likevel fikk universitetet lov til å ekspandere. I 1817 var det kommet opp i en samlet stab av 18 professorer og lektorer. I 1833 talte det 16 professorer og 10 lektorer. Lærernes gasjer ble det ikke spart på. En sammenligning med Sveriges eldste universitet, Uppsala, i 1830-årene viser at de norske professorene var bedre betalt enn deres svenske kolleger. Det samme gjaldt de summene som Stortinget bevilget til Universitetsbiblioteket og andre samlinger ved universitetet. Både regjeringen og Stortinget hadde stelt pent med sitt universitet. Bortfallet av egne inntekter til universitetet ble mer enn oppveid av den støtten universitetet hadde fått fra staten, selv i de vanskelige årene etter 1814.

Universitetet var en av de første institusjonene som utpekte Christiania som landets hovedstad. Både i byen og utover landet ble virksomheten ved universitetet fulgt med stor oppmerksomhet. Studentene gjorde seg tidlig gjeldende i hovedstaden, som nærmest var for en småby å regne. Det kom klager på nattebråk og fyll, men studentlivet ble også fulgt med sympati og interesse fra byborgernes side. Studentene var foregangsmenn i nasjonale demonstrasjoner i 1820-årene. Det norske Studentersamfund, stiftet i 1813, førte an i feiringen av 17. mai da dette ennå var en farlig demonstrasjon mot unionskongen. Striden i Studentersamfundet i 1830-årene mellom de unge dikterne Henrik Wergeland og Johan Sebastian Welhaven ble fulgt med interesse fra alle som var opptatt av åndsliv og politikk i Norge.

## Universitetet mellom konge og storting

Universitetets organisasjon ble preget av improvisasjon. Det hadde ikke vært tid til å lage en egen *fundas* eller statutter for det nye universitetet før virksomheten startet. Inntil videre ble universitetet styrt dels etter reglene fra Københavns universitet, dels etter komitéinnstillingen om universitetet, som var blitt fremlagt i 1812. De stort anlagte planene for universitetet fra 1812 ble på langt nær gjennomført. Inndelingen i åtte fakulteter som var foreslått, ble det aldri noe av. Fakultetsinndelingen ble i stedet som ved Københavns universitet, med Det teologiske, Det juridiske, Det medisinske og Det filosofiske fakultet.

Den interne administrasjon av universitetet ble forestått av Det akademiske kollegium. I kollegiet møtte den eldste professor ved hvert av de fire fakultetene. Over kollegiet plasserte kongen en universitetskansler som mellomledd mellom universitetet og regjeringen. Denne ordningen ble gjennomført høsten 1814, etter at unionen med Sverige var et faktum, og til kansler utnevnte kongen den svenske stattholder i Norge. Dette var et signal om at Carl Johan personlig ønsket å ha oppsyn med universitetet. Alle innstillinger og henvendelser fra universitetet skulle gå gjennom kansleren før de ble forelagt regjeringen. En prokansler førte forsetet i Det akademiske kollegium. Den første prokansleren var Christianias biskop Frederik Julius Bech.

Forslag til fundas for universitetet ble behandlet på hvert storting fra 1816 til 1824. Stortinget møttes hvert tredje år, og både i 1816 og 1818 ble det fattet vedtak om fundas. Begge gangene ble vedtaket nektet sanksjon av kongen. Sanksjonsnektelsene er blitt tolket som et utslag av Carl Johans uvilje mot universitetet i Christiania. Han skal ha mistenkt det for å være en dansksinnet og svenskfiendtlig institusjon, og han skal ha mislikt at det bar Frederik 6.s navn.

Slike momenter kan ha spilt inn, men striden mellom kongen og Stortinget om universitetsfundasen må i hovedsak ses som en del av dragkampen mellom statsmaktene om hvordan innflytelsen over statsstyret skulle fordeles. Kompetansestrid mellom konge og Storting var hovedsaken på stortingene hvor universitetsfundasen var oppe. Grunnloven fastslo maktens deling. Maktfordelingen skulle nå utformes gjennom lovgivning og praksis.

Stortingets vedtak om fundasen gikk i retning av å gjøre universitetet til en institusjon underlagt Stortinget, mest mulig unndratt styring fra regjeringen. Stortinget ønsket å fatte lovvedtak i alle spørsmål av betydning om universitetets økonomi og virksomhet. Kongen gikk inn for en mest mulig generell lovtekst som overlot avgjørelsesmyndigheten til regjeringen.

Stortinget gikk langt i forsvar av universitetets rett til indre selvstyre, som en motvekt til innflytelse fra konge og regjering. Forfatningsstriden mellom storting og konge kom dermed til å styrke universitetet som selvstyrt institusjon. I 1821 la regjeringen frem et fundasforslag som blant annet inneholdt en bestemmelse om at kongen skulle godkjenne hvert års undervisningsplaner. Dette nektet Stortinget å godta. Striden gled over i 1824 da Stortinget vedtok en fundas som kongen kunne akseptere.

Både universitetsfundasen og konstitusjonell praksis kom til å gjøre universitetet avhengig av Stortinget. Stortinget fattet vedtak om eksamener og fakultetsinndeling. Gjennom bevilgningsmyndigheten hadde Stortinget full kontroll over universitetets budsjett, antallet lærerstillinger og lærernes lønninger. Avhengigheten av Stortinget kom imidlertid til å bli til universitetets beste så lenge stortingsflertallet så på universitetet med velvilje. Stortinget tok det nasjonale universitetet i forsvar mot en maktlysten unionskonge og slo ring om universitetet som en institusjon av grunnleggende betydning for norsk selvstendighet.

Universitetsfundasen opprettholdt universitetets indre styreform slik den var etablert, men med den forandring at hvert av de fire fakultetene skulle velge en dekanus som leder for ett år om gangen. De fire dekanene utgjorde Det akademiske kollegium, sammen med to professorer valgt av Det filosofiske fakultet. Dette fakultetet hadde den største lærerstaben og den største faglige bredde. Det ble også tillagt særlig betydning for universitetet som helhet.

Både før og etter fundasen av 1824 var det Kongen i statsråd som utnevnte universitetets lærere, etter innstilling fra Det akademiske kollegium og fra universitetskansleren. Grunnloven gav kongen frie hender i utnevnelse av embetsmenn. Dette var en maktposisjon som Carl Johan visste å utnytte. I 1828 ble spørsmålet om myndigheten til utnevnelse av universitetslærere satt på spissen fra kongens side. Det skjedde i et år med uvanlig sterk spenning mellom kongen og Stortinget. Kongen forberedte bruk av maktmidler for å trumfe gjennom sin vilje. Store troppestyrker var samlet til øvelse rundt Christiania under stortingssesjonen. Mens denne kampsituasjonen stod på, gav kongen universitetet klar beskjed om at han hadde adgang til «at ansætte ved Universitetet udmerkede Mænd fremfor de Professorer der nu eller fremtidigen ansættes». Noen måneder før hadde kongen gitt ordre om å utarbeide forslag til ny universitetsfundas. Det kunne ikke være tvil om at hensikten var å styrke kontrollen med universitetet. Året før hadde studentene markert seg med svenskfiendtlige demonstrasjoner som kongen fant særlig utfordrende.

Det ble med truslene. Carl Johan bøyde av her som i andre stridsspørsmål, og kongen kom aldri til å gripe personlig inn i universitetsansettelser, med ett unntak. Det gjaldt Carl Johans landsmann René Orry, som i 1815 ble utnevnt til lektor i fransk på kongens initiativ og senere forfremmet til professor, uten at man i Christiania hadde oppdaget hans faglige kvalifikasjoner.

Fra 1824 var kronprinsen universitetskansler. Dette understreket at kanslerembetet var rent seremonielt, mens prokansleren var den som tok seg av oppgavene som bindeledd mellom universitetet og regjeringen. Det ble slutt på at prokanslerne førte forsetet i Det akademiske kollegium. I stedet gikk formannsvervet i kollegiet på omgang mellom dekanene.

Den gamle filosofen Niels Treschow ble prokansler etter sin avgang fra regjeringen i 1824. I 1828 ble han etterfulgt av grev Wedel, som fra 1836 også var stattholder. Grev Wedel var den av prokanslerne som satte tydeligst spor etter seg ved universitetet. Hans inngripen i ansettelsessaker skulle få stor betydning for fornyelsen av lærerstaben som fant sted rundt 1840.

## Universitetets bygninger

På ett område var det liten fremdrift gjennom universitetets første år. Det gjaldt arbeidet med å skaffe permanente lokaler. I 1820 ble det kjøpt inn en stor bygård – Mariboegården – som avløste de første, leide undervisningslokalene. Mariboegården var en monumental bygning etter byens forhold. Den fylte et halvt kvartal mellom Kongens gate, Prinsens gate og Nedre Slottsgate og var en av de få tre-etasjers bygårdene som fantes i Christiania, men selv den var ikke stor nok til å romme hele universitetets virksomhet. Universitetsbiblioteket holdt til i en av byens eldste gårder ved Christiania Torv, og i andre bygninger i nærheten var det anatomikammer og fysikk- og kjemilaboratorium. Alle lokalene var betraktet som midlertidige, og det ble lagt ned et stort arbeid i planer for nye bygninger spesielt innrettet for universitetets behov.

Til å begynne med var det tale om å bygge universitetet på Tøyen, kong Frederik 6.s gave til universitetet. Det ble lagt store planer om å bygge undervisningsbygninger og boliger for professorer og studenter. Men disse planene ble lagt bort allerede i 1815 som «gigantisk-idealske» og helt urealistiske i lys av den økonomiske situasjonen. I stedet søkte man å få lagt bygninger for universitetets undervisning og samlinger i byen, mens lærere og studenter fikk ordne seg med boliger privat.

Som i København ble det for universitetets regning anskaffet et hybelhus for ubemidlede studenter, kalt Regensen etter det danske forbilde. Regensen var først innredet i noen gårder på Grønland, som var kjøpt inn for å rives og gi plass til ny vei til Tøyen. Hverken husene selv eller naboskapet med fattigstrøkene på Grønland gjorde dette til noen passende bolig for vordende embetsmenn. Da Mariboegården ble kjøpt inn, ble det i stedet innredet bolig for 20 studenter der. I universitetsgården var de under oppsyn av en universitetslærer. Men ordningen ble ikke langvarig. Universitetet trengte snart plassen til andre formål, og Regensen ble opphevet i 1832. Tøyen ble lagt ut til botanisk hage og til «professorløkker», som lærerne fikk disponere som små gårdsbruk.

Innenfor den egentlige Christiania by – i «Kvadraturen», anlagt på 1620-tallet – var det vanskelig å finne byggetomt til en institusjon av universitetets størrelse. En åpning kom da Akershus i 1815 ble besluttet nedlagt som aktiv festning. Festningens forverker skulle nedbrytes og legges ut til bebyggelse. Det tid-

*Christopher Hansteen, oljemaleri 1852 (Johan Gørbitz)*

ligere festningsområdet gav plass til flere av de offentlige bygningene som byen og staten trengte, blant dem Norges Bank og Christiania Theater. Universitetet ble anvist tomt på Kontraskjæret under festningens murer.

Regjeringen hadde øye for universitetets plassbehov. Med et studenttall som i 1830 var oppe i 600, ble plassmangelen prekær. Universitetets egne fondsmidler var ikke tilstrekkelige til å finansiere nybygg, men Finansdepartementet var innstilt på å «forskuttere» av statskassen for å få oppført universitetshus. Planene ble skrinlagt av sparehensyn i 1820-årene, men i 1830 ble planer om universitetsbygg på Kontraskjæret tatt opp av regjeringen og lagt frem for Stortinget.

Stortinget sa nei, men regjeringen la forslaget frem på nytt i 1836. Økonomien var i bedring, og regjeringen mente det var forsvarlig å gå i gang med en forsiktig utvidelse av statens virksomhet. Stortinget sa fortsatt nei. I Stortinget stod nå bøndene sterkere, og de holdt på en konsekvent sparepolitikk for å holde skattene nede.

I mellomtiden hadde spørsmålet om tomtevalg tatt en ny vending. I 1820-årene var man gått i gang med å bygge en kongebolig i Christiania. For å få til en tilstrekkelig monumental plassering ble Slottet lagt utenfor den gamle bykjernen, på en høyde blant løkkene vest for byen. I 1836 lanserte slottsarkitekten, Hans Ditlev Frantz Linstow, et prosjekt for en paradegate mellom Slottet og byen, med offentlige bygninger lagt monumentalt langs denne gaten. En av de institusjonene som skulle få tomt her, var universitetet. Linstows plan illustrerer hvilken betydning universitetet ble tillagt: Det skulle ligge rett vis-à-vis stortingsbygningen. Universitetet så hvilke nye muligheter som åpnet seg og grep dem. Universitetslærerne hadde vært skeptiske til tomten under Akershus, og den var for liten for de behov som universitetet nå mente å måtte dekke.

Planer for universitetsbygninger på tomten ved «Slotsveien» ble utarbeidet av arkitekten Christian Heinrich Grosch i 1838. De omfattet tre frittstående bygninger. Det var uttrykkelig forutsatt at planene skulle ivareta både det funksjonelle og det monumentale. Byggekomiteen besluttet å legge Grosch' utkast frem for Europas ledende arkitekt, tyskeren Karl Friedrich Schinkel, for å sikre at universitetsbygningene fikk en utformning som gav «fordelagtige Vidnesbyrd om Nationens Erkjendelse af Videnskabernes og Oplysningens høie Værd».

Med Schinkels endringer og tilføyelser lå Grosch' planer til grunn for regjeringens proposisjon for Stortinget 1839 om bevilgninger til universitetsbygninger. Denne gang sa Stortinget ja. Statsinntektene var nå overveiende basert på tollinntekter. Et generelt økonomisk oppsving slo ut i økte inntekter for staten, og ekspansjonen i statens virksomhet kunne skje uten stadig dragkamp mellom regjering og bønder.

Grunnstenen til universitetsbygningene ble nedlagt under stor høytid i 1841. Etter mer enn ti års byggearbeider stod bygningene ferdig til innflytting i 1852. Av byggesummen på 257 000 speciedaler ble nesten 90 000 dekket av universitetets fondsmidler, det vil si de innsamlede midlene fra 1811, overføringene fra Sorø akademi og det som var igjen av universitetets andel i Det Ankerske fideikommis. Resten ble bevilget av Stortinget.

Universitetsbygningene langs Karl Johans gate er blitt stående som hovedverker i norsk 1800-talls arkitektur og i Grosch' store produksjon. De var holdt i den klassisistiske stil som dominerte norsk arkitektur i første halvdel av 1800-tallet. Fasadene med søyler og pilastre henspilte på antikke greske forbilder og på det opphøyede i bygningenes formål.

I midtbygningens søylegang med trappeavsatsene kommer Schinkels mesterskap til uttrykk. Dette var ett av de punkter hvor Schinkel hadde grepet inn og supplert Grosch' planer, med et storslått resultat. Universitetet ble ett av Norges fremste praktbygg. Noen av arkitektenes planer hadde stortingsmennene brukt sparekniven på. Schinkel hadde foreslått at midtbygningens søylestilling skulle utføres i marmor, men Stortinget sa nei. Til gjengjeld gikk Stortinget med på at søylene i stedet ble utført i hugget granitt.

Foruten lokaler for undervisning og for samlinger og laboratorier inneholdt bygningene også universitetets store festsal. Festsalen var Christianias største forsamlingslokale og var praktfullt dekorert og innredet. I tillegg til å gjøre tjeneste for universitetets egne formål, ble festsalen jevnlig brukt som offentlig forsamlingslokale. Også Stortinget holdt noen av møtene sine der før Stortingets egen bygning stod ferdig i 1866.

## Universitetet som utdannelsesinstitusjon

Universitetets mest umiddelbare oppgave var å forsyne staten med embetsmenn. Fra starten administrerte universitetet fire embetsstudier – i jus, teologi, medisin og filologi. Et femte studium var bergeksamen som ble overført med Bergseminaret fra Kongsberg, som fra 1819 ble integrert i universitetet. I 1851 kom en sjette embetseksamen til – reallærereksamen.

Fra de første kandidatene tok eksamen i 1815 til 1879, da embetsmannsstatens tid gikk mot slutten, var det ialt 4442 studenter som avla embetseksamener ved universitetet. Av disse var 1827 – 41 prosent – jurister. 36 prosent eller 1601 studenter tok teologisk embetseksamen, og 655 (15 prosent) tok medisinsk embetseksamen. Til sammen utgjorde juristene, teologene og medisinerne 92 prosent av det samlede kandidattallet. Av resten tok 209 filologisk embetseksamen, 49 bergeksamen og 101 reallærereksamen.

Av disse tallene kan man slutte at universitetet som undervisningsinstitusjon i hovedsak var en embetsskole for jurister, prester og leger. Filologene – og senere realistene – utdannet seg til de høyere lærerstillingene i latinskolen (gymnaset). Det var noen flere lærere utdannet ved universitetet enn kandidattallene tilsier, siden underordnede lærere – adjunkter – ikke behøvde noen formell eksamen før 1875. Tallene inkluderer heller ikke et betydelig antall studenter som avsluttet studiene etter anneneksamen.

Det er et slående trekk at de fakulteter som hadde de fleste embetsstudentene hadde færrest lærere. Det juridiske fakultet hadde opprinnelig to lærere, fra 1840 fire. Fakultetet beholdt dette stillingstallet frem til 1890-årene. Det teologiske fakultet hadde tre lærerstillinger frem til 1849, da kom det til en fjerde. Et femte teologisk professorat kom i 1876. Det medisinske fakultet viste i sammenligning en svært sterk vekst: Fra to professorater i 1813 var dette fakultetet vokst til fem lærere i 1828, i 1846 var det oppe i syv. I tillegg fulgte medisinstudentene undervisning gitt av forelesere utenfra universitetet.

Enda mer vokste staben ved Det filosofiske fakultet, som i 1860 ble delt i to: et historisk-filosofisk og et matematisk-naturvitenskapelig fakultet. I 1861 hadde disse til sammen 20 lærerstillinger, åtte ved Det historisk-filosofiske og tolv ved Det matematisk-naturvitenskapelige fakultet. Sammenlagt hadde de godt over halvparten av universitetets 35 lærerstillinger. Samtidig hadde disse fakultetene svært få embetsstudenter – i 1861 var det 35 filologer, 12 realstuderende og 10 bergstudenter.

Det filosofiske fakultet var innfallsporten til universitetsstudiet for alle studenter. Deres første møte med universitetet var examen artium, som var den formelle opptaksprøven ved universitetet. Det var en omfattende skriftlig og muntlig eksamen hvor universitetslærerne eksaminerte kandidatene. Dernest skulle studentene avlegge anneneksamen – examen philologico-philosophicum – slik det også var foreskrevet ved Københavns universitet.

Fagkretsen for anneneksamen var filosofi, matematikk, astronomi, naturhistorie, historie, gresk og latin; teologistudenter måtte i tillegg ta eksamen i hebraisk. Anneneksamen dannet bindeleddet mellom examen artium og de yrkesrettede embetsstudiene. Den var en viktig del av studentenes opplæring ved universitetet. Det vanlige var at studentene brukte ett til halvannet år fra examen artium til anneneksamen. Det tilsvarte en fjerdedel av gjennomsnittlig samlet studietid for en juridisk kandidat.

Anneneksamen var en fortsettelse av det middelalderske universitetsideal om karakterens dannelse gjennom studiet av antikkens *artes liberales* og særlig studiet av filosofi, gresk og latin. Samtidig var fagkretsen et kompromiss med opplysningstidens krav om kunnskaper i naturvitenskap og historie.

Universitetet i Christiania startet undervisningen på et tidspunkt da det klassiske dannelsesideal hadde et oppsving i Europa, og i de første år stod dette idealet sterkt ved Det kongelige Frederiks Universitet. Filosofiprofessoren Niels Treschow var den av de første lærerne som talte med størst autoritet. Han var for sin del kritisk til den klassiske dannelse og var talsmann for opplysningstidens nyttetenkning. Men Treschow forlot universitetet allerede i 1814 da han ble medlem av regjeringen og landets første kirke- og undervisningsminister, og etter hans avgang var det Georg Sverdrup – professor i gresk og latin – som fremstod som den dominerende lærer ikke bare ved Det filosofiske fakultet, men ved universitetet som helhet. Sverdrup var talsmann for det nyhumanistiske programmet for en fornyelse av den klassiske dannelsen. Innenfor dette programmet var filosofi en helt sentral disiplin. Gjennom studiet av klassiske språk og filosofi skulle studentene bringes opp på et høyere intellektuelt og etisk nivå. Samtidig var filosofi et område hvor det var vanskelig å få kvalifiserte lærere. I 1831 overtok Sverdrup selv professoratet i filosofi.

Når Det filosofiske fakultets fremste lærer selv tok ansvar for undervisningen i filosofi, viser det hvilken betydning dette faget ble tillagt i fagkretsen til anneneksamen – som sentralt dannelsesfag og obligatorisk for alle universitetets studenter. Samtidig illustrerer det at miljøet for humanistiske vitenskaper i Christiania var for lite til å få frem nye fagfolk til å fylle universitetslærerstillingene. Bare ytterst få studenter valgte det filologiske studiet, som ble regnet som det vanskeligste og det mest langvarige av embetsstudiene.

Georg Sverdrup hadde i sin ungdom studert ved universitetet i Göttingen, som i begynnelsen av 1800-tallet var et forbilde for universiteter i mange land. Der hadde han hentet sine nyhumanistiske pedagogiske ideer. Der hadde han også kunnet se verdien av å ha et godt universitetsbibliotek. Da Sverdrup ble tilbudt ansettelse ved universitetet i Christiania, foreslo han selv at han ved siden av professoratet skulle bestyre Universitetsbiblioteket. Med Sverdrup som overbibliotekar ble Universitetsbiblioteket høyt prioritert. Biblioteket fikk brorparten av universitetets bevilgninger til drift og samlinger i de første tiårene, og boksamlingen vokste raskt.

# Ekspansjon i naturvitenskapene

Det mest slående trekk ved det første halvsekelet av universitetets historie er den sterke veksten i naturvitenskap og medisin. Det gjaldt ikke bare i antall lærerstillinger. Naturvitenskapen vokste seg ut av universitetets bygningsramme. De var de første fagene som etablerte seg med egne bygninger utover universitetets felles undervisningslokaler, og fagenes behov kom til å omforme planene for de nye universitetsbygningene.

Naturvitenskapens vekst sprengte seg ut av fellesskapet innenfor Det filosofiske fakultet. Lærerstaben ved Det filosofiske fakultet var sammensatt for å dekke hele bredden i fagkretsen til anneneksamen. Veksten i antall professorater ved fakultetet kan imidlertid ikke forklares med henvisning til undervisningsoppgavene alene. Den skyldtes en faglig spesialisering som var drevet frem av vitenskapenes utvikling internasjonalt, men den hadde også sin bakgrunn i nasjonale behov.

Da universitetsbygningene ved Karl Johans gate stod ferdige, fikk man et sterkt synlig uttrykk for den vektforskyvning som var skjedd i medisinens og naturvitenskapens favør. Det største huset, den monumentale midtbygningen, var i sin helhet forbeholdt medisin og naturvitenskap. Teologi, jus og filologi måtte dele plassen med universitetsadministrasjonen i Domus Academica.

Domus Academica hadde vært planlagt som universitetets midtbygning den gang tomten ved Akershus var aktuell. Slik den ble reist, ble Domus Academica langt mindre enn midtbygningen og beskjedent lagt på østsiden av universitetsplassen. Rett overfor lå bibliotekbygningen – Domus Biblioteca – på vestsiden. Plasseringen var et resultat av at medisin og naturvitenskap hadde en arbeidsform og en størrelse som gjorde at de trengte den største bygningen. Av hensyn til klassisismens idealer om symmetri måtte den største bygningen legges i midten.

Naturvitenskapene hadde tidlig fått egne bygninger og anlegg utenfor det øvrige universitet. Et stort areal på Tøyen ble lagt ut til botanisk hage. En bygård i Øvre Slottsgate ble revet ned og bygget om til kjemisk laboratorium og «fysisk kabinett» på slutten av 1820-årene. Et primitivt astronomisk observatorium ble anlagt under murene på Akershus allerede i 1815. Dette ble avløst av et permanent astronomisk observatorium ved Drammensveien – på Solli – som stod ferdig i 1833.

Både botanisk hage og observatorium var ansett som helt nødvendige for et universitet. Allerede i Gunnerus' universitetsplan fra 1771 var disse med. Botanikk og astronomi var etablerte undervisningsfag og inngikk i anneneksamens fagkrets. Botanisk hage var viktig for farmasøyters og medisineres utdannelse. Men universitetsundervisningen var bare en del av det anleggene var tenkt brukt til.

Observatoriet illustrerer hva det var utover undervisningsoppgavene som skapte grunnlaget for naturvitenskapenes vekst ved universitetet. Christopher Hansteen var universitetets første universitetslærer i astronomi. Undervisningsforpliktelsene var til å begynne med å gi forelesninger for studentene til anneneksamen. Utover dette gikk Hansteen straks i gang med å rigge til det første observatoriet under festningen. De første observasjoner hadde som formål å bestemme Christianias beliggenhet i lengde- og breddegrader, som til da bare var omtrentlig kjent. Først når den nøyaktige posisjonen var kjent, kunne man lage pålitelige kart og beregne tiden riktig. Hansteen kunne påvise at de offentlige urene i Christiania viste tre kvarter feil.

I 1817 ble Hansteen en av direktørene for Norges Geografiske Opmaaling, som hadde til oppgave å utarbeide kart over landet, og han fungerte senere som institusjonens enedirektør ved siden av universitetsstillingen. Han fikk også hovedansvaret for å utdanne landmålere ved Den Militære Høiskole, som var etablert i 1826.

Argumenter for astronomiens praktiske nytte var viktige for å få bevilgninger til observatoriet gjennom et sparelystent storting i 1830, året da universitetets øvrige byggeplaner ble strøket. Regjeringen fikk gjennomslag for at observatoriet var en «videnskabelig Indretning, der ei alene have Interesse for Universitetet, men ogsaa for Staten i almindelighed». Her kunne både landmålere og sjøoffiserer få opplæring. Også for navigasjon var astronomien en forutsetning.

*Kronprinsens gullmedalje 1849 (P.H. Lundgren)*

Kartlegning av landet i videste forstand, av natur og ressurser, var en viktig oppgave for naturvitenskapsmennene ved universitetet. Dette var oppgaver som statsledelsen prioriterte høyt. Da geologen Baltazar Mathias Keilhau i 1824 ble utnevnt til lektor i bergvitenskap, var det med forpliktelse til å «foretage videnskabelige Reiser i Fædrelandets mindre undersøgte Dele saalænge dette maatte ansees nyttigt og nødvendig». Stortinget bevilget årlige beløp til vitenskapelige reiser i Norge. Fra 1820- og 30-årene var studenter og lærere ved universitetet stadig på reiser i Norge for å samle data om bergarter, planter og dyreliv. En humoristisk skildring av botaniserende universitetsstudenter i møte med den norske fjellheimen ble tema for den første norske opera, Henrik Anker Bjerregaards og Waldemar Thranes syngespill *Et Fjeldeventyr* fra 1824.

Professorenes og studentenes reiser i norsk natur ble en del av en større utforskning av Norges natur, som fulgte i årene etter 1814 og som var en viktig del av en romantisk begeistring for det nasjonale. Keilhau og hans venn, den senere medisinprofessor Christian Boeck, er kalt «Jotunheimens oppdagere». De fikk følge av kunstnere som tok opp nasjonale motiver, og av diktere og forskere som samlet eventyr, folkeviser og dialektformer.

Keilhau samlet omhyggelig data over norske bergarter og utgav det første geologiske kartet over Norge. Samtidig samlet han inn prøver av bergarter til universitetets mineralsamling. Dette var universitetets eldste samling. Den fulgte med fra Bergseminaret på Kongsberg.

Ved universitetet fikk mineralsamlingen fra Kongsberg følge av en rekke naturvitenskapelige museer, som inneholdt materiale samlet inn av universitetslærerne selv, som var kommet til ved innkjøp eller gaver, eller ved bytte med utenlandske samlinger. Naturvitenskapsmenn i første halvdel av 1800-tallet var først og fremst kartleggere og samlere. Veksten i samlingene var en viktig årsak til at naturvitenskapen måtte få den største bygningen i det nye universitetskomplekset. Ved innflyttingen i 1852 var det en rekke samlinger som fikk plass i midtbygningen – en zoologisk, zootomisk, botanisk, mineralogisk samling, i tillegg til en farma-

kologisk samling for medisinernes bruk. Samlingene satte navn
på bygningen. Den gikk under navnet *Museum naturale* eller bare
Musébygningen.

Universitetets samlinger var åpne for det alminnelige publikum. Tilstrømningen kunne være svært stor. Under det årlige
markedet i Christiania var universitetets samlinger flittig besøkt
av tilreisende. I markedsuken i 1866 ble det registrert 6000 besøkende.

Også de humanistiske disipliner hadde sine samlinger. Et
myntkabinett var opprettet på Georg Sverdrups initiativ allerede
i 1817, da det ble kjøpt inn en stor samling av greske og romerske mynter. I 1822 overok universitetet en samling av «Nordiske
Oldsager» som Det kongelige Selskab for Norges Vel hadde tatt
initiativ til i 1811. Dette var opprinnelsen til Universitetets Oldsaksamling, som ble åpnet for studenter og publikum i et rom i
universitetsgården i 1829. Da universitetet flyttet til de nye bygningene, fikk Oldsaksamlingen plass i annen etasje i Domus Academica. Samlingen vakte stor interesse og ble raskt økt med betydelige gaver. Oldsaksamlingen fikk status som nasjonalmuseum,
hvor de synlige minner fra norsk oldtid og middelalder ble samlet og stilt ut.

Universitetslærere i Christiania tok del i utforskningen av verden også utover Norges grenser. Den første professor i botanikk
og økonomi, Christen Smith, fikk delta i en britisk ekspedisjon til
Kanariøyene for å kartlegge ukjente planter. Frø han sendte hjem
derfra, ble plantet på Tøyen og spirte til sjeldne palmearter som
fortsatt vokser der. Siden ble han med på en ekspedisjon til Afrika
for å finne Kongoelvens utspring. Under denne ekspedisjonen
døde han allerede i 1815.

Først mot slutten av 1800-tallet ble det aktuelt for norske forskere å utruste egne større ekspedisjoner for utforskning av
ukjente områder i verden, og da i hovedsak i polarområdene. I
universitetets første tid er det bare Christopher Hansteens to-års
ekspedisjon til Sibir 1829–30 som kommer opp mot disse i
omfang og utgifter. Hensikten med ekspedisjonen var å foreta
målinger av jordmagnetismen og utprøve Hansteens teori om en

annen magnetisk nordpol. Hansteen hadde publisert arbeider som hadde vunnet anerkjennelse før han ble knyttet til universitetet. Da han ble ansatt, fremhevet regjeringen at Hansteen ikke bare kunne forventes å bli en «duelig Universitets Lærer men tillige en Mand, der ved Skrifter og Opdagelser vil gjøre det Ære». Hansteen var den første naturvitenskapsmann ved universitetet som vant internasjonal berømmelse. Hans avhandling om jordmagnetismen utgitt i 1816 var det første vitenskapelige arbeidet fra det nye universitet. Når Hansteen fikk penger til Sibir-ekspedisjonen og til å bygge observatoriet, var det også ut fra et ønske hos dem som bevilget pengene, om at en nordmann – en professor ved universitetet i Christiania – skulle kunne hevde seg i europeisk vitenskap.

Når naturvitenskapene fikk ressurser som gjorde det mulig å vokse så sterkt gjennom universitetets første femti år, var det fordi de inngikk i mange formål som den nye staten var interessert i å fremme. Kartlegning av topografi og naturressurser var viktig for å fremme kommunikasjoner og næringsveier. Samtidig var det å kunne skilte med naturvitenskapsmennenes anseelse internasjonalt, av verdi for å hevde Norges plass som en selvstendig nasjon.

Fra 1820-tallet bevilget regjeringen til studiereiser utenlands slik at unge naturvitenskapsmenn kunne få besøke universiteter og fagfeller i Europa. Blant de første som fikk stipend var Keilhau, Boeck og den unge matematikeren Niels Henrik Abel. Utenlandsreisene hadde som formål at norske vitenskapsmenn skulle holde seg informert om den vitenskapelige utviklingen internasjonalt. Gjennom disse reisene bragte de norske stipendiatene tilbake impulser fra ledende fagmiljøer i Europa.

Utenlandsreiser ble avgjørende for rekrutteringen til universitetsstillinger. Etter hvert ble det nærmest en regel at en universitetslærer måtte ha bak seg en lengre utenlandsreise før han kunne få fast ansettelse. Særlig gjaldt dette naturvitenskap og medisin. Stipendiatene bragte med seg nye metoder og nye teorier og informasjon om nye spesialiteter og disipliner.

# Spesialisering innen medisin

Spesialisering og faglig nyskapning var en viktig del av prosessen som presset frem vekst i naturvitenskap og medisin. Særlig slo dette ut innenfor Det medisinske fakultet.

Utviklingen av medisinen som universitetsstudium må ses på bakgrunn av medisinernes plassering og oppgaver i det norske samfunn. Sammenlignet med juristene og teologene startet legene med et dårlig utgangspunkt. Legene var for det alt vesentlige embetsmenn. Bare et fåtall drev privat legepraksis. Men de hadde jevnt over dårligere lønn og lavere anseelse enn prester og jurister. De hadde også dårligere utdannelsesbakgrunn. Selv om det ble krevd formell eksamen av medisinske embetsmenn, var det på begynnelsen av 1800-tallet et betydelig antall som ikke hadde slik eksamen.

Fra 1820-årene stod Det medisinske fakultet sentralt i legenes bestrebelser på å styrke helsevesenet og heve legeprofesjonens kvalifikasjoner og anseelse i Norge. Frederik Holst, professor i medisin fra 1824, er blitt kalt «den største institusjonsbygger norsk medisin har fostret». Oppbygningen av institusjoner utenfor universitetet stod sentralt i dette arbeidet.

Da de første medisinprofessorene ble utnevnt i 1813, var det fortsatt usikkert om det var mulig å få til et fullstendig legestudium i Christiania med klinisk undervisning ved sykehusene i byen, eller om studentene måtte reise til København for å avslutte studiene der. Begivenhetene i 1814 hadde avgjort dette spørsmål, men det skulle gå ti år før det var på plass et fullverdig Rikshospital i Christiania. Rikshospitalet, slik det ble anlagt under Frederik Holsts ledelse, ble etablert i tett tilknytning til Det medisinske fakultet. Fakultetets professorer var Rikshospitalets overleger, og hospitalets avdelinger gav rom for klinisk undervisning av studentene. Fra 1828 ble det forlangt at medisinstudentene skulle følge eksamensklinikker ved Rikshospitalet.

Kravene ble skjerpet til hva studentene skulle ha av kunnskaper og ferdigheter i prekliniske fag. Laboratorieøvelser i kjemi ble obligatoriske fra 1846. Hensikten var å styrke kandidatenes kvalifikasjoner ved å føre dem inn i naturvitenskapenes teori og metode. Legeyrket skulle bringes opp fra en nærmest håndverksmessig tradisjon fra 16- og 1700-tallets kirurger, til et nivå hvor legene kunne fremstå som vitenskapelig skolerte fagmenn med autoritet i samfunnet.

Parallelt med institusjonsbygging i sykehus og på universitetet, arbeidet legene for endringer i statens forvaltning av helsevesenet slik at medisinerne selv skulle få myndighet til å utforme et offentlig helsevesen etter sitt eget faglige skjønn. Fra 1824 var Det medisinske fakultet formelt et rådgivende organ for regjeringen.

Vitenskapeliggjøringen av legeprofesjonen kom til å bli en drivkraft for å innføre nye arbeidsformer innen naturvitenskapene. Laboratoriet, med utstyr for analyser og eksperimenter, var kjernen i den nye arbeidsformen som brøt gjennom i naturvitenskapene mot midten av 1800-tallet. Universitetet i Christiania hadde hatt et kjemisk laboratorium fra starten. Det var et undervisningslaboratorium som først farmasistudentene, og siden også medisinstudentene, brukte til obligatoriske øvelser. Men allerede da de nye bygningene ved Karl Johans gate ble tatt i bruk, trengtes større plass til kjemisk laboratorium enn de rommene som var satt av: dels på grunn av et voksende antall medisinstudenter, men også fordi kjemilaboratoriet fikk nye oppgaver som forskningslaboratorium.

I Europa, og særlig i Tyskland, var det skjedd gjennombrudd i kjemisk forskning, som gjorde det mulig å avdekke stoffenes indre strukturer. Forskningslaboratorier ved tyske universiteter dannet mønster for tilsvarende nydannelser i mange land. I Christiania ble det nyinnredede kjemiske laboratoriet i midtbygningen sentrum for et miljø for kjemisk forskning etter tysk mønster. Tyskeren Adolph Strecker, som hadde studert i Giessen under kjemikeren Justus Liebig, søkte det ledige lektorat i kjemi i Christiania i 1851. Liebigs kjemiske laboratorium i Giessen dannet skole, og det ble mønster for laboratoriet som Strecker bygget opp i Christiania. Her ble studenter og assistenter satt i gang med et omfattende forskningsprogram med bruk av nye metoder og teorier. Flere av Streckers arbeider ble klassiske innenfor organisk kjemi. Han forlot Christiania i 1860 da han ble kalt til et professorat ved universitetet i Tübingen. Hans elev og etterfølger Peter Waage skulle bli den første norske kjemikeren som vant verdensry. Sammen med svogeren, professor i matematikk Cato Maximilian Guldberg formulerte han i 1864 massevirkningsloven, som ble en av kjemiens grunnsetninger.

I 1875 ble det bygget en ny bygning for det kjemiske laboratorium i Frederiks gate, rett i nærheten av universitetsbygningene. Et voksende antall medisinstudenter og farmasøyter skulle ha laboratorieøvelser, og de gamle lokalene ble for trange. Farmasistudentene fulgte undervisning ved kjemilaboratoriet som privatister. Farmasiutdannelsen ble ikke knyttet formelt til universitetet før i 1930-årene.

## Profesjonalisering av universitetslærerne

Det finnes mange utsagn som fremhever at universitetet i Christiania i de første ti-årene var en embetsmannsskole uten stor vitenskapelig underbygning. «Paa denne Tid,» skriver J. S. Welhaven i tilbakeblikk på sin studietid i 1820-årene, «var den norske Høiskole intet uden en Examens-Indretning, der paa hurtigste Maade skulde skaffe den unge Stat det fornødne Antal Embetsmænd.» Det manglet folk til å fylle embetsstillingene, og det var om å gjøre for universitetet å få flest mulig gjennom embetseksamen. Preget av krisetilstand ble tydeligere ved at en stor andel av studentene ikke hadde examen artium, men fikk adgang til universitetet gjennom preliminæreksamen. Til preliminæreksamen ble det ikke krevd latinkunnskaper. Preliminaristene – eller «prelene», som de nedsettende ble kalt av sine latinkyndige medstudenter – hadde adgang til å avlegge en egen «norsk» juridisk og medisinsk eksamen og bergeksamen. I praksis innebar dette at universitetet bare opprettholdt latin som obligatorisk for teologer og filologer.

Staben av universitetslærere bar også preg av mangel på fagfolk. Den første generasjon av professorer var, med noen få unntak, ikke menn med noe betydelig vitenskapelig forfatterskap bak seg. Mange var praktikere i sine fag, og for flere av dem ble stillingen ved universitetet bare et stadium i en karriere i embetsverket utenfor. Klarest uttalt var dette for juristene, hvor det var stort gjennomtrekk i universitetslærerstillingene. Av de syv første som ble utnevnt til lektorer eller professorer i jus, gikk fem etter kort tid over i andre embetsstillinger. Først fra slutten av 1830-årene ble det regelen at en universitetslærer i jus ble ved universitetet hele sitt yrkesliv.

Omkring 1840 inntraff et skifte i rekrutteringen til universitetsstillingene. Av den første generasjon av universitetslærere var det nå bare få igjen. Stillingene kunne fylles med folk som hadde sin utdannelse fra universitetet selv, og som hadde fått anledning til å arbeide med sine fag takket være stipender og reisebevilgninger fra staten. Av hensyn til fremtidig behov for rekruttering kom det forslag om å sette denne type støtteordninger i system, og om å knytte dem nærmere til universitetet. Det viktigste tiltaket var ordningen med «adjunktstipender» for å støtte lovende talenter som tok sikte på en vitenskapelig karriere.

Forhistorien til adjunktstipendene viser hvordan universitetets oppmerksomhet dreide fra å sikre studentene utdannelse i retning av universitetets behov for vitenskapelig kvalifiserte kandidater. I fundasen fra 1824 var det bestemt at universitetet kunne bevilge stipender til ubemidlede studenter, og slike ble bevilget hvert år. Ordningen med adjunktstipender gikk ut på at universitetet strøk oppholdsstøtte til studenter fra budsjettet og i stedet bevilget midler til videregående studier for unge forskerbegavelser. De første adjunktstipendene ble delt ut i 1841. Stipendiatene ble ansatt av regjeringen etter innstilling fra Det akademiske kollegium. Bortfallet av studentstipender ble kompensert ved at universitetet mottok ganske betydelige gaver fra private, i form av legater som var bestemt til stipender for studenter uten velstående familie.

Også veien til faste universitetsstillinger ble lagt om. Professorater og lektorater var embeter, hvor innehaveren ble utnevnt av kongen i statsråd etter innstilling fra Det akademiske kollegium og universitetskansleren. I 1837 vedtok regjeringen å kreve prøveforelesninger av den som var innstilt før fast ansettelse ble gitt.

To år etter ble det bestemt at ledige stillinger skulle utlyses offentlig. Hensikten var å åpne for reell konkurranse om stillingene og sikre en faglig bedømmelse av søkerne, hvor vitenskapelige kriterier skulle tjene som grunnlag for utvelgelse. Understrekningen av faglige kvalifikasjoner og åpen konkurranse bidro til å styrke universitetets innflytelse på utnevnelsene. Få fagfolk og uklare kriterier for utvalg hadde gitt universitetskansleren og regjeringen stort spillerom til å utnevne universitetslærere på tvers av universitetets innstilling.

I 1841 ble det lansert en idé om et vitenskapsselskap i Christiania, som skulle ha som formål å bygge opp under vitenskapelige studier og sørge for publisering av vitenskapelige avhandlinger. Fra før fantes det vitenskapelige foreninger med utspring i universitetsmiljøet, og noen av disse utgav vitenskapelige tidsskrifter. Naturvitenskap og medisin hadde vært først ute, senere kom humanistene med.

Disse første foreningene var åpne for faginteresserte både fra universitetet og utenfor. Det Medicinske Selskab fra 1833 var en faglig forening for hele legestanden, med universitetslærerne i ledelsen, hvor hensikten var å heve standens faglige nivå. Et vitenskapsselskap hadde et annet siktemål. Det skulle tjene til å samle vitenskapsmenn på tvers av faggrensene, der det vitenskapelige arbeidet stod i fokus.

Initiativet til et vitenskapsselskap i 1841 rant ut i sanden. Årsaken ble sagt å være vanskeligheter med å skaffe penger, og dessuten «Betænkeligheder, med Hensyn til de Videnskabelige Kræfters Tilstrækkelighed». Miljøet av vitenskapsmenn i Christiania var for trangt til at det alene kunne bære et vitenskapsselskap.

Bestrebelsene på å få styrket det vitenskapelige arbeidet var uttrykk for et ønske om å utvikle det norske universitetet i samme retning som ledende universiteter i Europa. Det «humboldtske» universitet, som ble et europeisk ideal, hadde utviklet seg til en institusjon hvor det ble lagt vekt på vitenskapelig virksomhet, hvor vitenskapelig kvalitet og originalitet ble viktige kriterier. Dette gav grobunn for en fredelig kappestrid mellom universiteter og nasjoner om hvem som kunne få frem de beste forskerne.

Det gav også grunnlag for en internasjonal vitenskapelig offentlighet, hvor universitetslærere i de forskjellige land kunne ta del, og som utviklet og vedlikeholdt en rettesnor for vitenskapelige kvalitetsvurderinger. Det internasjonale fellesskapet ble en forutsetning for profesjonalisering av vitenskapsmennene nasjonalt.

De skandinaviske naturforskerne holdt i 1839 sitt første felles møte, noe som skulle bli en fast institusjon. Møtene styrket kontakten mellom de nordiske fagmiljøene og hjalp til å overkomme begrensningene i de små miljøene. Det var også et skritt for å knytte nærmere an til det europeiske fellesskapet av naturvitenskapsmenn på tvers av landegrensene. Dette fellesskapet var blitt vesentlig styrket fra 1820-årene, særlig gjennom faste fagkongresser i Tyskland og Storbritannia.

Det fjerde skandinaviske naturforskermøtet ble arrangert i Christiania i 1844 med nesten 200 deltagere av naturvitenskapsmenn og medisinere. Det var den første vitenskapelige kongress som ble holdt i Norge, og den ble gitt en storslått offentlig markering. Flere av Europas ledende vitenskapsmenn var til stede, og på tross av nærmest unnskyldende presentasjoner av norsk forskning, ble det norske vertskapet gitt anerkjennelse for kvaliteten av arbeidet som var gjort.

Naturvitenskapsmenn og medisinere gikk foran i arbeidet med å organisere vitenskapen både nasjonalt og internasjonalt. En norsk lege tok det første initiativ til de nordiske naturforskermøtene. Medisinerprofessoren Frants C. Faye var den som til slutt gjorde det mulig å få dannet et vitenskapsselskap i Christiania i 1857, da han forærte en betydelig pengesum som startkapital.

De humanistiske disiplinene ved universitetet stod sterkt som undervisningsfag og hadde høy prestisje. Anseelsen var knyttet til markante lærerpersonligheter som Georg Sverdrup og de to teologiprofessorene Svend Hersleb og Stener Stenersen. Men ingen av disse var vitenskapsmenn i den forstand at de drev egen forskning eller skrev faglitteratur.

Med historikerne Rudolf Keyser, professor fra 1829, og Peter Andreas Munch, lektor fra 1837, kom det universitetslærere i humanistiske fag som drev egen forskning basert på vitenskape-

lige metoder etter internasjonale standarder. P.A. Munchs viten-
skapelige innsats var kolossal og omfattet en rekke disipliner, for-
uten historie arbeidet han innenfor geografi, arkeologi, folke-
minne, språkhistorie og runeforskning.

Med Keyser og Munch ble det vitenskapelige studiet av gam-
mel norsk historie og norsk språk innledet. Ved Keysers utnev-
nelse ble han pålagt å undervise en fagkrets av «Fædrelandets
Historie og dets Oldsprog og Antiqviteter». Keyser og Munchs
forskning skapte en forståelse av norsk historie som fikk stor
betydning for hele det norske samfunn. Den unge nasjon kunne
se med stolthet tilbake på sin historie. Det norske folk var etter
Keysers og Munchs mening det opprinnelige opphav til alle de
skandinaviske folkene, og den gammelnorske litteraturen repre-
senterte den eldste nordiske kulturen.

P. A. Munchs karriere illustrerer hvordan vitenskapen i Chri-
stiania søkte til et utenlandsk fagmiljø for å hente nye vitenskape-
lige metoder, og for å finne tilhørighet til et bredere internasjonalt
vitenskapsmiljø. Munch hadde lært seg språkvitenskapelig
metode i København, og tilknytningen til Danmark var senere
viktig for ham som et fundament for vitenskapelig virksomhet i
Christiania. «De danske Videnskabsmænd burde formelig con-
trollere vort Universitet,» skrev han til en dansk kollega i 1843.
Utsagnet må forstås som et ønske om å tilhøre et felles dansk-
norsk vitenskapelig miljø som kunne fremstå med tyngde og
autoritet. Munch gav stadig uttrykk for misnøye med det isolerte
og fåtallige vitenskapelige miljø i Norge.

Bestrebelsene på å heve universitetets vitenskapelige kvalitet
kan også forstås som et uttrykk for et behov som ble følt ved uni-
versitetet selv for å bedre universitetets alminnelige omdømme og
styrke dets autoritet utad. I begynnelsen av 1840-årene kom det
til uttrykk offentlig kritikk som sved. I 1841 ble universitetet
sablet ned i en artikkelserie i det opposisjonelle Morgenbladet:
Det manglet «en sand gediegen videnskabelig Aand». En komité
ved universitetet innrømmet samme år at «Universitetets Anse-
else er i den offentlige Mening dybt sjunken».

Uttalelser av denne art kan tolkes på mer enn én måte. En ny generasjon var i ferd med å overta ved universitetet, og den ønsket å styrke institusjonens vitenskapelige forankring. Uttalelsene må også forstås på bakgrunn av striden som oppstod om ansettelsen av J. S. Welhaven som lektor i filosofi i 1840. Dikterens kvalifikasjoner var omstridt, og det brøt ut en voldsom strid i pressen med skarp kritikk av universitetet. Utnevnelsen fikk politisk etterspill i Stortinget.

Større vekt på vitenskapelige kvalifikasjoner ville gjøre universitetet mindre avhengig av overordnede myndigheter og mindre sårbart for offentlig kritikk. Systematisk bruk av adjunktstipender for å få frem vitenskapelig kvalifiserte kandidater til universitetslærerstillingene, var nødvendig for at ikke «den hele Indretning [skal] styrte sammen ved Korruption,» uttalte opposisjonspolitikeren Ludvig Kristensen Daa i Stortinget i 1842. Daa følte seg selv forbigått ved to ansettelser ved universitetet. Opposisjonen i Stortinget fulgte universitetet nøye. Det kom forslag om å redusere professorenes gasjer, men også om å øke antallet lektorstillinger. Kritikken viste at universitetet var en viktig institusjon i det norske samfunn, som både regjering og Storting var opptatt av.

## Kampen om dannelsesidealene

1840-årene ble et tidsskille i universitetets historie. Med den nye generasjonen av universitetslærere kom det inn nye vitenskapelige idealer, og det kom til en omvurdering av universitetets oppgaver som undervisningsanstalt. Embetsutdannelsen skulle fortsatt være universitetets fremste undervisningsoppgave. Statsembetene i Norge skulle fortsatt være forbeholdt menn med «videnskabelig Dannelse». Spørsmålet var hvilket grunnlag denne dannelsen skulle bygges på.

Som et alternativ til forrige generasjons ideal om den «klassiske» dannelse, gikk flere i den nye generasjonen inn for at den måtte skiftes ut med en «realistisk» dannelse. Opplæringen i klassiske språk ble angrepet som innholdsløs retorikk. Filosofien ble angrepet som unyttig spekulasjon.

*Gisle Johnson , oljemaleri 1885 (Asta Nørregaard)*

Fremst innen den nye generasjonen var Anton Martin Schwei-
gaard. Han var lektor i jus fra 1835, fra 1840 professor i jus, øko-
nomi og statistikk. Frem til sin død i 1870 var Schweigaard uni-
versitetets ubestridt fremste professor. Hans autoritet strakte seg
langt utover universitetet og sitt eget fagområde. Fra 1842 ble han
valgt og gjenvalgt som Christianias første representant til hvert
eneste storting så lenge han levde. Som stortingsrepresentant og
som medlem av utallige offentlige kommisjoner og utvalg fikk
han innflytelse på lovgivning og politikk på alle områder. I Stor-
tinget ble han regjeringens fremste støttespiller. Han inkarnerte
embetsmannsstatens ideal om den uavhengige folkevalgte som ut
fra overlegen kunnskap og innsikt talte med naturlig autoritet.

Schweigaard og Welhaven hadde stått i spissen for en gruppe
studenter og yngre akademikere som gjorde seg gjeldende i Chris-
tiania fra begynnelsen av 1830-årene. De hadde stått i opposisjon
til en nasjonalbegeistret studentkultur som de fant støyende og
ukultivert. Motstanderne, med Henrik Wergeland som frontfigur,
gav dem oppnavnet «Intelligensen». Intelligenskretsen ivret for
fornyelse i det norske samfunn. Sentralt i programmet stod en
forandring av embetsmennenes rolle. De skulle ikke nøye seg med
å administrere staten, men gå foran i å reformere samfunnet –
politisk, økonomisk, sosialt og kulturelt. Intelligensen ivret for en
handlekraftig regjering som kunne gå sammen med Stortinget om
å utvikle landets muligheter. I ledelsen av reformbevegelsen så de
for seg en opplyst akademisk elite.

Intelligenskretsens menn kom tidlig i posisjon ved universite-
tet og i statsstyret. Schweigaard var 27 år da han ble lektor. Han
etterfulgte et annet av kretsens lysende navn, Frederik Stang, som
var blitt lektor bare 23 år gammel. Stang var den første jurist ved
universitetet som vant anerkjennelse for selvstendig vitenskapelig
arbeid. Bak seg hadde de unge en mektig støttespiller fra en tidli-
gere generasjon. Grev Wedel, som var stattholder og universite-
tets prokansler frem til sin død i 1840, brukte sin innflytelse for
å hjelpe frem de unge fra intelligenskretsen. Både ved P.A.
Munchs og Welhavens ansettelser hadde Wedel grepet avgjørende
inn.

Intelligensens seier var en studentrevolusjon som lyktes, har J.A. Seip skrevet. I 1845 ble Frederik Stang medlem av regjeringen og pådriver for en aktiv reformpolitikk. Veien lå åpen for å føre intelligenskretsens program over i handling.

Det nye embetsmannsidealet slik Schweigaard utformet det, fant sitt grunnlag i en moderne vitenskapelighet som hadde naturvitenskapene som forbilde. Empirisk observasjon av nåtiden og dens problemer skulle gi grunnlag for handling. Naturvitenskapene og medisinen følte behov for å frigjøre seg fra det man følte var historisk nedarvede bindinger. Målet måtte være, skrev medisineren Frants Faye i 1842 i en polemikk mot Georg Sverdrup, «en fra al Philosophie emanciperet naturvidenskabelig Empiri».

Striden mellom den klassiske og realistiske dannelse som universitetsstudienes grunnlag omfattet både hvilke forkunnskaper studentene skulle ha fra skolen og examen artium, og innholdet i anneneksamen. På det siste punktet vant realistenes talsmenn en fullstendig seier i 1845. I endringene i universitetsfundasen som Stortinget vedtok dette året, ble gresk, latin og historie strøket fra anneneksamens fagkrets. I stedet kom fysikk og kjemi inn som obligatoriske fag. Av humanistiske disipliner gjenstod da bare filosofi som et obligatorisk forberedende fag for alle studenter. Meningene om reformene hadde vært sterkt delte både på universitetet og i Stortinget. Schweigaards opptreden i Stortinget var avgjørende for å få dem vedtatt.

Den nye fundasen gjorde slutt på at doktordisputaser skulle holdes på latin. Dette hadde liten praktisk betydning. Bare fire kandidater, alle medisinere, hadde avlagt doktorgraden ved universitetet til da. Men det var et symbolsk uttrykk for at latinens stilling som akademisk språk var svekket. Derimot ble det ikke slappet av på kravet om examen artium – med obligatorisk latin – for å få adgang til universitetsstudiene. Tvert om ble det vedtatt å avvikle ordningen med preliminæreksamen. Når adgangen til universitetet uten examen artium ble stengt i 1845, var det et utslag av at et samlet universitet ønsket å beholde akademikernes elitepreg.

Ett ledd i striden om dannelsens innhold var at det av private ble opprettet «realskoler» for å ta opp konkurransen med de offentlige «latinskoler». Universitetslærere var sterkt engasjert i dette arbeidet, som var en begynnende realisering av det skoleprogram Schweigaard hadde gjort seg til talsmann for. Flere av universitetets naturvitenskapsmenn deltok i undervisningen ved Hartvig Nissens private latin- og realskole som startet i 1843. Nissens nærmeste støttespiller var Ole Jacob Broch, som i 1848 ble professor i matematikk. På Brochs initiativ ble det i 1851 opprettet en egen lærerutdannelse ved universitetet for realskolenes formål – reallæreeksamen. Det var dermed lagt til rette for å få kvalifiserte lærere til en ny universitetsforberedende skole. I 1869 ble reformen fullført på den måten at realartium ble likestilt med latinartium som opptaksgrunnlag ved universitetet. Dermed var det ikke lenger obligatorisk med forkunnskaper i latin for å bli immatrikulert ved universitetet.

Reallæreeksamen var den første nye embetseksamen opprettet siden universitetet startet, og det var den første organiserte utdannelsen innen naturvitenskap utover bergeksamen. Professorene ved universitetet hadde vært avvisende til å knytte nye utdannelsesfunksjoner til universitetet utover de etablerte embetsstudier. Også professorene i naturvitenskap gikk imot at det skulle opprettes en teknisk høyskole i tilknytning til universitetet, som de hadde gått imot å legge en høyere landbruksutdannelse til universitetet. Den høiere Landbrugsskole ble opprettet i 1857 og i stedet lagt til Ås.

Ved grunnleggelsen av universitetet hadde det vært en forutsetning at det skulle gis undervisning for «ustuderede» i praktisk anlagte fag. Utover bergeksamen, som ikke ble noe stort studium ved universitetet, ble dette aldri noen realitet. Forslag om en «polyteknisk læreanstalt» tilknyttet universitetet hadde vært fremme i 1833 og ble støttet av Christopher Hansteen. Forslaget ble tatt opp igjen i 1848, da regjeringen oppnevnte en komité for å utrede saken, men komitéflertallet av universitetsprofessorer advarte sterkt mot å legge en teknikerutdannelse til universitetet. Begrunnelsen var blant annet at teknikernes praktisk orienterte utdannelse ville bryte med universitetets frie arbeidsform. Skulle universitetslærerne ta på seg slike oppgaver i tillegg til sine øvrige gjøremål, ville det også stå i konflikt til deres rolle som vitenskapsmenn. Det ville «være dem til Hinder i selvstændigt at Virke til Videnskabernes Fremskridt».

Et ingeniørstudium ville som utdannelse ha skilt seg fra universitetets øvrige studier. Det ville ikke først og fremst vært en embetsmannsutdannelse. Bare få embeter krevde teknisk kyndighet, og de var stort sett besatt med offisersutdannede. Når regjeringen tok til orde for en ingeniørutdannelse i Norge, var det fordi det ville bli behov for teknisk kyndige fagfolk på mange felter hvor regjeringen ønsket at det norske samfunn skulle moderniseres. Nye etater ble bygget opp av det offentlige – telegraf, jernbane, fyrvesen, kanalvesen. Det trengtes også ingeniører til norsk industri. Universitetets standpunkt var at kvalifisert personale for slike formål måtte få sin utdannelse et annet sted enn ved universitetet.

Med reallærerutdannelsen forholdt det seg annerledes. Den var et ledd i en kamp for et dannelsesideal hvor naturvitenskapen ble satt i sentrum. Realgymnasets formål var å styrke det naturvitenskapelige fundamentet for den akademiske eliten. Det var her det nyopprettede matematisk-naturvitenskapelige fakultet så sin fremste oppgave, selv om det også fantes lærere ved fakultetet som gjerne så at universitetet engasjerte seg sterkere i praktisk retning. Botanikkprofessoren Frederik Schübeler vakte stor strid innad i fakultetet da han ønsket å drive Botanisk hage som et praktisk rettet mønstergartneri.

Samtidig var båndene på andre områder nære og tette mellom universitet og næringsliv. Det kjemiske laboratoriet var åpent for enhver som ønsket å utføre eksperimenter for private formål, og lærerne i kjemi og andre fag var sterkt engasjert i praktiske oppgaver for industrien og for det offentlige. Svært mange av universitetets lærere engasjerte seg i arbeidet for folkeopplysning, som var et moteord i 1850- og 60-årene.

Jusstudiet var embetsmannsstudiet fremfor noe. Juristene ble i Schweigaards epoke mer enn noen andre bærerne av ideen om en akademisk elite som gjennom sin faglige innsikt og akademiske dannelse hadde særlige forutsetninger for å være statens ledere. Schweigaard fikk styrket jusstudiet i realistisk retning ved at økonomi og statistikk i 1840 ble gjort til obligatoriske fag. Han tok selv ansvaret for undervisningen. Hensikten var å styrke juristenes generalistkompetanse ved å legge inn i studiet det som ble oppfattet som den sentrale, nye samfunnsvitenskapen med solid empirisk forankring.

Også det teologiske embetsstudium endret karakter fra slutten av 1840-årene. I 1847 og 1849 ble Carl Paul Caspari og Gisle Johnson lektorer ved Det teologiske fakultet. Med dem kom en fornyelse av teologien som vitenskap og presteutdannelse. Caspari bragte med seg nye metoder for vitenskapelig bibelforskning fra sitt hjemland Tyskland. Johnson ble en lederskikkelse i en pietistisk vekkelse som gikk over Norge i 1850-årene og som hadde bred appell i alle samfunnslag. Han ble den teologiske føreren for bevegelsen, som fant sin organisatoriske form i indremisjonsforeningene hvor legfolk og prester søkte sammen.

Johnsons betydning for norsk kirkeliv var svært stor. Hans autoritet i kirkelivet var som Schweigaards i politikken. Den strakte seg langt utover universitetets grenser. Johnson var en fører for legmannskristendommen, og han satte sitt preg på det teologiske studiet ved universitetet. Johnson la grunnen for en ny presterolle i statskirken. Det tidligere bildet av presten som embetsmann og øvrighetsperson ble nedtonet til fordel for en rolle som menighetens veileder til et inderlig trosliv. Teologistudiet var i Johnsons tid ikke et «brødstudium» med sikte på en rask embetskarriere. Teologistudentene ble sterkt grepet av Johnsons appell om personlig omvendelse og streng livsførsel.

## Universitetet og embetsmannsregjeringen

Endringene i universitetsfundasen i 1845 medførte at embetene som universitetskansler og prokansler ble sløyfet. Heretter skulle Det akademiske kollegium kommunisere direkte med regjeringen gjennom Kirke- og undervisningsdepartementet. Dette var i seg selv ingen radikal endring i måten universitetet ble styrt på, men det bidro til å understreke at universitetet nå stod regjeringen nærmere. Den personlige kongemakten var nedtonet. Carl Johan var død i 1844. Regjeringen var ikke lenger kongens redskap for en omforming av statsstyret i autoritær retning, men ønsket å føre an i en aktiv nasjonal reformpolitikk i samarbeid med Stortinget. I dette arbeidet var universitetet en viktig støttespiller. Det er illustrerende for den nære kontakten mellom universitetet og regjeringen at universitetssekretæren gjennom 38 år, kammerherre Christian Holst, samtidig var privatsekretær for stattholderen og senere for Frederik Stang, som førte forsetet i regjeringen i Christiania og ble den første statsminister i Christiania i 1873.

Ved universitetet kunne regjeringen finne støtte i sakkunnskap og autoritet. Schweigaard var i alle sine stortingsår regjeringens fremste støtte i nasjonalforsamlingen. Han og Frederik Stang var dominerende skikkelser i embetsmannsstatens glanstid.

Det var tiden for store initiativer til liberalisering av næringslivet og for utbygging av offentlig infrastruktur – jernbane, telegraf, kanaler, skoler, sykehus. På tross av tilbakeslag og kriser var 1850- og 60-årene en økonomisk fremgangstid for Norge, med initiativ og tiltak på mange områder.

På nær sagt alle felter var universitetsprofessorer engasjert. Universitetets lærere var mobilisert i offentlige komiteer og utvalg for å utrede reformer og tiltak. Ved siden av Schweigaard var Ole Jacob Broch den som var mest anvendt i oppdrag for det offentlige. Broch gikk også foran på næringslivets område og tok initiativer innen bank og forsikring.

Universitetslærernes autoritet gjorde dem til nærmest selvskrevne kandidater til stortingsvalg og kommunevalg. Toppunktet ble nådd i 1868 da Christiania-velgerne valgte alle sine tre stortingsrepresentanter blant universitetsprofessorene, blant dem både Broch og Schweigaard. Året etter gikk Broch inn i regjeringen etter ønske fra Frederik Stang, som følte behov for å styrke regimets autoritet i forhold til en voksende stortingsopposisjon.

Regjeringens reformpolitikk fikk konsekvenser innad ved universitetet. Det Norske Meteorologiske Institut ble opprettet i

1866 for å utvikle en værvarslingstjeneste basert på moderne vitenskapelige metoder. Instituttet ble lagt innunder universitetet og var en del av universitetet frem til 1909, da det ble skilt ut som egen institusjon. Noen universitetslærere mente at et institutt med et slikt praktisk formål ikke hadde noe ved universitetet å gjøre, men det var en av professorene som stod bak forslaget. I tillegg til sitt praktiske formål ville Meteorologisk institutt tjene til faglige fornyelse ved universitetet og skaffe midler til vitenskapelig virksomhet. Et tilsvarende initiativ var Norges Geologiske Undersøgelse (NGU) som professor i geologi Theodor Kjerulf hadde fått statsbevilgninger til i 1858. Dette var en institusjon for kartlegging av berggrunn og mineralressurser. NGU ble ikke en del av universitetet, men sikret finansiering av Kjerulfs stab av forskningsassistenter, som dannet kjernen i en ny generasjon av geologiske forskere.

## Vitenskapelig ekspansjon

I 1857 ble Videnskabsselskabet i Christiania opprettet. Det fantes nå et vitenskapelig miljø ved og omkring universitetet som gjorde det mulig å danne et selskap med 42 medlemmer som kunne regnes som vitenskapsmenn. Tretten var hentet utenfor universitetslærernes krets. Av disse kom de fleste fra humanistiske fag. Det var fortsatt innen disse fagene at det vitenskapelige miljøet ved universitetet var snevrest. Selskapet hadde publisering av vitenskapelige avhandlinger som sitt viktigste formål. Det gjaldt for vitenskapsmennene i Christiania å etablere en forbindelse med det vitenskapelige fellesskap i Europa. En kanal for publisering var en viktig forutsetning. Regjeringen sørget for en statsbevilgning som støtte til utgivelsesarbeidet.

Det vitenskapelige arbeidet ved universitetet ble styrket ved at det fikk anledning til å knytte til seg fremragende forskere gjennom «ekstraordinære professorater» som kom i tillegg til den faste lærerstaben. Den første innehaveren av et ekstraordinært professorat var Michael Sars. Han var en forsker som hadde vunnet verdensry for sine studier av sjødyr. Fra studietiden hadde han vært sterkt opptatt av naturvitenskap, men han valgte det teologiske studiet, som gav ham sikkert levebrød og samtidig anledning til å fortsette sin forskning ved siden av presteembetet. I 1854 ble et ekstraordinært professorat for ham bevilget av Stortinget etter forslag fra lærere ved universitetet.

Et ekstraordinært professorat betød at gasjen var bevilget til innehaveren spesielt og kom i tillegg til de ordinære lærerstillingene ved universitetet. Gasjen bortfalt ved innehaverens avgang. Fra 1860 til 1880 bevilget Stortinget lønn til 14 ekstraordinære lærerstillinger. Dette gjorde det mulig for universitetet å utvide sin vitenskapelige virksomhet til nye fagfelt og disipliner. Særlig gjaldt dette Det historisk-filosofiske fakultet, som fikk over halvparten av de ekstraordinære stillingene. Det kom nå professorer i disipliner som sammenlignende språkvitenskap, kunsthistorie og egyptologi. Det muliggjorde en faglig fornyelse uavhengig av avgang i lærerstillingene. Det fantes ingen øvre aldersgrense for universitetslærere, og dette gjorde at fornyelsen i de ordinære stillingene gikk svært langsomt.

Ordningen med ekstraordinære stillinger styrket universitetets egen innflytelse på rekrutteringen. Stillingene ble opprettet når det fantes dyktige norske vitenskapsmenn som universitetet ønsket å knytte til seg. I de fleste tilfelle var dette slike som tidligere hadde fått adjunktstipend for å kvalifisere seg vitenskapelig. Dette gav universitetet muligheten til å styre den faglige utvidelsen i bredden, noe som hang sammen med en tiltagende spesialisering innen alle fagområder. Gjennom ekstraordinære professorater kunne universitetet knytte til seg kapasiteter som skulle oppnå internasjonalt ry, som språkforskeren Sophus Bugge og matematikeren Sophus Lie. Én utnevnelse skilte seg klart fra de andre. Dikteren Andreas Munch ble i 1860 utnevnt til «ekstraordinær dosent» og senere til professor. Hans stilling var en ren diktergasje. Munch var ikke vitenskapsmann og underviste aldri ved universitetet.

Ordningen med ekstraordinære professorater ble et instrument for Stortinget til å øve innflytelse over universitetet. Sophus Lies professorat ble opprettet av Stortinget i 1872 etter forslag fra

*Universitetet 50 år, bronsemedalje 1861*
*(J. S. Welhaven & W. Kullrich)*

universitetskretser, uten at regjeringen hadde fremmet det. Her fant stortingsopposisjonen en mulighet til å rive til seg initiativet i kampen mot regjeringen. Mellom regjeringen og Stortingets flertall var det dyp mistillit. Fra 1869 var Stortinget dominert av en regjeringsfiendtlig opposisjon som kjempet for at regjeringen skulle underlegges stortingsflertallet. Embetsmannsregjeringen under Stang strittet imot. Krisen brøt ut for fullt i 1872 og innledet tolv års kamp frem til regjeringen ble felt ved riksrettsdom i 1884 og Venstre-lederen Johan Sverdrup dannet regjering.

I striden mellom regjeringen og Stortinget kunne universitetet ikke unngå å bli trukket inn. Universitetet ble oppfattet som en bastion for embetsmannsstaten som nå var truet.

## Studentmiljøet som arnested for det nye

Studentmiljøet hadde i 1830-årene vært preget av striden mellom Wergeland og Welhaven, mellom «intelligens» og «patrioter». I de følgende tiår hersket stort sett samdrektighet blant studentene. Intelligensen vendte tilbake til Studentersamfundet etter at de hadde hatt sin egen forening på 1830-tallet. Festlighetene rundt punsjebollen på Samfundets møter ble holdt i mer sømmelige former enn i de løsslupne 1820- og 30-årene. 1840- og 50-årenes studenter var opptatt av sine studier og av akademikernes samfunnsmessige ansvar. Som vordende embetsmenn var de nasjonens håp.

Studentlivet på 1840- og 50-tallet ble sterkt preget av skandinavismen. Danske og svenske studenter inviterte til skandinaviske studentmøter som ble sentrum for en sterk manifestasjon av skandinavisk samhold. Christianias studenter reagerte først med skepsis. Hverken de norsksinnede patriotene eller de danskvennlige i intelligenskretsen grep skandinavismen med noen entusiasme. Men etter hvert ble de fanget inn av bevegelsens sterke appell om nordisk samhold. I 1845 dro en stor delegasjon fra Christiania til studentmøtet i København. Og i 1851 var de norske studentene vertskap for et skandinavisk studentmøte i Christiania. Høydepunktet i skandinavisk begeistring ble nådd med

Christiania-studentenes Uppsalatog i 1856 der 235 deltok, blant dem flere av universitetets professorer.

Skandinavismen førte et alvor inn i studentenes festlige samvær. I 1848 krevde Studentersamfundet våpenopplæring for studenter, som forberedelse til norsk-svensk inngripen på dansk side i krigen mot Preussen. En slik militær intervensjon ble aldri noe av, men noen studenter i Christiania meldte seg som frivillige til den danske hær.

Gjennom de skandinaviske studentmøtene ble Christianias studenter ført inn i svenske og danske studenttradisjoner. Inspirert av svensk studentsang ble Den norske Studentersangforening stiftet på vei hjem fra København-møtet i 1845. I 1852 ventet man i Christiania besøk av Uppsala-studentene med sine hvite luer, og Studentersamfundet besluttet å innføre den sorte duskeluen som kjennetegn for norske studenter.

Christianias studenter var lite preget av politisk radikalisme. I februarrevolusjonens år 1848, da Thrane-bevegelsen konfronterte Stortinget og regjeringen med krav om stemmerett og sosial utjevning, valgte studentene å stille seg på regimets side. Studentene tilhørte den sosiale eliten som utøvet politisk makt i samfunnet, og som nå ble utfordret av en massebevegelse fra lavere lag.

Den skandinaviske begeistringen kjølnet i løpet av 1860-årene. Skandinavismen ble holdt varm av en krets av universitetslærere mens studentene falt fra. Likevel falt ikke studentene tilbake til det rent studentikose rundt punsjebollen. Med støtte fra universitetslærerne hadde Studentersamfundet samlet inn penger til sitt eget hus i Universitetsgaten, rett overfor universitetshagen. Samfundsbygningen ble innviet i 1861 og ble et møtested for studenter, universitetslærere og eldre akademikere i hovedstaden. Møtene tok opp alvorlige temaer. Ett gjennomgående tema var spørsmålet om forholdet mellom universitetet og det nasjonale. Skandinavismen ble avløst av en vending mot det nasjonale, som fant næring i forbitrelse over svensk dominans i unionen.

Norskdomsbevegelsen var ett av elementene som bygget opp under den politiske opposisjonen mot embetsmannsregimet. I 1870 fikk bevegelsen innpass i Studentersamfundet på en svært synlig måte, ved at Bjørnstjerne Bjørnson ble valgt til formann. Som formann satte han varige spor etter seg. Studentersamfundets formann var i kraft av sin stilling medlem av Christianias 17. mai-komité, og i denne egenskap fikk Bjørnson innstiftet barnetoget som fast innslag i 17. mai-feiringen.

Bjørnsons formannstid innledet en urolig tid i samfundets historie, med mobilisering og valgkamp foran formannsvalgene. Studentersamfundet ble arena for nye og utfordrende tanker. Christopher Bruun, norskdomsmann, teolog og grundtvigianer i opposisjon til Johnsons pietisme, oppfordret i en serie foredrag studentene til å kaste av seg den falske «dansk-tyske Videnskabelighed» som professorene doserte, og heller finne frem til sine norske røtter.

I 1877 var den ledende fritenkeren i Skandinavia, den danske litteraturhistorikeren Georg Brandes, foredragsholder i Studentersamfundet. Han var da blitt nektet å forelese ved universitetet. Studentmiljøet var blitt et møtested for kretser som stod i opposisjon til det embetsmannsregime universitetet var knyttet til.

## Universitetet som støttespiller for det gamle

I kampen mellom Stortinget og regjeringen kom flere av universitetets fremste professorer til å engasjere seg på det gamle regimets side. Engasjementet for embetsmannsregimet falt langt på vei sammen med motstand mot nye tanker som positivismen og Darwins utviklingslære.

I 1874 bevilget Stortinget et ekstraordinært professorat til historikeren Ernst Sars, som var venstreopposisjonens fremste ideolog. I 1880 trumfet Stortinget gjennom ansettelse av Axel Blytt som professor i botanikk. Både Sars og Blytt var fremtredende talsmenn for den nye utviklingslæren – darwinismen – som universitetets konservative flertall hadde bekjempet. Stortinget hadde grepet inn i en vitenskapelig debatt mellom gammelt og nytt som ble ført ved universitetet, som førte rett inn i tidens politiske og ideologiske strid.

Darwins teorier ble først godt mottatt i det norske naturvitenskapelige fagmiljøet. Motstanden kom fra dem som mente at utviklingslæren stred mot kristendommens grunnsetninger og en samfunnsorden som bygget på kristendommens grunn. Medisinprofessoren Ernst Lochmann, som hadde vært en pionér for ny forståelse av sykdommers spredning ved smitte, engasjerte seg sterkt mot Darwins lære. Han fikk støtte fra filosofiprofessoren M.J. Monrad, som mer enn noen ble stående som motstanderen av det nye. Med kollegiets støtte fikk Monrad forhindret at darwinisten Blytt fikk forelese for anneneksamensstudenter. Det gjaldt å holde de nye tankene lengst borte fra studentene.

Etter hvert som den politiske striden ble skjerpet frem mot stortingsvalget i 1882, ble universitetet i stigende grad mobilisert til forsvar for embetsmannsregjeringen. Stridens kjerne var nå blitt spørsmålet om kongen hadde vetorett mot Stortingets vedtak om endringer i grunnloven. Det juridiske fakultet ble forelagt spørsmålet om hvordan grunnloven skulle tolkes. Fakultetet avgav i 1881 en enstemmig uttalelse om at kongens absolutte veto var utvilsomt. Det var å ta standpunkt stikk i strid med venstrebevegelsen og Stortingets flertall.

Samme år fikk universitetet forhindret at det ble utnevnt en professor i landsmål – «det norske Folkesprog» – som Stortingets venstreflertall hadde bevilget til. Året etter skrev M.J. Monrad en artikkelserie foran stortingsvalget til sterk støtte for regjeringen. En av dem ble tolket som en oppfordring til regjeringen om å gjøre statskupp hvis Stortinget fortsatte sin opposisjon. Dette ble oppfattet som en ren provokasjon av venstrebevegelsen. Og i 1883 rykket Gisle Johnson og andre konservative kirkeledere ut med et «Opraab til Christendommens Venner» hvor venstreopposisjonen ble fremstilt som en fare for kristendom og moral.

Gjennom disse utspillene hadde de fremste talsmennene for universitetets tradisjonelle dannelses- og embetsfakulteter engasjert sin autoritet på regjeringens side. Det var det gamle embetsmannsuniversitetet som på denne måten fulgte embetsmannsregjeringen der den løp linen ut i motstand mot den folkevalgte opposisjonen. Men motstanden viste seg å være nytteløs. Venstreopposisjonen vant en knusende seier ved stortingsvalget i

1882 og feide embetsmannsregjeringen til side. Embetsmannsstatens epoke var over. Regjeringen ble avsatt ved riksrettsdom våren 1884.

I spillet som fulgte for å unngå en fullstendig kapitulasjon for Stortingets flertall vendte kongen seg til en universitetsprofessor som kunne samle støtte fra både høyre og venstre, en professor ved Det matematisk-naturvitenskapelige fakultet: Ole Jacob Broch ble bedt om å danne regjering. Broch hadde tidligere forsøkt å bygge bro mellom fløyene. Han hadde forlatt Stangs regjering i 1872 i protest mot regjeringssjefens steile holdning til stortingsflertallet. Men Brochs forsoningsforsøk var fånyttes. Sommeren 1884 ble venstrelederen Johan Sverdrup statsminister i den første norske regjeringen utgått fra et parlamentarisk flertall.

# 3

# Universitetet i en ny tid
## 1880–1911

F REM TIL MIDTEN av 1800-tallet var universitetets fremste opp-
gave å utdanne statens embetsmenn. I annen halvdel av århun-
dret ble denne oppgaven gradvis endret. En større og større andel
av universitetskandidatene fikk stillinger utenfor statstjenesten. I
1869 anslo universitetssekretæren at to tredjedeler av kandida-
tene som var uteksaminert siden 1813 hadde gått inn i embets-
stillinger. I 1885 var fortsatt over 40 prosent av samtlige juridiske
og medisinske kandidater i Norge – og de aller fleste teologiske
kandidatene – statsansatte. Tyve år senere, i 1905, var knapt 30
prosent av juristene og bare 25 prosent av medisinerne i statens
tjeneste. Universitetets embetseksamener ble i stadig stigende
grad inngangsporten til akademiske yrker utenfor det offentlige.

I tillegg til å være utdannelsesinstitusjon for embetsmenn
hadde universitetet fått en ny hovedoppgave: å gi utdannelse til
akademiske profesjoner i det private markedet – med sakførere
og leger som de største yrkesgruppene. Juristene og medisinerne
var tallmessig de overlegent største gruppene av kandidater med
eksamen fra universitetet. I tiden fra 1880 til 1920 ble ialt 7155
kandidater uteksaminert. Av disse var 3064 jurister og 1459
medisinere. Til sammen utgjorde juristene og medisinerne mer
enn 60 prosent av det totale antallet kandidater.

For advokater og leger sikret embetseksamen fra universitetet
lovbeskyttet enerett til yrkesutøvelse, men universitetet gav også
utdannelse uten lovfestet profesjonsbeskyttelse. Gjennom stats-
økonomisk eksamen fra 1905 administrerte Det juridiske fakul-
tet en ny yrkesutdannelse rettet inn mot offentlig og privat admini-
strasjon. Det historisk-filosofiske og Det matematisk-natur-

*Niels Henrik Abel, minnesmerke i bronse 1905*
*(Gustav Vigeland)*

vitenskapelige fakultet var blitt fakulteter for utdannelse av en voksende profesjon av lærere i den høyere skolen.

I embetsmannsstaten hadde akademisk dannelse vært viktig som grunnlag for embetsmennenes autoritet i samfunnet. Gjennom universitetsstudiene ble fremtidige embetsmenn sosialisert inn i en tradisjonsrik dannelseskultur, samtidig som de ervervet sakkunnskap innenfor sine respektive fag. Embetsmennene var øvrighetspersoner som representerte statens myndighet. For profesjonene som vokste frem utenfor statstjenesten, var sakkunnskapen det viktigste grunnlaget for autoritet.

Innenfor embetsmannsuniversitetet hadde det vært spenning mellom sakkunnskap og dannelse. Klassiske språk og filosofi var blitt skjøvet i bakgrunnen som overgripende dannelsesfag. I stedet hadde naturvitenskapene vist seg å være nødvendige og nyttige instrumenter for en modernisering av samfunnet og for å legge grunnen for en forbedring av folks levekår. Tro på vitenskapen som grunnlag for fremskrittet ble viktig for det nye samfunnssynet som fikk gjennomslag fra 1880-tallet

Slik det fra universitetets side ble argumentert for bevilgninger og stillinger, kom hensynet til forskningen til å bli stadig sterkere understreket. Universitetet skulle være en institusjon som bygget sin virksomhet på stadig grensesprengende forskning. Særlig markert ble denne argumentasjonen etter hvert som professor W.C. Brøgger fremstod som universitetets fremste talsmann, fra 1907 som universitetets første rektor. Universitetet skulle være en institusjon for fri og uavhengig forskning, både i forhold til forutinntatte meninger og i forhold til statsmyndigheter og finansieringskilder.

Forskningen fikk en bredere plass i universitetets arbeids- og organisasjonsform. Doktordisputaser ble et fast innslag i universitetets liv. Adgangen til å avlegge doktorgraden ble nesten ikke benyttet før 1870-årene. I tiåret fra 1871 til 1880 var det kreert 14 doktorer. I neste tiår steg antallet til 30. I årene 1891–1900 ble det avlagt 51 doktorgrader og i tiåret deretter 47.

Det var i denne perioden *instituttet* for alvor slo igjennom som organisasjonsform for universitetets vitenskapelige virksomhet –

i første omgang innenfor naturvitenskap og medisin. Institutt-dannelsen var utslag av et økende behov for organisering av forskning. Forskningen krevde laboratorieutstyr, hjelpepersonale og driftsmidler, men først og fremst trengtes det plass. Plass-mangel og byggeplaner kom til å stå sentralt i universitetets opp-merksomhet gjennom hele perioden.

Omstillingsprosessen falt i tid sammen med en periode hvor universitetet hadde problemer med å oppnå tillit hos bevilgende myndigheter. 1890-årene var preget av konfrontasjon mellom universitetet og Venstre, som i størsteparten av dette tiåret hadde flertall i Stortinget. Venstre hadde ikke glemt at universitetet hadde stilt seg på embetsmannsregjeringens side i forfatnings-kampen. Etter Venstres mening hadde universitetet aktivt motar-beidet de nasjonale og demokratiske idealene som partiet kjem-pet for. I 1893 uttalte Venstres Marius Hægstad i Stortinget:

> Universitetet gaar ikke i Spidsen for Reisningen af vor Nati-onalitet og for vort Fremskridt. Det er tvertimod saa, at hver Gang vi henvender os til disse Fakulteter [det teolo-giske, det juridiske og det historisk-filosofiske], saa leverer de Vaaben mod vort Folks Opfatning af Frihed og Frem-skridt. Det norske Universitet er blevet til et Rustkammer, som forsyner vor Folkefriheds Modstandere med Vaaben.

Seks år etter dette ble Hægstad selv utnevnt til professor i lands-mål ved universitetet, i et professorat som Venstre fikk opprettet uten at universitetet var forespurt.

Faglig og ideologisk fornyelse gikk parallelt med en sosial åpning. Universitetet fikk etter hvert bredere sosial rekruttering av både studenter og lærere. Universitetsstudiene fremstod som et instrument for ungdom fra brede lag av befolkningen til å komme frem og sikte mot en eliteposisjon i samfunnet. Også kvinner hadde nå fått adgang til universitetet. I 1882 ble examen artium åpnet for kvinner, i 1884 fikk kvinner adgang til å avlegge embetseksamener, og i 1912 ble den første kvinnelige professor utnevnt.

Universitetets 100-årsjubileum ble feiret som en stor nasjonal markering i 1911. Da var universitetet kommet gjennom en kritisk fase i sin historie. Tidligere konflikter var bilagt. Universitetet kunne fremstå med fornyet autoritet som en samlende nasjonal institusjon.

## Strid mellom universitetet og Stortinget

I kampen mellom Stortinget og regjeringen frem mot 1884 hadde Stortinget tiltatt seg sterkere styring over universitetet. Stortingets beste våpen var budsjettvedtakene. Da Venstre kom i regjeringsposisjon ble denne linjen videreført ved at et professorat ble opprettet i «norsk Folkesprog og norsk Folketradition» i 1885. Den unge Moltke Moe ble utnevnt i professoratet på tross av at universitetet ikke fant ham kompetent. På denne måten fikk Venstre gjennomført sitt ønske om å gjøre landsmålet anerkjent som vitenskapelig disiplin. Som demonstrasjon av stortingsflertallets holdning til universitetet ble dette desto sterkere ettersom alle forslag fra universitetet om nye professorater samtidig ble avvist.

Striden mellom Stortingets venstreflertall og universitetet nådde et høydepunkt i årene 1893–95 da Høyre dannet en mindretallsregjering som lå i bitter strid med Stortingets venstreflertall. Striden mellom regjering og Storting kom til å få svært uheldige konsekvenser for universitetet. To av regjeringens medlemmer var professorer ved universitetet, juristen Francis Hagerup og teologen Anton Chr. Bang. Som et ledd i kampen mot regjeringen ble det foreslått i Stortinget å inndra to ledige professorater. Det ene var i teologi, hvor den mest aktuelle kandidaten hadde pådratt seg Venstres vrede i offentlig debatt. Det andre var Hagerups jusprofessorat, som av regjeringen var holdt ledig mens Hagerup var statsråd. I tillegg ble det foreslått at alle ledige professorater skulle forelegges Stortinget før de ble utlyst. Begrunnelsen var å gi Stortinget innflytelse på hvem som skulle ansettes i lærerstillinger ved universitetet.

Forslaget om å inndra Hagerups professorat ble forkastet. Derimot ble det flertall for å anmode regjeringen om å legge alle ledige professorater frem for Stortinget før de ble utlyst. Regjeringen nektet å følge Stortingets vedtak om inndragning av professoratet i teologi, og den ville heller ikke etterkomme anmodningen om å legge ledige professorater frem for Stortinget. Stortinget svarte med å gjøre enhver bevilgning til universitetet avhengig av at regjeringen la ledige professorater frem for Stortinget. Regjeringen bøyde fortsatt ikke av. Resultatet var at universitetet i 1894–95 stod uten et lovformelig vedtatt budsjett.

For universitetet ble dette rene katastrofen. Uten budsjettvedtak i Stortinget kunne det bare utbetales penger til formål som var fastlagt ved lov eller rettslig bindende avtale, og de midlene universitetet fikk til disposisjon, lå langt under budsjettet for foregående år. Museumssamlinger stengte. Innkjøp av bøker og tidsskrifter stoppet helt opp. Stipendiater mistet lønnene, og ekstrahjelper arbeidet uten betaling.

Krisen gled over i 1895. Venstre sprakk, og det ble dannet en koalisjonsregjering av Høyre og Moderate Venstre, med Francis Hagerup som statsminister. Men striden skulle få ytterligere konsekvenser for universitetet. Stortinget gikk tilbake på kravet om å få seg forelagt alle ledige professorater før de ble besatt. I stedet ble det vedtatt at elleve av de faste professoratene ved universitetet ble gjort bevegelige, det vil si at det ved ledighet skulle avgjøres av Stortinget om de skulle beholdes eller eventuelt legges til et annet fag. Siden utvalget av mulige kandidater til stillingene som oftest var svært begrenset, åpnet dette for at Stortinget ikke bare bestemte fagkretsen ved universitetet, men også hvem som skulle utnevnes til professor. Samtidig tok Venstre initiativ til en ny universitetslov. Hensikten var å begrense universitetets selvstyre og styrke Stortingets og regjeringens kontroll. Det ble satt ned en komité for å utarbeide et lovforslag.

Da det nye lovforslaget ble lagt frem for Stortinget i 1902, hadde regjeringen fraveket forslagene fra komiteen og lagt til bestemmelser som åpnet for en vidtrekkende innskrenkning av universitetets indre selvstyre. Kirke- og undervisningsdepartementet skulle etter forslaget være universitetets «overstyre» og blant annet godkjenne alle undervisningsplaner. Det ble også antydet at departementet skulle overta forvaltningen av universitetets legatformue.

Lovforslaget ble møtt med sterke protester fra universitetets side. Geologiprofessoren Amund Helland, selv venstremann og formann for komiteen som hadde utarbeidet lovforslaget, skrev i et avisinnlegg at han måtte protestere, om så bare for at det ikke «naar vort frie Universitet ligger i sin Grav, skal siges at i 1903 bestod Universitetets Professorer af 59 Nathuer, hvorav Ingen løftede en Finger for Frihed og Ret».

Striden om universitetsloven ble løst i 1904, da Francis Hagerup var tilbake som statsminister i en samlingsregjering av Høyre og deler av Venstre. Bestemmelsene om Kirke- og undervisningsdepartementet som universitetets overstyre ble tatt ut av forslaget, og den nye loven ble vedtatt nesten uten debatt i Stortinget høsten 1905. I mellomtiden var saken kommet helt i skyggen av unionsoppløsningen.

## Profesjonsutdannelse for en ny tid

Overgangen fra å være et universitet for utdannelse av statens embetsmenn til et universitet for utdannelse av «frie» akademiske profesjoner, var ikke uproblematisk for universitetet. Universitetets professorer hadde tidligere ofte sett på seg selv som det faglige toppsjikt i en akademisk stand. Tydeligst var dette innenfor medisin, hvor Det medisinske fakultets professorer samtidig var Rikshospitalets overleger. Også innenfor andre fagområder fantes lignende holdninger. Teologen Gisle Johnson hadde etablert en sterk lederposisjon ikke bare blant presteskapet, men også overfor legmannskristendommen som leder av Lutherstiftelsen, Indremisjonens sentralorgan. Nå måtte universitetsprofessorene finne seg i at deres autoritet ble utfordret.

Profesjonene meldte seg med sine krav til universitetet. Klarest kom slike krav til uttrykk fra legene. I 1886 ble Den norske Lægeforening dannet for å ivareta legeprofesjonenes interesser. Tidligere hadde legene hatt Det Medicinske Selskab som faglig sammenslutning. Selskapet holdt sine møter i universitetets lokaler og var lenge dominert av universitetslærerne i medisin. En viktig grunn til at Lægeforeningen ble dannet, var misnøyen med universitetsprofessorenes dominans. Det var også misnøye med opplegget og innholdet av medisinstudiet.

Straks Lægeforeningen var stiftet, nedsatte den en komité til å foreslå en ny ordning av medisinstudiet. I komiteen var universitetsprofessorene i mindretall. Det medisinske fakultet protesterte, men forslaget som komiteen la frem, ble lagt til grunn for en omlegging av medisinstudiet. Den nye ordningen ble innrettet mot at studentene skulle lære å iaktta, tenke og konkludere selvstendig. Samtidig skulle den kliniske og praktiske undervisning styrkes. Det ble også krevd egne lærerstillinger i flere nye spesialfag. Fire slike lærerstillinger ble bevilget av Stortinget i 1891–93. Til disse ble det opprettet en ny stillingskategori – dosent. Dosentene hadde lavere lønn enn professorene, og stillingene var forutsatt kombinert med overlegestillinger ved Rikshospitalet.

Kravet om ny studieordning var også et krav om modernisering av Det medisinske fakultet og om at fakultetet måtte gi rom for nye disipliner. Internasjonalt var medisinen et fag i rivende utvikling. Gjennombrudd i naturvitenskapelig forskning hadde lagt grunnen for fundamental ny innsikt i sykdommers årsaker og forløp. Denne utviklingen bragte med seg nye arbeidsformer og nye krav til spesialisering. De kliniske disiplinene tok opp i seg laboratoriets metoder, og de teoretiske fagene var under rask forandring.

Det medisinske fakultet hadde hatt vanskelig for å følge med i utviklingen av fagene. Det var ikke kommet nye lærerstillinger som kunne dekke nye spesialiteter. Stortinget hadde ikke bevilget noe nytt ordinært professorat i medisin siden 1866, på tross av mange forslag fra universitetet. Først i 1895 ble det opprettet et nytt professorat. Vilkårene for forskning var dårlige. Klager over budsjettknapphet og trange lokaler hadde vært gjengangere i Det medisinske fakultet fra 1870-årene.

Samtidig var søkningen til medisinstudiet sterkt tiltagende. Fra en topp i første halvdel av 1870-årene, da medisin noen år hadde det største studenttallet av embetsstudiene, var søkningen til medisinstudiet gått tilbake gjennom 1880-årene. Fra slutten av 1880-årene vokste studenttallet raskt igjen og gikk langt forbi de øvrige fakultetene. I 1890 hadde Det medisinske fakultet 500 studenter, mens det var 350 jusstudenter og 170 som studerte teologi.

Det medisinske fakultet var overfylt av studenter, det hadde problemer med å fange opp faglig fornyelse og spesialisering, og fakultetets professorer var under hard kritikk for den måten undervisningen ble drevet på. Lengst i kritikken gikk den nyuteksaminerte medisinske kandidaten Johan Scharffenberg. I 1898 rettet han flengende kritikk mot fakultetet i et foredrag på et felles studentmøte for hele universitetet. Året etter fulgte han opp i bokform med krav om reform av medisinstudiet, underbygget med kraftig kritikk av professorene, særlig kirurgiprofessoren Julius Nicolaysen. Nicolaysen var en dominerende skikkelse ved fakultetet – blant studentene gikk han under navnet «Keiseren». I sitt angrepsskrift krevde Scharffenberg at Nicolaysen skulle gå av, etter 30 år som professor. Dette var et uhørt personlig angrep på en av universitetets fremste autoriteter. Striden som ble utløst av Scharffenbergs skrift ble ført med til stor bitterhet og fikk rettslig etterspill.

Hovedpunktet i Scharffenbergs angrep var at universitetet viste for liten interesse for de fremtidige legenes behov for å beherske sitt yrke praktisk, og at vitenskapelig frihet tjente som skalkeskjul for et studieopplegg som var tilpasset universitetslærernes og ikke studentenes interesser. Ett av hovedkravene var at det måtte vedtas en forpliktende studieplan, slik at ikke hver enkelt lærer kunne fastsette undervisning og eksamenskrav etter eget forgodtbefinnende. Scharffenbergs kritikk vant gjenklang i medisinprofesjonen. Legene utenfor universitetet tok et nytt initiativ for å omforme studieopplegget etter profesjonens behov. En felleskomité av Det Medicinske Selskab og Lægeforeningen ble nedsatt i 1904, og i 1911 la denne frem et nytt forslag til organisering av studiet. Forslaget fikk gjennomslag i den nye ordningen av medisinstudiet som ble vedtatt i 1914. Denne ordningen imøtekom krav om klarere strukturering, mer obligatorisk undervisning og sterkere praktisk innretning av undervisningen.

Striden om medisinstudiet og Det medisinske fakultet var også en generasjonsstrid. En gruppe unge medisinere stod frem med krav om anerkjennelse for en ny måte å definere faget på. Av de 16 yngre legene som tok initiativ til å danne Den norske Læge-forening i 1885, ble syv senere professorer ved universitetet.

## Statsøkonomi som eget studium

Konfrontasjonen mellom profesjonskrav, spesialisering og fakul-tetstradisjon innen medisinen hadde sin parallell innen jusstudiet. Her ble det ført lange diskusjoner om hvilken plass økonomifa-get skulle ha. Fakultetet ønsket å skille økonomi ut fra det juri-diske embetsstudiet og foreslo en tilleggseksamen i økonomi som kunne avlegges etter avsluttet embetseksamen. Denne eksamen skulle være et tilbud ikke bare til jurister, men også til filologer og realkandidater som ønsket tilleggskvalifikasjoner i økonomi.

Økonomi hadde vært en sentral del av jusstudiet siden Schwei-gaards tid. Schweigaard hadde ønsket at økonomi, statistikk og jus skulle inngå som deler av et generaliststudium for fremtidige administratorer. Slik fagene hadde utviklet seg frem til århundre-skiftet, ble denne koblingen opplevet som vanskelig. Internasjo-nalt hadde økonomifaget vært i sterk utvikling med innføring av nye matematiske metoder og gjennom høyere ambisjoner om å gripe og beskrive kompliserte samfunnsmessige prosesser.

Samtidig var hverken juristene eller økonomene ved Det juri-diske fakultet interessert i å skille økonomi for sterkt fra juristut-dannelsen. Forslag om en egen «socialvidenskabelig» embetsek-samen ved siden av den juridiske ble avvist både av jurister og økonomer. Nestoren blant norske økonomer, Thorkel Halvorsen Aschehoug, som innehadde Schweigaards gamle professorat i økonomi og jus, ønsket heller å styrke økonomifagets innflytelse over jusen fremfor å svekke den. Juristene ønsket på sin side ikke å åpne for en ny profesjon som kunne konkurrere med juristene om stillinger i offentlig forvaltning. Forslaget om en tilleggseksa-men i økonomi ble et kompromiss jurister og økonomer kunne samle seg om.

*Marcus Jacob Monrad, oljemaleri 1886 (P.N. Arbo)*

Statsøkonomisk eksamen som ble innført i 1905, kom til å skille seg vesentlig fra Det juridiske fakultets forslag. Dette skyldtes at Stortinget vred økonomistudiet over i en annen retning. Venstre hadde fra 1870-årene av ivret for å få økonomi og samfunnsvitenskap inn ved universitetet som selvstendige disipliner. Det første professoratet i statsøkonomi som ikke var bundet til jus, ble opprettet av venstreflertallet i Stortinget i 1876. I debatten i Stortinget om reform av anneneksamen i 1903 ble det fra venstrehold argumentert for at økonomi måtte få plass som ett av fagene til forberedende prøve. Faget var av så grunnleggende betydning for forståelsen av samfunnet at det måtte ha krav på en plass ved siden av filosofi. Økonomi er «filosofi anvendt paa livets økonomiske foreteelser, den er anvendt filosofi», uttalte Venstres Sofus Arctander.

Venstres sterke betoning av økonomifagets betydning faller inn i mønsteret av partiets støtte til de fremvoksende nye samfunnsvitenskapene. I 1896 hadde Venstre forsøkt å få opprettet et professorat i sosiologi for Sigurd Ibsen, Henrik Ibsens sønn. Forsøket strandet på at universitetet ikke ville godta Ibsens kvalifikasjoner som tilstrekkelige for et professorat. Sigurd Ibsen var venstremann, og avgjørelsen ble av Venstre tolket som en konservativ demonstrasjon fra universitetets side. Saken om sosiologiprofessoratet hadde åpenbare politiske overtoner. Den gikk inn i en linje i Venstres politikk for å etablere samfunnsvitenskap som en motvekt til jusens dominans som grunnlag for embetsmannsutdannelse. Venstre ønsket å engasjere statsadministrasjonen for en aktiv sosial reformpolitikk og hevdet at jusen ikke lenger var tilstrekkelig som kvalifikasjon for statstjenesten.

I behandlingen av statsøkonomisk eksamen i Stortinget kom det til nye momenter. Det ble lagt vekt på at den foreslåtte eksamenen omfattet fag som hadde betydning utover statsadministrasjonens behov og «særlig stor betydning for forretningsmænd». Stortinget besluttet derfor at adgangen til å avlegge statsøkonomisk eksamen skulle åpnes for helt nye grupper av studenter, også studenter uten examen artium.

Da lov om statsøkonomisk eksamen ble vedtatt i Stortinget,

var unionsoppløsningen med Sverige et faktum. «Den nye arbeidsdagen» kunne innledes, og det var store forventninger til utvikling av næringslivet i Norge. Her kunne også universitetet ta i et tak gjennom det nye økonomistudiet.

Statsøkonomisk eksamen var en nydannelse på flere måter. Den var ingen embetseksamen. Studiet var normert til to år og var det eneste selvstendige kortvarige fagstudiet universitetet tilbød. Det ble raskt populært. Allerede det andre året det ble holdt eksamen, i 1909, ble det uteksaminert 38 kandidater.

Statsøkonomi ble også det studiet som hadde den største kvinneandelen blant studentene. Av samtlige kandidater uteksaminert i den tiden statsøkonomisk eksamen bestod (1908–40), var 13 prosent kvinner. Studiet ble en forsiktig inngang til høyere utdannelse for dem som ikke våget seg til eller fikk støtte hjemmefra til noe langvarig embetsstudium.

Bare en drøy tiendedel av økonomistudentene var uten examen artium, de fleste av disse var kandidater fra handelsgymnasene som den gang ikke førte frem til artium. Nesten ingen kandidater med andre embetseksamener søkte seg til økonomistudiet. Statsøkonomistudiet ble for de fleste kandidatene en frittstående utdannelse med allsidig anvendelse i samfunnet. Det er sagt om studiet at det fungerte som «en handelshøyskole før handelshøyskolen».

## Universitetet som institusjon for lærerutdannelse

Tiden rundt århundreskiftet ble en periode med omlegning av universitetets utdannelse av lærere til den høyere skolen. Delvis kom dette som en følge av press fra de universitetsutdannede lærernes profesjonsforening, men den sentrale drivkraften for forandring var Venstres skolepolitiske reformer.

Frem til 1880-årene var universitetsutdannede lærere knapt noen selvstendig profesjon. Arbeidsmarkedet var svært begrenset, og teologiske kandidater ble ofte foretrukket som lærere i den høyere skolen. Først fra 1870-årene viste søkningen til embetsstudiene i realfag og filologi en markert økning.

I 1875 var det til sammen i Norge bare 29 skoler som utgjorde universitetskandidatenes arbeidsmarked, det vil si private og offentlige middelskoler og høyere skoler. Frem til 1890 var antallet middelskoler og høyere skoler vokst til 83. Det gode arbeidsmarkedet slo ut i økt tilstrømning til studiene. På de ti årene 1886–95 ble det uteksaminert 145 filologiske kandidater og 73 realfagkandidater. Det tilsvarer over halvparten av antall kandidater som var uteksaminert i løpet av de foregående 70 årene.

Denne tallmessig ekspanderende yrkesgruppen meldte seg med krav til universitetet om å få styrket sin yrkeskompetanse. Filologenes og realistenes landsforening ble dannet i 1892 som en yrkesorganisasjon for universitetsutdannede lærere. Allerede på stiftelsesmøtet kom det krav om å innføre praktisk pedagogisk utdannelse for å styrke lektorenes kompetanse og konkurranseevne på arbeidsmarkedet. Kravet ble tatt opp av regjeringen og inngikk som del av arbeidet med å tilpasse universitetets lærerutdannelse til den store skolereformen som ble vedtatt av Stortinget i 1896.

Omlegning av universitetets lærerutdannelse gikk inn som del av et stort politisk saksfelt. Skolen var Venstres særlige hjertesak, og reform av den høyere skolen var en stor programsak. Reformen i 1896 hadde to siktemål: å minske avstanden mellom folkeskolen og den universitetsforberedende høyere skolen, og modernisere innholdet i den høyere skolen og examen artium. Angrepene på den gamle latinskolen og den klassiske dannelsen ble fremført med stor glød. Latinen stod for Venstre som selve innbegrepet av den unasjonale, bakstreverske og klassebundne dannelseskulturen fra embetsmannsregimets tid som partiet bekjempet. Venstre ønsket i stedet en skole preget av nasjonale og demokratiske dannelsesidealer og av moderne vitenskapelighet.

Stormløpet mot latinen førte ikke helt frem. Med nød og neppe unngikk latingymnaset å bli lagt ned ved avstemningen i Stortinget om den nye skoleordningen. Latinen fikk leve videre på nåde i sterkt redusert form. 1896-reformen innførte et gymnas organisert i to likestilte linjer: den etablerte reallinjen og en ny språklig-historisk linje. Latinen beholdt sin plass i en variant av den språklig-historiske linjen. Reformen innebar en dreining av gymnasets innhold med realfag, norsk, historie og moderne fremmedspråk som de nye hovedfagene.

Skolereformen av 1896 ledet til en gjennomgripende forandring av universitetets lærerutdannelse. I 1905 ble det vedtatt ny lov om språklig-historisk og matematisk-naturvitenskapelig embetseksamen. Utformingen av de nye studieordningene var preget av to hensyn; på den ene side behovet for å tilpasse seg det nye gymnasets struktur, på den annen ønsket fra universitetets side om en studieordning som bygget opp under universitetsfagene som forskningsdisipliner. I forhold til den tidligere ordningen skjedde det en fordypning i vitenskapelig retning ved at fagkretsen ble begrenset. Lærerkandidatene skulle heretter studere bifag etter fritt valg i fakultetets fagkrets – filologene tre og realistene fire bifag. Ett av bifagene skulle utvides til et hovedfag, hvor kandidatene skulle utarbeide en vitenskapelig avhandling (hovedoppgave) eller levere en seks-ukers hjemmeoppgave.

Vitenskapelig tenkemåte og arbeidsform ble et ideal for den høyere allmenndannelsen som skolen skulle formidle. Dette samsvarte godt med utviklingen ved universitetet, hvor undervisningen ble søkt lagt tettere opptil forskningens arbeidsmåte. Hovedmennene fra universitetets side i forberedelsen av 1905-studieordningen, historieprofessoren Gustav Storm og botanikeren Nordal Wille, hadde begge gått foran i å ta i bruk forskningens arbeidsformer i sin undervisning.

Mens skolens og universitetets interesser falt sammen i innføringen av bifag og hovedfag, viste det seg vanskeligere å forlike lærernes behov som yrkesutøvere med universitetets synspunkter på den praktisk-pedagogiske lærerutdannelsen. Denne opplæringen ble ikke lagt til universitetet, men til Det pedagogiske seminar, som ble en frittstående institusjon. Seminaret fikk et styre med to representanter for universitetet og to fra skolen.

Den første lederen av Pedagogisk seminar, Otto Anderssen, ønsket en sterkere tilknytning til universitetet. Han ville at lederen for seminaret skulle ha et professorat i pedagogikk ved universitetet. Dette satte universitetet seg imot. Universitetet var ikke villig til å anerkjenne pedagogikk som en selvstendig vitenskapelig disiplin. Faget ble ansett for å være for praktisk rettet og ikke tilstrekkelig teoretisk vitenskapelig underbygget. Otto Anderssen fikk riktignok tittelen professor fra 1909, men professoratet ble ikke knyttet til universitetet før i 1918. Kirke- og undervisningsdepartementet tvang frem en sterkere kobling mellom universitetet og den pedagogiske lærerutdannelsen i 1908, ved at Anathon Aall ble utnevnt til professor i filosofi på betingelse av at han også holdt forelesninger i pedagogisk psykologi for studenter ved Pedagogisk seminar. Dette var et skritt i retning av å gi den praktiske lærerutdannelsen et fastere vitenskapelig fundament.

## Et nytt dannelsesideal

Venstres skolepolitikk angrep det klassiske dannelsesidealet som Det historisk-filosofiske fakultet tradisjonelt hadde forvaltet. Flere av fakultetets professorer reagerte med harme på den måten den klassiske kulturarven ble kastet vrak på. «Jeg mistet mitt fedreland i 1869,» utbrøt den konservative historieprofessoren Ludvig L. Daae. Det var det året Stortinget opphevet latinen som obligatorisk fag til examen artium. Daae og hans likesinnede mobiliserte til motstand, og faktisk kom latinen til å styrke sin stilling som obligatorisk fag ved universitetet etter at posisjonen var tapt i gymnaset.

Etter den store reformen av den høyere skolen i 1896 ble anneneksamen avskaffet. I stedet ble det i 1903 innført en ordning med forberedende prøve for begynnerstudenter ved universitetet. Ved denne prøven ble filosofi og latin gjort obligatorisk for studenter til alle studier unntatt bergstudiet. Latinen ble gjeninnført som obligatorisk også for jurister og realfagsstudenter.

Avskaffelsen av anneneksamen var et radikalt brudd med universitetets tradisjoner. Anneneksamen holdt studentene beskjeftiget gjennom hele det første året de var ved universitetet – «russeåret», som det gjerne ble kalt. Mange mente at dette året var særlig verdifullt for de nye studentene, uavhengig av det faglige utbyttet, som en overgangstid mellom skole og studium. «Der arbeidedes vel ikke saa meget, men tiden anvendtes mest, kan man sige, til personlighetens akademiske modning,» skrev senere rektor Bredo von Munthe af Morgenstierne i universitetets 100 års historie.

Filosofi beholdt sin plass som obligatorisk fag til forberedende prøve, men filosofien som universitetsfag hadde gjennomgått store forandringer frem til århundreskiftet. Marcus Jacob Monrad, som hadde det ene av de to professoratene i filosofi, var en av universitetets mest markante skikkelser og hadde vært en forgrunnsfigur i kampen mot de nye ideer som vant frem på 1880- og 90-tallet. Fremfor noen stod han som forsvareren av det klassiske dannelsesidealet. Han advarte mot at vitenskapen splittet seg opp i empirisme og spesialiserte disipliner, og han så det som sin oppgave å bekjempe moderne tankeretninger i kunst, litteratur og vitenskap – positivisme, naturalisme, evolusjonisme – som etter hans mening ikke bare truet kristendom, moral og samfunnsorden, men som på lengre sikt også ville sette individets frihet i fare.

Ved universitetet var det etter hvert flere som oppfattet det som en belastning at Monrad stod frem som universitetets dominerende filosofilærer. Han hadde autoritet nok til å holde nye tankeretninger ute når stillinger i filosofi skulle besettes, men det bygget seg opp en sterk opposisjon. «Det er fare for, at filosofien skal spilde al tillid, tabe al betydning, med foragt vendes ryggen, om den ikke slaar ind paa nye baner,» uttalte juristen Bernhard Getz som medlem av kollegiet i en ansettelsessak i 1884, hvor et mindretall gikk inn for en annen enn Monrads kandidat.

Monrad greide likevel å beholde sin dominerende innflytelse over universitetsfilosofien til han døde i 1897, 81 år gammel. Han hadde vært professor i 46 år og var i full virksomhet til det siste. Med hans død kom et radikalt skifte i filosofi som universitetsdisiplin. Både venstremannen Arne Løchen, som ble professor i 1900, og Anathon Aall, som ble utnevnt i 1908, var sterkt empirisk og positivistisk orientert. De hadde vendt seg mot eksperimentalpsykologisk forskning og hadde begge vært i sterk opposisjon til Monrads idealisme.

*Ernst Sars, oljemaleri 1906 (Erik Werenskiold)*

Vendingen i filosofien som universitetsdisiplin kom til uttrykk i hvordan den nye forberedende prøven ble lagt opp. Det var ikke lenger mulig eller ønskelig å formidle ett samlet kunnskapsunivers holdt sammen under en felles filosofisk overbygning, slik ideen hadde vært bak 1800-tallets nyhumanistiske universitetstenkning. Metafysikk og estetikk ble strøket av pensum. Filosofiens historie, logikk og psykologi ble de tre disiplinene som inngikk i forberedende prøve. Formålet var å gi studentene en idéhistorisk orientering og oppøve dem i logisk tenkemåte, som en generell innføring i vitenskapelig metode. I tillegg fikk de en innføring i empirisk psykologi.

I 1909 ble det etter Aalls forslag opprettet et psykologisk institutt etter mønster av tilsvarende tyske institutter. Det var det første instituttet innenfor Det historisk-filosofiske fakultet og var opprettet for å drive psykologiske eksperimenter. Det fikk plass i Domus Biblioteca etter at Universitetsbiblioteket flyttet ut i 1913.

Bortsett fra Monrads filosofiske konservatisme og forsvaret for latinen som dannelsesfag, kom Det historisk-filosofiske fakultet raskt til å tilpasse seg de nye oppgaver som lå i lærerutdannelsen, og i det nye språklig-historiske dannelsesidealet som lå til grunn for språklinjen i det nye gymnaset. De moderne fremmedspråkene fikk plass ved siden av klassiske studier og sammenlignende språkvitenskap, som var de etablerte filologiske disiplinene.

Fakultetets lydhørhet for Venstres ønsker om reform og fornyelse av skole- og dannelsesfag kan forklares ved de nære og tette forbindelsene til partiets ledelse. Allerede i 1881 var det et flertall av fakultetets lærere som ville godta Stortingets vedtak om et landsmålsprofessorat. Det var kollegiet som den gang sa nei på universitetets vegne, med en klar kulturpolitisk begrunnelse. Og mens Det juridiske og Det teologiske fakultet rekrutterte statsråder til høyreregjeringer, var det blant filologiprofessorene Venstre fant to av sine statsråder på 1880-tallet, professor i latin Peter Olrog Schjøtt og professor i hebraisk Elias Blix.

# Høyskoler utenfor universitetet

Tiden omkring århundreskiftet var en periode hvor en rekke profesjonsinteresser stod frem og krevde opprettet utdannelsestilbud på vitenskapelig nivå. Nye spesialiserte vitenskapelige høyskoler ble etablert utenfor universitetet. Norges Landbrukshøyskole ble vedtatt opprettet av Stortinget i 1897, Norges tekniske høyskole (NTH) i 1900. Dessuten fremmet handelsnæringen krav om en handelshøyskole og nedsatte en utredningskomité for saken i 1909.

Statens tandlægeinstitut ble opprettet i Christiania i 1909 for å utdanne tannleger. Tannlegene hadde selv ønsket å knytte sin utdannelse til universitetet, og Det medisinske fakultet gav forslaget sin anbefaling. Tilknytningen til universitetet ville bidra til en oppjustering av tannlegenes yrkeskvalifikasjoner. Kollegiet sa likevel nei. Det håndverkspregede tannlegeyrket stod for langt fra universitetets akademiske idealer. I 1928 skiftet tannlegeinstituttet navn til Norges tannlegehøyskole.

De spesialiserte høyskolene ble likestilt med universitetet på den måten at opptakskravet for studenter var avlagt examen artium eller tilsvarende nivå, og lærerpersonalet fikk titlene professor og dosent.

Bergstudiet flyttet fra universitetet og ble knyttet til NTH som en egen avdeling da NTH startet virksomheten i Trondhjem i 1910. Bare én av universitetets lærere flyttet med. Det var professor i geologi Johan H. L. Vogt. Med seg hadde han tradisjonen fra det eldste studiet som universitetet administrerte. Ved universitetet hadde bergstudiet inntatt en plass i skyggen av de store embetsstudiene. Bare et fåtall kandidater hadde avlagt bergeksamen gjennom 1800-tallet. Søkningen til studiet tok seg opp på 1890-tallet, i takt med bedre konjunkturer og stor optimisme innenfor norsk bergverksindustri. Bergstudiet hadde hatt adskillig betydning for den vitenskapelige virksomheten ved universitetet. Ved siden av medisinstudiet hadde bergeksamen vært det eneste organiserte naturvitenskapelige studiet (før reallærereksamen kom til i 1851). Flere senere vitenskapsmenn hadde tatt bergeksamen, og i geologisk og metallurgisk forskning hadde bergstudiets lærere gjort en betydelig innsats.

## Studentene som aktivistgruppe

Studentersamfundet gikk ut av 1870-årene i en tilstand av tilsynelatende idyll. Tidligere politiske motsetninger var tonet ned. I 1878 valgte Samfundet for første gang en universitetslærer til formann, professor i kunsthistorie Lorentz Dietrichson. Som nyvalgt formann uttrykte han forventningen om at Samfundet for fremtiden ville bli en møteplass for studenter og universitetslærere, hvor man «ved selskapelighet og kameratslighet skulle søke at skape en høiere humanitet». Denne forhåpningen skulle raskt bli knust av politisk strid mellom venstre og høyre.

Den konservative fløyen i Studentersamfundet kjempet for å holde dagens politiske debatt utenfor Samfundet, og det var allment stor motstand mot å bringe partistriden åpent inn i Samfundet. Fra 1882 var likevel splittelsen et faktum, med organiserte fraksjoner på begge sider. Studentersamfundet kom til å bli et forum for den opphetede kulturdebatten som preget 1880-årene.

I 1885 ble Studentersamfundet sprengt. Utløsende årsak var en strid igangsatt av Henrik Ibsen. Forfatteren av *Et Dukkehjem* og *Gengangere* stod mer enn noen som talsmannen for de nye idealene. Studentersamfundet ønsket å hylle Ibsen med et fakkeltog, men Ibsen frabad seg æren. I skarpe ordelag gjorde han det klart at han «ikke følte seg i slekt med» et studentersamfund ledet av Lorentz Dietrichson, som da var tilbake som formann. Dette var en åpen utfordring til Christiania-studentene om å ta parti for det nye og bryte med det gamle. Venstresiden i Studentersamfundet tok imot utfordringen og dannet en ny forening, Den frisindede Studenterforening. Foreningen startet med å velge Ibsen, Jonas Lie, Alexander Kielland og Camilla Collett til æresmedlemmer. Første formann var Ernst Sars.

Den frisindede Studenterforening ble imidlertid raskt revet opp av en strid som avslørte dyptgripende motsetninger innen Venstre. Striden gjaldt Hans Jægers bok *Fra Christiania-bohêmen*, som utkom i 1885. Dette forsvarsskriftet for «fri kjærlighet» var et angrep på den rådende seksualmoral og ble beslaglagt av politiet. Jæger ble satt under tiltale. For mange av venstrestudentene var dette en innskrenkning i trykkefriheten som ikke kunne tåles, og som endatil var gjennomført av en venstreregjering. Forsvaret av Jæger ble for mye for Ernst Sars. Han trakk seg som formann, og Den frisindede Studenterforening gikk i oppløsning.

Striden om Christiania-bohêmen fikk bred omtale i pressen. Det konservative Morgenbladet krevde at Det akademiske kollegium måtte gripe inn mot «den fare for sædelig forgiftelse og forvildelse, som fra bohêmernes klik truer vor akademiske ungdom». Kravet fikk følger. I kjølvannet av rettssaken mot Jæger reiste universitetet disiplinærsaker mot to studenter som hadde utgitt skrifter med «usedelig» innhold. Den unge jusstudenten Sigurd Bødtker ble i 1889 av kollegiet relegert (bortvist) for ett år fordi han hadde utgitt diktsamlingen *Elskov*, som angivelig inneholdt anstøtelige erotiske skildringer. Bohêmstriden ledet på denne måten til at universitetet ble presset til å markere hvor langt det skulle strekke sitt ansvar for å holde oppsyn med studentenes moralske vandel. Bødtker benyttet sin rett til å anke relegasjonsvedtaket inn for Høyesterett, som under dissens opprettholdt kollegiets vedtak.

Ut av 1880-årenes strid kom en studentoffentlighet hvor politisk kamp ble alminnelig akseptert. Venstrestudentene fant tilbake til Studentersamfundet, der det fra 1889 ble vanlig med politiske styrevalg. Fløyene organiserte seg i foreninger som drev åpen valgkamp. Den konservative Studenterforening ble stiftet i 1891. Året etter ble Frisindede Studenters Forening gjenreist.

Det var ikke lenger noen klar avgrensning mellom studentenes eget politiske og kulturelle liv og nasjonens. Studentene stod frem som politiske aktivister i rikspolitikken, og Venstre og Høyre skiftet om formannsvervet i Studentersamfundet. I 1889 ble for første gang en sittende stortingsrepresentant, Venstres Viggo Ullmann, valgt til formann. I de store politiske avstemningene – for eksempel om Samfundet skulle demonstrere mot unionen ved å heise det «rene» flagget uten unionsmerke – var det alltid flertall for høyresiden.

I 1905 ble de politiske meningsforskjellene lagt til side, og studentene stilte samlet bak Stortingets og regjeringens politikk for å få unionen med Sverige oppløst. Samtidig ønsket man å holde Studentersamfundet utenfor den daglige politikken. Det ble dannet en egen tverrpolitisk studentforening som ledet studentenes arbeid for unionsoppløsning.

Studentene stod lenge utenfor den politiske striden som gjaldt universitetet selv. Da striden mellom Stortinget og universitetet stod på det høyeste i 1894, samlet studentene seg om en felles henvendelse til Stortinget med bønn om at universitetet måtte holdes utenfor partistriden. Fra slutten av tiåret kom studentene selv med krav om reformer og medinnflytelse. Det ble krevd at universitetet skulle utarbeide studieplaner som gav informasjon om hvordan studiene skulle legges an og hva som var eksamenskravene. Frisindede Studenters Forening gikk så langt som til å utgi sin egen studieplan for alle fakultetene. Studentene krevde mer individuell undervisning, flere seminarer og øvelser og færre kateterforelesninger, og de ønsket leseværelser for studentene i universitetets lokaler.

Da forslag til ny universitetslov forelå i 1902, nedsatte Studentersamfundet en egen komité til å foreslå innarbeidet regler om medbestemmelse for studentene. Forslagene gikk gjennom i Stortinget. Det ble vedtatt en paragraf i universitetsloven om at studentene ved hvert fakultet skulle velge representanter «der tjener som mellemled mellem universitetets myndigheter og de studerende i anliggender vedrørende disses interesser, navnlig forsaavidt angaar undervisningen ved universitetet». Kollegiet og fakultetene hadde vært skeptiske til slike bestemmelser, men departementet gav studentene fullt medhold: «De studerende har her ikke krævet andet, end hvad der maa være ikke blot i deres, men ogsaa i universitetets og dets læreres interesse at indrømme dem.»

I venstreregjeringenes ønske om å presse frem forandringer ved universitetet kunne studentene forventes å være gode allierte. Ordningen med studentrepresentanter ble gjennomført på den måten at studentene ved hvert studium valgte medlemmer av et særutvalg. Formennene i særutvalgene utgjorde Studentenes Fellesutvalg ved universitetet.

Regjeringen og Stortinget gav også full støtte til et annet sentralt krav fra studentenes side. I universitetsloven av 1905 ble det slått uttrykkelig fast at det skulle utarbeides faste studie- og undervisningsplaner.

Kravene om leseværelser for studentene ble imøtekommet av universitetet etter hvert som plassen gjorde det mulig. Filologene fikk sitt i Domus academica i 1904. Juristene hadde fått et lite leseværelse allerede i 1895. Til leseværelsene ble det anskaffet små håndbiblioteker.

## Indre press og nye former

Presset utenfra for å fornye universitetets undervisningsfunksjoner møtte press innenfra for fornyelse av universitetet som vitenskapelig institusjon. Internasjonalt var vitenskapene i en utvikling av akselererende spesialisering. Fagmiljøene presset på for å få plass til nye spesialdisipliner og for å få arbeidsbetingelser som var nødvendige for å delta på en fullverdig måte i det internasjonale vitenskapelige fellesskapet. Det krevdes laboratorier med teknisk utstyr, det trengtes assistenter og teknikere, og det trengtes lokaler og driftsbevilgninger.

Ny teknikk og nye teoretiske gjennombrudd gjorde det mulig å studere naturfenomener under overflaten. Kjemiske metoder åpnet for å analysere stoffers og bergarters indre strukturer. Zoologer, anatomer, fysiologer og botanikere kunne med mikroskopets hjelp analysere organismer på cellenivå. Gjennombrudd i eksperimentalfysikk gjorde det mulig å klarlegge elektriske og magnetiske krefter og nærme seg studiet av fundamentene for materiens oppbygning. Det var en utvikling som fordret nye institusjoner, flere midler og større stab. Utfordringen i å holde følge ble større for vitenskapsmenn i et lite land som Norge.

Fra 1870-årene hadde det vært arbeidet for å skaffe bedre arbeidsbetingelser for forskning ved universitetet. De medisinske fagmiljøene var først ute med å få organisert institutter for forskningen. Fysiologisk institutt var det første. Internasjonalt hadde fysiologi skilt seg ut fra anatomi som egen disiplin alt fra midten av 1800-tallet. Universitetet i Christiania hadde fått et eget professorat i fysiologi i 1840. Senere hadde fysiologien vært i rivende utvikling ved at metoder fra kjemien og fysikken ble tatt i bruk. Fysiologi var en sentral disiplin for koblingen mellom vitenskap og medisinsk praksis, og den var derfor viktig for både universitetsforskerne og legeprofesjonen.

Universitetet fikk i 1873 opprettet et ekstraordinært professorat for fysiologen Jacob Worm-Müller. Han hadde i mange år oppholdt seg ved de fremste fysiologiske instituttene i Tyskland og var en fremragende forsker som behersket fagets nyeste metoder og arbeidsformer. Men for å få fullt utbytte av Worm-Müllers kompetanse var det ikke tilstrekkelig å skaffe ham en lærerstilling. Han måtte få et eget institutt med egne arbeidsrom. Worm-Müller selv ønsket et nybygg for et fysiologisk institutt, men slike planer var i beste fall langsiktige i lys av universitetets budsjettforhold. På kort sikt måtte det skaffes plass innenfor den eksisterende bygningsmassen, og fysiologisk forskning måtte konkurrere med andre formål. Museumssamlingene opptok det meste av plassen i midtbygningen og vokste jevnt og trutt som følge av stadig tilvekst.

Det medisinske fakultet hevdet at universitetet måtte prioritere forskning fremfor samlinger: «Institutioner af denne Art, der væsentlig bestaar i Udstilling og Opbevaring af Gjenstande maa staa tilbage for de Institutioner, hvori bestemte og særlige experimentelle Arbeider finder sted». Universitetets hovedoppgave lå i å støtte den eksperimentelle forskningen, som kunne gi resultater i form av ny kunnskap.

Stillstanden i universitetsbudsjettet fra midten av 1870-årene satte imidlertid en bremse på utviklingen av forskningen ved universitetet. Det kom ikke nye stillinger annet enn de professoratene som Stortingets Venstreflertall opprettet. Ingen bevilgninger til nye bygninger ble vedtatt, og plassproblemene ble prekære. Det var vanskelig å få ryddet rom til eksperimentell forskning. Fysiologisk institutt (navnet var i bruk fra 1881) ble til virkelighet fordi det kunne overta plassen etter det kjemiske laboratorium – som i 1875 var flyttet over til den nye bygningen i Frederiks gate. Andre måtte improvisere. Da matematikkprofessoren Carl Anton Bjerknes startet sine hydrodynamiske eksperimenter i 1875, måtte han gjøre dem hjemme på kjøkkenet. Fra 1880 fikk han anvist plass i kjelleren under Domus Academica, i pedellens tidligere leilighet. Pedellen hadde flyttet ut fordi rommene var erklært helsefarlige.

På tross av slike vanskeligheter ble det dannet en rekke institutter ved Det medisinske og Det matematisk-naturvitenskapelige fakultet. Ut av det gamle Anatomikammeret og den anatomiske samling vokste det frem et Anatomisk institutt. Navnet Anatomikammeret var «en Levning fra en tidligere Tid, da det anatomiske Studium blev drevet paa en ganske anden Maade end nu,» og det var blitt en hemsko for kravet om mer plass og større ressurser, hevdet bestyreren. Betegnelsen institutt ble tatt i bruk i 1886.

Et patologisk-anatomisk institutt ble innredet i 1883 på det nye Rikshospitalet. Dette instituttet inngikk som en del av sykehuset, men Rikshospitalet stilte også gratis lokaler til et hygienisk institutt, opprettet i 1893. Farmakologisk institutt ble startet samme år i provisoriske leide lokaler utenfor universitetet.

De medisinske instituttenes plassmangel ble ytterligere forsterket ved den store tilstrømningen av medisinstudenter, siden instituttene også skulle gi plass til laboratorieøvelser som ble gjort obligatoriske for studentene. Kollegiet gjorde en rekke forsøk på å få regjeringen og Stortinget med på å bevilge nye bygninger for medisin og naturvitenskap. Instituttene og samlingene var i «den sørgeligste nødstilstand» på grunn av mangel av tilstrekkelige og hensiktsmessige lokaler, ble det anført i 1896.

Også innenfor Det matematisk-naturvitenskapelige fakultet vokste det frem institutter. I 1891 ble W.C. Brøgger professor i geologi og overtok som bestyrer av universitetets «Mineralcabinet». Det antikverte navnet fikk han skiftet til Mineralogisk institutt. I 1893 ble Nordal Wille professor i botanikk og fikk straks innredet et botanisk laboratorium i leide lokaler. Brøgger og Wille kom fra Stockholms Högskola, hvor de begge hadde hatt profes-

*Sophus Torup, oljemaleri 1914 (Halfdan Strøm)*

sorater. Stockholms Högskola var grunnlagt i 1878 som et alternativ til de tradisjonelle universiteter i Uppsala og Lund, et privat finansiert «forskningsuniversitet». Idealene fra dette universitet fikk stor betydning som modell for det universitet Brøgger og Wille ønsket at Christianias universitet skulle utvikle seg til.

Først i 1897 ble det gjennomslag i Stortinget for et byggeprosjekt ved universitetet: en museumsbygning for Oldsaksamlingen, Etnografisk museum og Myntkabinettet. Historisk museum ble bygget på Tullinløkken bak universitetsbygningene og tatt i bruk i 1904. Lokalene som ble frigitt i Domus Academica ble ominnredet til undervisningsrom og leseværelser for teologer, jurister og filologer.

At det var et hus for landets sentrale nasjonalhistoriske museum som oppnådde å få gjennomslag i Stortingets Venstreflertall, var ingen tilfeldighet. I kampen mot unionen med Sverige fikk nasjonale symboler en sterk betydning. Oldsaksamlingen inneholdt de synlige minnene etter Norges historie i vikingtid og middelalder, som viste at landet hadde en lang og ærerik fortid som selvstendig rike.

Bortsett fra Historisk museum stod byggeplanene i stampe helt til universitetet grep til formuen som lå i eiendommen på Tøyen for å få tilskudd til byggekostnadene. I 1863 hadde universitetet fått tillatelse til å selge unna en del av Tøyen til byggetomter. Dette var regnet som gunstig for universitetet, siden rentene av salgssummen ville innbringe adskillig mer enn man kunne få i forpaktningsavgift når eiendommen ble brukt som gårdsbruk. Inntektene av salget inngikk i Tøyenfondet. Dette fondet ble betraktet som universitetets egen eiendom, og avkastningen kom i tillegg til bevilgningene over statsbudsjettet.

I hovedsak ble inntektene fra fondet brukt til lønnstilskudd til professorene – som en fortsettelse av retten til «professorløkke» på Tøyen. Fondets kapital skulle stå urørt. Den bruken av fondet som nå ble foreslått, innebar at man måtte gripe til selve kapitalen for å finansiere nybygg. Det kostet universitetet stor overvinnelse å gå til et slikt skritt.

Kollegiet forsøkte å opprettholde prinsippet om at Tøyenfondet var universitetets egen formue, men i 1902 besluttet Stortinget at både kapital og avkastning av fondet kunne disponeres til byggearbeider etter vedtak i Stortinget. Dermed var det åpnet for at universitetsbygg i fremtiden kunne finansieres ved å selge unna tomter på Tøyen. I 1903 bevilget Stortinget til det første byggeprosjektet finansiert av Tøyenfondet. Det var Zoologisk museum, som ble oppført på Tøyens grunn. Det ble åpnet for publikum i 1910.

Da Zoologisk museum flyttet ut av Domus Media (Midtbygningen), ble det i de ledige lokalene innredet et zoologisk laboratorium. Dermed ble zoologisk forskning skilt fra museumssamlingen. Dette var i samsvar med en overordnet plan for disponering av universitetsbygningene som kollegiet hadde samlet seg om. Planen gikk ut på å flytte museumssamlingene ut av universitetsbygningene ved Karl Johans gate, slik at disse bygningene kunne bygges om og gi plass til forskningsformål.

Kollegiet bestemte seg også for å få frigjort plassen som ble opptatt av Universitetsbibliotekets boksamling. Plassforholdene i Domus Biblioteca var blitt håpløse. Bygningen var beregnet på en boksamling på 250 000 bind. Ved århundreskiftet var samlingen vokst til det dobbelte, og bygningen var bokstavelig talt i ferd med å synke sammen under vekten av bøkene. I 1906 fikk universitetet Stortinget med på å bevilge et påbygg. Etter forslag fra W.C. Brøgger, som året etter ble universitetets rektor, ble det vedtatt å oppføre en egen bygning for biblioteket utenfor universitetsområdet. Det nye Universitetsbiblioteket ble reist på universitetets grunn ved Drammensveien, på en del av Observatoriets tomt, og ble tatt i bruk i 1913.

Universitetsbiblioteket hadde oppgaver utover universitetets egne behov. Fra 1882 var det lovbestemt at eksemplarer av alle norske trykksaker skulle avleveres til Universitetsbiblioteket. Når universitetet argumenterte for bevilgninger til ny biblioteksbygning, ble oppgavene som nasjonalbibliotek sterkt understreket. Argumentasjonen nådde frem på den måten at Stortinget bevilget hele byggesummen til biblioteksbygningen over det ordinære statsbudsjett, uten å kreve tilskudd fra Tøyenfondet.

Universitetsbibliotekets sjef foreslo å endre navnet til Riksbiblioteket, som en forberedelse til en utskilling av biblioteket som egen institusjon, men Stortinget motsatte seg navneforandringen og biblioteket forble en del av universitetet. Universitetet tok også til orde for å skille de natur- og kulturhistoriske museene ut fra universitetet. For universitetsforskerne var ikke lenger museene viktige. De var nasjonalmuseer for et alminnelig publikum mer enn vitenskapelige samlinger for forskerne, var det mange ved universitetet som hevdet.

Byggeprogrammet innebar at det ble bygget nytt for museene, mens egentlige forskningsformål først kunne tilgodeses når museene flyttet ut. Unntaket var Det medisinske fakultets hygieniske institutt. Det fikk i 1908 egne lokaler på Rikshospitalets område, bekostet av Tøyenfondet. Gjennom utbyggingen av instituttene under Det medisinske fakultet dannet det seg et mønster hvor instituttene ble plassert dels på Rikshospitalet og dels i de gamle universitetsbygningene. De instituttene som forberedte til prekliniske fag i første avdeling av medisinstudiet, ble lagt til universitetsbygningene, mens de øvrige instituttene ble knyttet til den kliniske undervisningen ved Rikshospitalet.

Ombyggingen av Domus Media til nye formål var ferdig til 100-årsjubileet i 1911. Så å si hele det indre av bygningen ble revet ut og bygget opp på nytt. På baksiden av bygningen ble det reist et stort tilbygg for å gi plass til universitetets nye festsal, Aulaen. Aulaen ble bygget for å gi universitetet plass og status som sentral nasjonal institusjon. Den skulle være en representativ ramme omkring begivenheter som viste frem universitetet og dets betydning i byen og i nasjonen. Tilbygget var i sin helhet finansiert ved gaver fra velstående privatfolk. Rektor Brøgger hadde tatt initiativ til innsamling til ny festsal i 1908. Utgangspunktet var at utvandrede nordmenn i USA ønsket å samle inn til en gave til universitetets 100-årsjubileum. Innsamlingen gav gode resultater, og Aulaen ble tatt i bruk på selve jubileumsdagen 2. september 1911.

# Vitenskap som nasjonalt symbol

Ved 100-årsjubileet for Niels Henrik Abels fødsel i 1902 arrangerte universitetet et stort internasjonalt vitenskapelig festmøte. I det tidlig døde matematiske geni hadde Norge fostret en vitenskapsmann som nådde verdensry. Jubileumsfeiringen ble lagt stort opp for å gjøre dette synlig for vitenskapen og for det allmenne publikum. Festmøtet ble holdt over flere dager for inviterte norske og utenlandske gjester, og Abeljubileet ble feiret som en stor begivenhet i hovedstaden. Universitetet kunne nå for første gang kreere æresdoktorer. Som ledd i forberedelsene til Abeljubileet hadde Stortinget fattet et eget lovvedtak som gjorde dette mulig. En egen grad – *doctor mathematicae* – ble tildelt 29 fremstående matematikere fra hele verden.

Abeljubileet var ikke bare en anledning til å minnes Niels Henrik Abel. Det ble en anledning til å markere at gjennom ham hadde Norge gitt et viktig bidrag til vitenskapens utvikling. Gjennom bidrag til vitenskapen kunne Norge hevde seg som «kulturnasjon» på linje med andre, selvstendige stater. Abeljubileet i 1902 var en anledning for universitetet til å vise seg «nyttig» for nasjonens behov for nasjonal selvhevdelse i sluttfasen av kampen for selvstendighet fra unionen med Sverige.

Tilsvarende nasjonale strenger hadde vært slått an tidligere. I 1893 hadde Bjørnstjerne Bjørnson satt seg i spissen for en aksjon for å få hjem til Norge den norske vitenskapsmann som da hadde størst ry i Europa, matematikeren Sophus Lie. Lie hadde forlatt universitetet i Kristiania i 1886 for å overta et professorat i Leipzig. På Bjørnsons oppfordring ble det samlet inn underskrifter fra en rekke fremstående nordmenn til støtte for et forslag til Stortinget om et æresprofessorat for Sophus Lie ved universitetet. Aksjonen falt sammen med en kritisk fase i unionsstridighetene med Sverige. Stortinget bevilget til professoratet i 1894 og Sophus Lie kom tilbake til Kristiania i 1898, men han var ikke lenge i aktiv virksomhet ved universitetet. Han døde allerede året etter.

Sommeren 1896 vendte Fridtjof Nansen tilbake fra ekspedisjonen med *Fram* over Polhavet. Nansen var ansatt ved universitetet som konservator ved den zootomiske samling, og Fram-ekspedisjonen var i utgangspunktet en forskningsekspedisjon. Etter tre år i drivisen mente Nansen å ha bevist sine teorier om havstrømmer i polarområdet. Samtidig var ekspedisjonen langt mer enn et vellykket vitenskapelig eksperiment. Ingen hadde noensinne vært nærmere Nordpolen enn Nansen og hans følges-venn Hjalmar Johansen. Fram-mennene ble feiret som nasjonal-helter i Norge og ble beundret verden over for sitt vågemot.

Begeistringen lot seg benytte til å fremme norsk vitenskap. Nansens venn W.C. Brøgger hadde lenge forsøkt å få samlet inn til et fond til fremme av norsk vitenskap. Ved Frams hjemkomst ble det mulig å få til et gjennomslag: Fridtjof Nansens fond til videnskabens fremme ble til gjennom en innsamling som samlet bred oppslutning over hele landet. Nansenfondet fikk som formål å støtte vitenskapelig forskning på alle fagområder og ble knyttet til Videnskabsselskabet i Kristiania.

Videnskabsselskabet hadde i mange år ført en beskjeden tilvæ-relse og mottatt minimale statstilskudd til utgivelse av vitenska-pelige skrifter. Brøgger ønsket å gi Videnskabsselskabet økono-misk frihet til å fremstå som en sterk organisasjon for forskning, styrt av vitenskapen selv. Målet var et akademi med fast tilknyt-tede forskere. De skulle kunne drive sin vitenskap uten å være bundet av «embetsmannsslaveriet», som var Brøggers krasse karakteristikk av universitetets undervisningsoppgaver. Viden-skabsselskabet skiftet navn til Det Norske Videnskaps-Akademi i Kristiania, men fikk aldri ressurser til å lønne faste forskere. Veien til å realisere Brøggers visjoner om bedre vilkår for norsk forskning, kom derfor i hovedsak gjennom å bedre vilkårene for forskning ved universitetet.

Universitetsloven av 1905 innførte vervet som rektor. Rektor var universitetets leder og kollegiets formann og ble valgt av og blant professorene for tre år om gangen. Ordningen var innført etter ønske både fra universitetet selv og fra myndighetene om at universitetet måtte få en fastere ledelse med større kontinuitet. I 1906 ble W.C. Brøgger valgt til universitetets første rektor med funksjonstid 1907–09 og gjenvalgt for perioden 1910–12.

Bedre vilkår for forskningen var Brøggers hovedanliggende som rektor. Han ble aldri trett av å påpeke hvordan universitetet i Kristiania forskningsmessig hadde sakket akterut i forhold til andre lands universiteter. Stillstanden i antall stillinger, bygninger og driftsbevilgninger, som hadde preget universitetet siden 1870-årene, hadde etter Brøggers oppfatning fått katastrofale skadevirkninger. Dette var en periode hvor andre lands universiteter hadde fått ekspandere sterkt. Universitetet i Kristiania var blitt hengende etter på nesten alle områder. Brøgger nølte ikke med å utmale hvilke skadevirkninger dette kunne medføre. Det var ikke mindre enn Norges selvstendighet som stod i fare: «Det Land, som ikke er istand til at udfolde et *selvstændigt* videnskabeligt Liv, men nøier sig med kun at leve paa Laan fra andre, vil ende med i tilsvarende Grad at blive materielt afhængig af andre Lande,» skrev Brøgger i 1904.

I tillegg til nasjonal æresfølelse kunne naturvitenskapen appellere til praktiske behov. Den økonomiske betydningen av vitenskapen ble bare tydeligere mot slutten av århundret, etter hvert som vitenskapelige landevinninger la grunnlaget for nye industrigrener innen kjemi, elektroteknikk og andre områder. Det mest berømte norske eksemplet er hvordan fysikkprofessoren Kristian Birkeland sammen med ingeniøren Sam Eyde la grunnen for opprettelsen av Norsk Hydro i 1905, som snart skulle bli ett av Norges største industriforetak. Kristian Birkeland hadde vært knyttet til universitetet som stipendiat fra 1893 og professor fra 1898, og var blitt verdenskjent for sin teori om hvordan nordlyset skyldes elektromagnetisk stråling fra solen. Metoden for utvinning av nitrogen fra luften, som Birkeland utviklet sammen med Eyde, var et resultat av Birkelands forsøk på å utnytte sin forskning for kommersielle formål.

## Universitetet åpner seg sosialt – og kulturelt

Embetsmannsstatens universitet hadde langt på vei vært en institusjon for utdannelse av en selvrekrutterende elite. Ennå i 1860-årene var over halvparten av studentene sønner av embetsmenn

*Universitetet 100 år, sølvmedalje 1911*
*(Domenico Erdmann)*

eller offentlige tjenestemenn, mens en tredjedel kom fra byenes handelsborgerskap. Prestesønnene utgjorde alene nesten en fjerdedel av alle studenter. Helt siden universitetet ble grunnlagt, var de aller fleste studentene rekruttert fra denne sosiale bakgrunn. Embetsmenn og handelsborgerskap utgjorde en sosial og kulturell overklasse, knyttet sammen av familiebånd og kulturelt fellesskap, som i språk og livsstil skilte seg fra bønder og arbeidsfolk.

Fra 1870-årene ble det et markert sterkere tilsig av bondesønner, og i årene 1881–85 hadde en knapp sjettedel av artianerne bønder som fedre. De bevegede 1870- og 80-årene var derfor også preget av sosial endring. Norge var et samfunn i rask forandring, sosialt og kulturelt, og denne endringsprosessen slo inn i universitetet og den akademiske eliten den utdannet til.

Innslaget av studenter fra bondefamilie var relativt størst innenfor de studiene som førte frem til yrkene som prest og lærer. Samtidig var dette de tallmessig minste studiene. Presteyrket øvet ikke lenger den samme tiltrekningen på embetsmanns- og borgersønner som det hadde hatt i begynnelsen av århundret. Den nye profesjonen av lærere i den høyere skolen, som bygget seg opp mot slutten av århundret, var heller ikke så tiltrekkende for denne gruppen, men ble et springbrett for bygdeungdom som ønsket en akademisk karriere.

Utvidelsen av rekrutteringsgrunnlaget for studenter betød ikke bare en sosial åpning, hvor universitetsstudiet ble et redskap for mobilitet fra bondesønn til embetsmann eller funksjonær. Like mye var det en bro over en kulturell avstand fra bygdemiljøer til det akademiske hovedstadsmiljøet.

Arne Garborgs berømte universitetsroman *Bondestudentar* (1883) gir en sterk fremstilling av hvordan en bondesønn som kommer til universitetet føler seg underlegen embetsmannssønnenes sosiale og kulturelle sikkerhet. Garborg ble en av lederne for norskdomsbevegelsen, som hadde som formål å eliminere denne kulturelle avstanden. I norskdomsbevegelsens oppfatning representerte bondesamfunnet det egentlig norske, mens den kulturen som byborgerskapet og den akademiske elite holdt oppe, var importert og overfladisk. Norskdomsbevegelsen satte seg som mål å erstatte den importerte kulturen med en foredlet bygdekultur. Sentralt i dette programmet stod landsmålet. Ved å få landsmålet godtatt som nasjonalt kulturspråk, ville bondestudentene kunne stå trygt på egen grunn.

Venstrekoalisjonen opptok norskdomsbevegelsen i seg, og gjennom stortingsvedtak i 1885 ble landsmål og riksmål formelt sidestilt som skolespråk. Det tok imidlertid fortsatt tid før landsmålet fikk innpass ved universitetet. Først med den tidligere venstrepolitikeren Marius Hægstad som professor i landsmål fra 1899 ble det gitt undervisning på landsmål. Generell adgang til å skrive eksamensbesvarelser på landsmål ble det først i 1908.

Studentmållaget ble stiftet i 1900, mens striden mellom tilhengerne av riksmål og landsmål toppet seg på nasjonalt nivå. Laget så det som sin oppgave å bruke universitetet som et redskap for å realisere drømmen om en nasjonal akademisk kultur.

Studentmållagets virksomhet gav resultater. Støttet av Venstre på Stortinget og i regjeringen, og med støtte fra universitetslærere som selv var målmenn, ble landsmålet akseptert som akademisk fullverdig språk. Bondesønnen Nicolaus Gjelsvik ble professor i jus i 1906 og bidro mye til å utviklet landsmålet som lovspråk. Blant filologene fikk landsmålet virkelig gjennomslag. Det historisk-filosofiske fakultet ble et ankerfeste for landsmålet, og filologene utdannet ved fakultetet rekrutterte etter hvert ledersjiktet til landsmålsorganisasjonene.

## Kampen om forskningens frihet

I visjonen om forskningsuniversitetet slik W.C. Brøgger og hans meningsfeller så det, inngikk det som en helt grunnleggende forutsetning at forskningen skulle være fri – bare styrt av forskernes egen søken etter ny kunnskap og ny erkjennelse. Brøgger var derfor skeptisk til staten som finansieringskilde for forskning. Stortinget og regjeringen kunne lett komme til å stille krav til hvordan pengene skulle brukes, noe som lett ble uforenlig med forskerens frihet. Universitetets egen historie hadde demonstrert hvordan dette kunne skje. Helst ønsket Brøgger at forskningen skulle finansieres gjennom gaver til fond som ble disponert av vitenskapen selv.

Prinsippet om forskningens frihet innebar også at forskningen måtte gjøre seg fri fra bindinger av tankemessig art. Fri forskning kunne ikke kombineres med filosofisk eller religiøs ortodoksi som satte grenser for forskerens sannhetssøken. Universitetet hadde kastet av seg kravet om rettroenhet i naturvitenskap og filosofi. Motstanden mot darwinismen døde ut etter 1880-årene – bare M.J. Monrad stod på skansen som modernismens motstander til sin død i 1897. Ved århundreskiftet var det bare ett sted ved universitetet hvor det fortsatt gjaldt dogmatiske begrensninger for hvilke forskningsresultater som kunne godtas. Det var Det teologiske fakultet.

Det teologiske fakultet var den eneste institusjon som utdannet prester til Den norske kirke, og det hadde vært en selvfølge at fakultetet var underlagt kirkens trosbekjennelse. Etter hvert som kritiske forskningsmetoder ble tatt i bruk også innenfor bibeltolkning og kirkehistorie, oppstod spørsmålet om hvor langt fakultetet kunne tillate at kirkens sentrale dogmer og trosforestillinger ble anfektet. «Hvor langt man end vil udstrække den akademiske Lærefrihed ogsaa for Theologi, maa vi dog hævde, at denne Lærefrihed ifølge Sagens Natur har sine Grænser,» uttalte en fakultetskomité i en ansettelsessak i 1897. Komiteen fant at én av søkerne til et professorat i kirkehistorie – Anathon Aall – måtte avvises fordi hans prøveforelesninger viste seg å være «i fundamental Uoverensstemmelse ikke blot med vor lutherske Bekjendelse, men med selve den kristne Tro».

Den ortodokse teologien var likevel på vikende front i fakultetet. Kritisk bibelforskning hadde vært innført ved fakultetet av Fredrik Petersen, professor i systematisk teologi fra 1875. Petersen avviste beskyldningene om at hans forskning kunne undergrave kirkens trosgrunnlag. Vitenskap og tro var to forskjellige ting. Dette standpunktet kom under harde angrep fra kretser i kirken som reiste kampen mot «den moderne vantro». Petersen døde i 1903, og da hans etterfølger skulle utnevnes, brøt kampen løs for alvor.

Stridens kjerne var om én av de kvalifiserte søkerne, Johannes Ording, kunne ansettes som prestelærer i det viktige professoratet i systematisk teologi, med det syn på sentrale trosspørsmål han hadde lagt for dagen. De oppnevnte sakkyndige mente det ville stride mot fakultetets lojalitet til kirkens bekjennelse å utnevne Ording. Fakultetets flertall tok imidlertid standpunkt for Ording, og det samme gjorde et flertall i kollegiet.

Kollegiets innstilling vakte en storm av protester fra alle landets biskoper og fra prester og legmannsorganisasjoner over hele Norge. Kirkeministeren og flertallet i regjeringen bøyde av, og ingen av søkerne ble utnevnt. Dette var innledningen til nye, langvarige stridigheter om hvordan undervisningen som lå til professoratet, skulle ordnes. Striden fenget fra topp til bunn i det norske samfunnet. For universitetet var det forskningens frihet som var det sentrale spørsmålet. For teologene var det også en strid om hvem som skulle ha rett til å tolke trosbekjennelsen. Dette var en kamp om makt innenfor kirken.

«Professorstriden», som dette kapitlet av norsk kirkehistorie er kalt, nådde klimaks i 1906. Etter fornyet utlysning ble Johannes Ording endelig utnevnt, mot kirkeministerens innstilling. Kirkeministeren gikk av og fikk følge av Sigurd Odland, som søkte avskjed fra sitt professorat ved universitetet. Odland hadde gjennom hele striden utgjort mindretallet i Det teologiske fakultet, han representerte den dogmatiske teologi som særlig legmannsorganisasjonene sluttet opp om. To år etter sin avskjed fra universitetet ble Odland den første bestyrer på Det teologiske Menighetsfakultet, som ble dannet og finansiert av legmannsorganisasjonene for å drive alternativ presteutdannelse.

For universitetet hadde «Professorstriden» endt i en seier for prinsippet om fri og ubundet forskning. Det var i den sammenheng av underordnet betydning at Menighetsfakultetet overtok det meste av presteutdannelsen for Den norske kirke. Universitetet hadde ikke lenger sin identitet knyttet til å utdanne embetsmenn for statens tjeneste, men var en institusjon bygget på den frie forskning.

# 4

# Universitetet i vekst og krise
## 1911–40

PERIODEN FRA 1911 til begynnelsen av 1920-årene var en sterk vekstperiode i universitetets historie. Ikke noe tiår i universitetets forutgående historie kunne oppvise en tilsvarende styrking av tilgjengelige ressurser. Lærerstaben av professorer og dosenter økte med nær 50 prosent, fra 80 i 1911 til 116 i 1922. Antallet stipendiater ble i samme tidsrom nesten fordoblet. Byggeprogrammet som var påbegynt rett etter århundreskiftet, ble videreført slik at universitetet kunne ta i bruk nybygg til Universitetsbiblioteket, Botanisk museum og Geologisk museum. Domus Biblioteca og Domus Media ble ominnredet til nye formål etter at biblioteket og museumssamlingene var flyttet ut. Samlet innebar dette en vesentlig økning av universitetets disponible arealer for forskning og undervisning.

På tross av dette kom universitetet under første verdenskrig til å bli preget av tiltagende vanskeligheter. Krigen førte med seg vareknapphet, prisstigning og boligmangel, som særlig rammet studentene, men også universitetets ansatte og universitetets forskningsvirksomhet. I tillegg kom spørsmålet om videre utbygging til å føre universitetet inn i en langvarig og opprivende indre strid om lokalisering: Tøyen eller Blindern.

Etter en kort periode med høykonjunktur i de første årene etter 1918, gikk ekspansjonen over i stagnasjon og krise – for universitetet som for det norske samfunnet i det hele. Depresjon i verdensøkonomien slo inn over Norge med stor kraft fra 1920. Regjering og Storting valgte å møte krisen med stor sparsomhet i statshusholdningen. Ekspansjonen i offentlige aktiviteter og utgifter ble avløst av sparing og budsjettnedskjæringer.

Ved inngangen til 1930-årene slo en ny økonomisk verdenskrise inn over Norge, og landet gikk inn i de verste kriseårene i dette århundre. For universitetet ble krisetiden en kamp mot budsjettnedskjæringer på den ene siden, og et strev for å ivareta oppgavene i undervisning og forskning på den andre – i en tid med sterkt økende studenttall. Antall studenter hadde ligget jevnt omkring 1500 frem til 1918, da begynte det å stige. I 1920 var studenttallet nådd opp i over 2000. Deretter steg studenttilstrømningen eksplosjonsartet gjennom 1920-årene og begynnelsen av 1930-årene, til antallet i 1934 var kommet opp i 4000. Økningen kom samtidig som veksten i antallet lærerstillinger stagnerte og det faktiske antallet lærere gikk ned, siden stillinger ble stående ledig for å spare.

Ett spørsmål som kom i fokus var om studenttilstrømningen skulle reduseres ved adgangsbegrensning. Den sterke tilstrømning til medisinstudiet skapte en kapasitetskrise i undervisningstilbudet. Forslag om adgangsbegrensning til medisinstudiet ble fremmet av universitetet, men avvist av Stortinget helt frem til april 1940.

Et annet problemfelt var hvilket ansvar universitetet burde påta seg for studentenes åndelige og materielle velferd under studietiden. Den materielle siden av problemet ble imøtekommet med stortingsvedtak om innføringen av studielån (1936) og gjennom opprettelsen av Studentsamskipnaden i Oslo ved lov av 1939. Dermed var grunnen lagt for en forbedring av studentenes levekår som ville gjøre det lettere å gjennomføre et universitetsstudium for studenter som ikke hadde en velsituert familie i ryggen.

Selv om inntrykket av krise kom til å prege universitetet frem til slutten av 1930-årene, ble det også rom for nytenkning og utprøvning av nye arbeids- og organisasjonsformer. Både universitetets ledelse og universitetslærere utviste enkeltvis stor oppfinnsomhet når det gjaldt å finne alternative kilder til å finansiere forsknings- og undervisningsoppgaver. Takket være bidrag fra norske og internasjonale forskningsfond og gaver fra rike enkeltpersoner, lot det seg gjøre å realisere flere store byggeoppgaver. Det ble også skaffet midler til betydelige forskningsprosjekter.

Universitetet stod frem som deltager i et internasjonalt vitenska-pelig samarbeid med større tyngde enn noen gang før.

Universitetet klarte å slå tilbake de mest vidtrekkende forslag om budsjettkutt, og det lyktes å komme i gang med den stort anlagte utbyggingen av universitetsområdet på Blindern. Fysikk- og kjemibygningen stod ferdig i 1935 som et storslått monument over troen på vitenskapen i fremskrittets tjeneste.

Som et symbol på at universitetet gikk inn i en ny tid kom det også til å skifte navn. I 1939 vedtok Stortinget en lovendring som endret navnet fra Det kongelige Frederiks Universitet til Univer-sitetet i Oslo. Navneendringen møtte liten motstand. Mange ved universitetet ønsket ikke å beholde et navn som var tynget ned av historisk tradisjon. Hovedstaden selv hadde endret navn fra Kristiania til Oslo i 1925.

## Vekst i vitenskapelige stillinger 1911–22

Ved hundreårsjubileet i 1911 hadde universitetet ialt 70 profes-sorer og 10 dosenter, som utgjorde den egentlige lærerstaben. I tillegg kom 22 adjunktstipendiater og 40 konservatorer, amanu-enser og assistenter ved museumssamlingene og instituttene, og dessuten Universitetsbibliotekets ansatte. En slik stab var langt fra tilstrekkelig, hadde rektor W.C. Brøgger slått fast i sin hoved-tale ved jubileumsfeiringen. Sammenlignet med andre lands uni-versiteter burde man minst hatt 90 professorater og minst 40 dosenter og stipendiater for å sikre rekrutteringen til professora-tene. Dosenturene ville Brøgger bruke systematisk som begyn-nerstillinger, slik at universitetet ville få en treleddet stillings-struktur: nederst tidsbegrensede stipendiatstillinger, dernest dosenturer og øverst professorater.

Brøggers ekspansive planer ble ikke oppfylt helt ut, men Stor-tinget bevilget en kraftig økning av universitetets vitenskapelige stab i årene som fulgte. Fra 1911 til 1922 fremmet kollegiet for-slag om 92 nye vitenskapelige stillinger, og Stortinget bevilget 71 av dem. Det tilsvarte ikke en like sterk økning i lærerstaben, siden ekstraordinære stillinger samtidig ble inndratt. Likevel hadde

*Kjemi, Aulaen, oljemaleri 1916 (Edvard Munch)*

universitetet knapt noen gang fått et slikt gjennomslag for sine budsjettønsker.

De nye stillingene fordelte seg svært ulikt mellom fakultetene. Av 18 nye professorater gikk over halvparten til Det historisk-filosofiske fakultet, mens teologi og jus fikk ett hver, medisin to og Det matematisk-naturvitenskapelige fakultet fire. Av dosenturene gikk nær halvparten – elleve – til Det matematisk-naturvitenskapelige fakultet, fem til Det historisk-filosofiske, tre til hvert av Det medisinske og Det juridiske fakultet og to til Det teologiske fakultet.

Veksten i antall stillinger gjenspeilte slett ikke studenttallet ved de forskjellige fakultetene. Jus og medisin var fortsatt de overlegent største studiene med til sammen over halvparten av det samlede studenttall. Fra 1914 gikk medisin forbi jus. Antall medisinstudenter ble fordoblet fra 1911 til 1919, mens antallet jusstudenter ble redusert med en fjerdedel. Antall studenter ved Det historisk-filosofiske og Det matematisk-naturvitenskapelige fakultet holdt seg stabilt.

Nye lærerstillinger ved Det historisk-filosofiske fakultet var dels begrunnet med undervisningsbehov, for å etterkomme behovet for lærere i de skolefagene som stod sentralt i kandidatenes fagkrets. Dels skjedde det en videre utbygging av nasjonale fag som norrøn filologi og folkeminnevitenskap, og dels ønsket fakultetet å ta opp nye forskningsdispliner som keltisk og indisk filologi. Ett professorat hadde en klar språkpolitisk begrunnelse. Det var professoratet i riksmål, som ble opprettet i 1912 etter krav fra riksmålsbevegelsen om at også denne målformen måtte få sitt eget professorat. I 1917 ble professoratene i landsmål og riksmål gitt betegnelsen «nordisk sprogvidenskap».

Økningen i lærerstaben ved Det matematisk-naturvitenskapelige fakultet kom særlig innenfor fagområdene geologi/mineralogi, kjemi, zoologi og botanikk. Innenfor disse fagene ble det rom for å ta opp nye forskningsdispliner, for eksempel dosenturet i radiokjemi som ble opprettet i 1916 for å sikre seg at Ellen Gleditsch ble ansatt ved universitetet. Hun hadde i flere år arbeidet ved Marie Curies laboratorium i Paris og bragte med seg hjem innsikt i den epokegjørende vendingen i naturvitenskapene som oppdagelsen av radioaktivitet hadde medført.

To nye professorater ved Det matematisk-naturvitenskapelige fakultet var begrunnet i et nytt undervisningsfag. Et professorat i matematikk, opprettet i 1913, ble tillagt ansvar for undervisning i forsikringsmatematikk. Dette kom som en følge av ønsker fra forsikringsbransjen om undervisning for forsikringsmatematikere (aktuarer), noe regjeringen fulgte opp. I 1916 ble det innført en egen aktuareksamen. Aktuarstudiet inngikk som et ledd i utbygging av universitetsstudier beregnet for praktiske formål i samfunnet, og undervisningen ble organisert gjennom et samarbeid mellom universitetet og forsikringsselskapene. Et eget professorat i forsikringsteknikk fulgte i 1919.

Det matematisk-naturvitenskapelige fakultet fikk seg tildelt betydelig flere dosenturer enn professorater. Samtidig hadde dette fakultetet fra tidligere de fleste konservatorene og amanuensene knyttet til samlinger og institutter. Ved inngangen til 1920-årene var en femtedel av fakultetets vitenskapelig ansatte professorer. Til sammenligning var nesten halvparten av den vitenskapelige staben ved Det historisk-filosofiske fakultet professorer. Dette gjenspeilte forskjeller i fakultetenes oppbygning. De historisk-filosofiske disiplinene var organisert som separate fag, mange med bare én professor.

Nye organisasjonsformer var likevel på vei inn også i de historisk-filosofiske fagene. Det kom flere institutter ved fakultetet, gjerne knyttet til etablering av nye forskningsdisipliner. Geografisk institutt ble opprettet 1917, Fonetisk institutt i 1918 og Indisk institutt 1921. Geografisk institutt var felles for fysisk geografi (under Det matematisk-naurvitenskapelige fakultet) og kulturgeografi (under Det historisk-filosofiske fakultet).

Det medisinske fakultet hadde en beskjeden økning i antall vitenskapelige stillinger. De som kom til, var dels opprettet i nye obligatoriske undervisningsfag – som for eksempel professoratet i psykiatri fra 1915. Dels var det opprettet stillinger for å gi plass til nye forskningsdisipliner, blant annet dosenturet i radiologi fra 1919. Kapasiteten ved den kliniske undervisning ble betydelig utvidet ved at Ullevål sykehus fra 1917 ble tatt i bruk som universitetsklinikk. Dette medførte ikke nye stillinger som professorer og dosenter. Til forskjell fra Rikshospitalet ble overlegene ved Ullevål sykehus ikke ansatt i lærerstillinger ved universitetet, men mottok betaling som lærere ved Det medisinske fakultet.

## Tøyen eller Blindern?

Rett før hundreårsjubileet i 1911 hadde universitetet fått gjennomslag i regjeringen for en byggeplan for de følgende syv årene. Planen omfattet et nybygg på Tøyen til de mineralogiske, geologiske og paleontologiske samlingene, ominnredning av Domus biblioteca og Domus media til lokaler for institutter og administrasjon, og et nytt astronomisk observatorium på Voksenkollen. Det gamle observatoriet ved Drammensveien var nå omgitt av bybebyggelse som gjorde forholdene lite egnet for observasjoner. Med disse byggeplanene regnet kollegiet med at universitetets behov for lokaler ville være godt hjulpet i lang tid fremover.

Byggearbeidene ble igangsatt etter planen, men det skulle ta lang tid å få dem realisert. En av de foreslåtte bygningene – observatoriet – ble aldri reist. Geologisk museum var ikke ferdig før i 1920, og ominnredningen av sentrumsbygningene ble også kraftig forsinket. Dessuten skulle det vise seg at planen slett ikke strakk til for å løse universitetets rombehov slik det utviklet seg. Dette ble klart da man skulle skaffe lokaler til Fysisk institutt. Fysikerne hadde innredet provisoriske forskningslaboratorier i Domus medias underetasje. Der lå «Birkelands kjeller» hvor nordlyseksperimentene ble drevet, og «de skumle katakomber som kaltes fysisk institutt». Som det fremgår av karakteristikken, var dette ikke ideelle arbeidsrom. Fysikerne var stilt i utsikt at de skulle få større og mer moderne arbeidsrom når museumssamlingene flyttet ut, men museumsbygningene ble forsinket og stadig nye institutter gjorde krav på plass. Fysikerne begynte å tvile på om det ville bli plass til de behovene instituttet ville ha for fremtiden. Ombygging av de gamle universitetsbygningene ville kanskje ikke gi egnede lokaler i det hele tatt. Biltrafikken rundt universitetsbygningene var blitt så stor at rystelsene i grunnen forstyrret fysikernes følsomme instrumenter. Fysikerne ønsket heller at det ble bygget en ny fysikkbygning utenfor universitetsområdet.

I 1914 nedsatte kollegiet en komité til å foreslå valg av tomt for et fysisk institutt. Komiteen delte seg i to fraksjoner. Én fraksjon foreslo å bygge fysikkbygningen på Observatorietomten, bak det nye Universitetsbiblioteket. Den andre foreslo å bygge Fysisk institutt på Tøyen, i tilslutning til museumsbygningene der.

Det ble tidlig avklart at diskusjonen om tomtevalget ville dreie seg om mer enn bare plassering av en bygning for Fysisk institutt. Store deler av Det matematisk-naturvitenskapelige fakultet ville snart trenge større plass enn det var mulig å skaffe i universitetsbygningene i sentrum. Kjemibygningen i Frederiks gate var i dårlig forfatning, og kjemikerne måtte skaffes nye lokaler. Fysikk og kjemi fremstod mer og mer som grunnvitenskapene for all naturvitenskap. Det var her de store teoretiske gjennombruddene var skjedd, og det ville være viktig for universitetet å gi disse vitenskapene muligheter for ekspansjon i fremtiden.

Den største fordelen ved å bygge på Tøyen var at arealene på 800 mål som universitetet rådet over der, ville gjøre det mulig med en ekspansjon langt utover det man kunne forutse av øyeblikkelige behov. Her kunne det også bygges boliger for studenter og ansatte i tilslutning til universitetsområdet. Talsmennene for Tøyen-alternativet trakk opp visjonen om et «college» for naturvitenskap, med museer, forskningslaboratorier og undervisningslokaler i sentrum, og med boliger i utkanten av området. I tillegg kunne det bli plass til frittstående forskningsinstitutter som ville bidra til å utvide det faglige miljøet. De øvrige fakultetene og Universitetsbiblioteket kunne fortsette virksomheten i Kristianias sentrum.

Tilhengerne av Observatorietomten gjorde seg til talsmenn for en motsatt oppfatning av hva som måtte være naturvitenskapenes plass i universitetet og i byen. Vilhelm Bjerknes, som tok aktivt del i debatten selv om han hadde forlatt universitetet og nå var professor ved universitetet i Leipzig, holdt på at universitetet måtte holdes samlet på tvers av fakultetene, og at videre utbygging måtte skje slik at Universitetsbiblioteket ble liggende i sentrum av universitetsområdet. Universitetet måtte ikke oppgi beliggenheten i sentrum hvor det hadde «været med at skape det milieu hvori det lever, sat sit præg paa byens utvikling, og faat fæste ved utallige baand som ved en flytning vilde rives over». Universitetet måtte ha et «milieu hvori det selv kan trives, og hvori dets studenter kan faa ikke blot sin videnskabelige men like meget sin sociale opdragelse, en opdragelse som de vil faa, ikke bare paa laboratorier og auditorier men overhodet i det milieu hvori de bor og færdes».

Bjerknes hadde dermed trukket opp det som skulle bli det viktigste tema i den videre debatt: Burde universitetet bygges ut på Kristianias vestkant, eller burde det legges til Tøyen, som nå var omgitt av hovedstadens industri- og arbeiderstrøk? Sterk befolkningsvekst og tiltagende industrialisering hadde forsterket utviklingen av en todelt by med en vestkant og en østkant. Tøyen var skilt fra Kristianias vestkant ikke bare ved den geografiske avstand, men like mye ved sosiale skiller.

Tilhengerne av Tøyen-alternativet, anført av tidligere rektor W. C. Brøgger, fremholdt at det var viktig for universitetet å heve seg over sosialt snobberi. Den egentlige årsaken til motstanden mot Tøyen, hevdet Brøgger, var at universitetslærerne så det som under sin verdighet å ha sin arbeidsplass på østkanten. I stedet for å bygge opp under slike fordommer burde universitetet tvert om gå foran i å fremme en balansert utvikling av byen. Hvis universitetet bygget ut Tøyen og universitetslærere og studenter flyttet til området, ville dette forandre hele østkantens karakter. Dessuten, mente Brøgger, ville det kanskje være en fordel for studentene om universitetet ble lagt «midt i det 'milieu', som utgjøres av den store jevne befolkning, hvis kår de først og fremst trænger til at forstå og kjende, heller end i midten av villastrøket, hvis livssyn og kår er helt forskjellige fra det store folks, som de skal ofre sit livs gjerning for at tjene det på bedste måte».

Slik ordla Brøgger seg i 1920, mens striden var som mest tilspisset. Da stod valget mellom Tøyen og Blindern i Vestre Aker, vest for Kristianias daværende bygrense, i et område hvor villa-bebyggelsen bredte seg ut over tidligere dyrket mark. Dette alternativ var ført inn i diskusjonen i 1918 av tre professorer ved Det matematisk-naturvitenskapelige fakultet. De tvilte på at Observatorietomten ville strekke til for universitetets fremtidige plassbehov, og foreslo i stedet å kjøpe tomtegrunn i Vestre Aker. Det ville gi de samme fordeler som på Tøyen, med ekspansjonsmuligheter for fremtiden og et universitetsområde som også kunne gi plass til boliger for lærere og studenter. Samtidig ville man unngå å legge universitetet i et industri- og arbeiderstrøk. Mulighetene for å skaffe tomt bød seg på gården Øvre Blindern, som eieren var villig til å selge til staten. Her kunne universitetet få 300 mål.

Blindern-alternativet ble energisk videreført av Sam Eyde, Norsk Hydros grunnlegger og tidligere generaldirektør. Eyde var formann for en komité som regjeringen nedsatte høsten 1918 for å utrede spørsmålet om universitetets tomtevalg. Allerede før komiteen trådte sammen, hadde Eyde fått Blinderneiendommen på hånden, og han greide å få komiteen med på en enstemmig innstilling om å velge Blindern – inkludert Tøyenforkjemperen Brøgger.

Forut for Eydes initiativ hadde en privat innsamlingskomité sikret seg en 50 måls tomt på Blindern for et studenthjem for mannlige studenter. I mai 1918 ble det sendt ut opprop om å gi bidrag til «Studenterhjemmet på Blindernbakken». Både innsamlingskomiteen og komiteen med Eyde som formann la stor vekt på studentenes mulighet til å dyrke sport og friluftsliv. At Blindern lå nær Holmenkollen og friluftsområdene i Nordmarka, var argumenter som var sterkt fremme, og på studenthjemmet skulle det bygges gymnastikksal og utendørs idrettsanlegg. Dette pekte mot idealer fra britiske og amerikanske colleges, hvor idrett var en viktig del av studentenes universitetsliv.

Enstemmigheten om Blindern-alternativet varte imidlertid ikke lenge. Brøgger brøt med komiteen og gikk tilbake til Tøyen-alternativet. Det matematisk-naturvitenskapelige fakultet var sterkt splittet, men flertallet holdt på Blindern. Utbygging på Blindern ville medføre at museumssamlingene ville bli permanent skilt fra undervisning og forskning, men zoologene og botanikerne anså ikke dette som noen vesentlig ulempe. Museumssamlingene var ikke lenger av stor betydning hverken for forskning eller undervisning i disse fagene. Bare Brøggers eget fagmiljø i geologi og mineralogi var opptatt av å holde samling, forskning og undervisning samlet på ett område. Geologisk museum var bygget både som et museum og som et forskningsinstitutt. Hvis Blindern ble valgt, ville geologifagene bli liggende isolert fra resten av fakultetet.

Striden om Tøyen eller Blindern skapte sterk uenighet i alle nivåer som behandlet saken. Selv om det var et mindretall ved universitetet som gikk inn for Tøyen, fikk dette alternativet betydelig tilslutning i overordnede organer. Regjeringen delte seg i et flertall på seks for Blindern og et mindretall på fire for Tøyen. I Stortinget ble saken debattert i to dager frem til avstemningen 20. februar 1920. Blindern ble valgt med 73 stemmer, 49 stemte for Tøyen.

Skillelinjene i Stortinget gikk delvis mellom høyre og venstre. Høyres C.J. Hambro var hovedtalsmann for Blindern-alternativet, mens Arbeiderpartiet gikk inn for Tøyen. Stortingets største parti – Venstre – var splittet på samme måte som regjeringen. Kirke- og undervisningsministeren, Jørgen Løvland, hevdet som sitt hovedsyn at man måtte lytte til hva fagmiljøene selv sa. Men han tilføyde:

Ein ting som eg er glad yver – men det ligg meir paa sida av hovudsaki – det er at der uppe [på Blindern] er ein frisk og fri og fager plass for ungdomen aa ferdast paa. Eg vil leggja til at universitetet, det er toppen av Norigs folkeskule. Me hev altfor mykje set paa universitetet som ein klasseskule. Nei, det er vorte ogsaa i utvertes meining landsens fyrste folkeskule. Dit sender me ungdom budd med dei beste forkunnskapar, i dei beste aari, til aa verta uppskula for samfundstenesta i nasjonen naar dei er fullvaksne og utlærde, og det gjeld at me daa i ei saa stor sak let deim faa dei ytre vilkaari, so dei ikkje berre kann faa arbeida best mogleg,

125

men og trivast, halda helsa og kraftar best uppe, so me ikkje fær deim, som det tidt hender, heim att halvvisne og med tapet av mykje av si ungdoms lekamlege kraft og dermed si aandelege arbeidskraft. Det meiner eg er ei stor sak. Her er ingen som vil kunna vera i tvil um eller motsegja det at Blindern paa den maaten hev ein høgre og ljosare himmel enn Tøien.

Studentene var nasjonens elite. Den måtte få sunne og gode arbeidsvilkår og ikke brytes ned gjennom dårlig påvirkning i storbyen. Distrikts-Venstre fant sammen med hovedstads-Høyre i at et universitet ikke hørte hjemme sammen med industri og boligstrøk for arbeiderbefolkningen.

## Krisetid, studentvelferd og studentboliger

Første verdenskrig ble for universitetet både en veksttid og en krisetid. Knappere tilgang på importvarer medførte sterk prisstigning og dyrtid. Regjeringen måtte gripe til ekstraordinære tiltak og innføre varerasjonering. Krisetiltakene gjorde at statsapparatet svulmet opp og de offentlige utgiftene steg kraftig. Regjeringens ekspansive politikk medførte sterk inflasjon. Pengeverdien var i 1922 sunket til en tredjedel av hva den var før krigen.

Instrumenter og utstyr til forskning som universitetet måtte importere fra utlandet, ble det etter hvert umulig å skaffe. Universitetsansattes lønninger holdt ikke tritt med inflasjonen, tross flere lønnsjusteringer. Mens deler av Kristianias befolkning tjente penger på krigstidens spekulasjonsøkonomi, hørte professorer og stipendiater med til gruppen av funksjonærer på fast lønn som fikk føle dyrtiden på kroppen. Verst gikk krisetiden utover studentene. Leieprisene på hybler i Kristiania nådde uante høyder, og prisene på maten på kafeer og spisesteder gikk samme vei.

En gruppe universitetslærere tok initiativ til å skaffe nødhjelp til de dårligst stilte studentene slik at de skulle kunne fortsette studiene. En krisekomité organiserte hjelpearbeidet, ledet av universitetets første kvinnelige professor, zoologen Kristine Bonnevie. I

*W.C. Brøgger, bronsemedalje 1931 (Emma Matthiasen)*

kjelleren under Aulaen fikk hun innredet et primitivt spisested for studentene, hvor de kunne kjøpe måltider for en billig penge.

Nødhjelpsarbeidet ble fulgt opp med initiativer for å sikre bedre levekår for studentene også når tidene igjen ble normale. Kristine Bonnevie satte seg i spissen for en innsamling til et Studiehjem for unge piker. Det åpnet i Geitmyrsveien i 1916. En annen kvinnelig akademiker, Alette Schreiner, tok initiativet til studenthjemmet for mannlige studenter på Blindern. Alette Schreiner var medisiner og hadde ydet selvstendige bidrag som celleforsker, men uten å ha noen stilling ved universitetet – bare som medarbeider for mannen, professor Kristian Emil Schreiner. Målet for innsamlingskomiteen som hun organiserte, var et studenthjem til mellom 200 og 300 studenter, hvor en husfar og en husmor skulle våke over beboerne og sørge for mat og stell. Komiteen hadde samlet opplysninger om at vel 800 studenter bodde på hybel i Kristiania. Bortimot en tredjedel av disse skulle få plass i studenthjemmet på Blindern.

Arbeidet med å reise studenthjemmet på Blindern kom for sent i gang for å dekke det presserende behovet for studentboliger som meldte seg mot slutten av første verdenskrig. Universitetets krisehjelpskomité måtte gripe til helt ekstraordinære tiltak for å skaffe studentene tak over hodet. Noen ble innlosjert i Historisk museum, andre fikk soveplass i Domus Biblioteca, og på Tøyen ble det innredet midlertidige studentboliger i loftsetasjen i Zoologisk museum og i det halvferdige Geologisk museum. På Kristine Bonnevies initiativ foreslo universitetet at staten kjøpte inn en bygård som kunne innredes til studentbolig. Regjeringen sluttet seg til forslaget og kjøpte eiendommen Schultz gate 7 i 1919. Her var det håp om å få plass til 200 studenter. Det var tenkt som et midlertidig krisetiltak, men Studenthuset ble en permanent institusjon med et styre oppnevnt av kollegiet.

Fra 1919 bevilget Stortinget et årlig beløp til studentstipender over universitetets budsjett. Statsbevilgningen var gitt som kompensasjon for nedgangen i stipendene fra forskjellige fond og legater som var opprettet til fordel for studenter. Realverdien av disse var kraftig redusert som følge av synkende pengeverdi.

Krisesituasjonen i krigstiden hadde også berørt universitetets vitenskapelige virksomhet. I alle krigførende land oppstod organisasjoner for å anvende naturvitenskapelig forskning til krigsformål. Situasjonen tvang frem allianser mellom staten, industrien og vitenskapen for å utnytte vitenskapen til militære formål eller for å løse påtrengende sivile behov som krigen medførte. Selv om Norge ikke var direkte med i krigen, oppstod det tilsvarende behov også her. I 1916 tilbød Videnskapsakademiet regjeringen vitenskapens bistand, men først året etter fant regjeringen det nødvendig å ta imot tilbudet. Ved USAs inntreden i krigen ble Norges handelsavtaler med vestmaktene sagt opp, og Norge stod i fare for å bli avskåret fra livsnødvendige tilførsler. I denne situasjon ble vitenskapen mobilisert for å få frem kriseløsninger.

Professor i mineralogi Victor Moritz Goldschmidt ble leder av Statens råstoffkomité, som fikk i oppgave å skaffe erstatninger for råstoffer som ikke lenger kunne importeres. Krisesituasjonen ble ikke så alvorlig som man hadde fryktet, men Goldschmidts komité ble av regjeringen sett som en verdifull medhjelper. Krigstiden hadde tvunget frem et nært samarbeid mellom staten og industrien, og det ble drøftet planer om å gjøre dette samarbeidet permanent. Planene gikk blant annet ut på å gjøre universitetsområdet på Tøyen til et sentrum for et vitenskapelig samarbeid mellom stat, universitet og næringsliv omkring en felles strategi for utvikling av norsk industri.

Disse planene ble lagt til side under sparepolitikken i 1920-årene. Men det kom noen varige resultater av krigstidens satsing på forskning: Da regnskapet for krisetiltakene ble gjort opp, besluttet staten og de private deltagerne å sette av deler av overskuddet til fond som skulle gå til å støtte forskning. De største var A/S Norsk Varekrigsforsikrings Fond og Statens Råstoffond. I tillegg satte Stortinget av tre millioner kroner til et vitenskapelig forskningsfond i 1919.

# Inn i kulturpausen

Med budsjettet for 1921–22 gikk universitetet inn i en periode med stillstand når det gjaldt stillingstall. I perioden frem til 1935 ble det opprettet fem nye professorater og ett nytt dosentur, men av disse var to finansiert ved private gaver og i samme tidsrom ble to professorater inndratt. Stortinget våket nøye over utgiftene. I 1925 ble det foreslått opprettet et ekstraordinært professorat i fysikk for Vilhelm Bjerknes. Han var da leder for Det geofysiske institutt i Bergen og verdensberømt som grunnlegger av «Bergensskolen», som utviklet metodene for moderne værvarsling. Likevel stemte Stortinget først ned forslaget om å gi ham et professorat med like gode vilkår som han hadde i Bergen. Året etter gikk Stortinget med på forslaget, men for øvrig falt forslag om nye stillinger på stengrunn.

Ordet *kulturpause* er blitt stående som overskrift over sparepolitikken som ble ført av vekslende borgerlige regjeringer frem til 1935. I debatten om universitetets budsjett for 1927–28 falt disse bemerkningene i Stortinget fra Bondepartiets Johan E. Mellbye:

> Ja, det er ikke tiden nu slik som den økonomiske tilstand er i vårt land, til å oprette nye professorater. Og for mit vedkommende vil jeg si, at jeg møtte med den bestemte forutsetning, at jeg ikke vilde stemme for noget nytt professorat, tvert imot vilde jeg helst talt for innskrenkning, fordi jeg mener det er kommet så langt nu – jeg mener i intellektuell henseende – at det kunde være et spørsmål om man ikke næsten skulde ta en liten kulturpause og hvile på det man har nådd, fordøie hvad man har fått inn.

Sparepolitikken slo ikke bare ut i manglende bevilgninger til nye stillinger. Det ble også vanskelig nok å få beholde stillinger universitetet allerede hadde. Flere professorater og dosenturer ble holdt ledige for å spare lønnsmidler. På det meste – i 1933 – var ti stillinger ubesatt. Det tilsvarte en tiendedel av lærerstaben.

Antall stipendiatstillinger ble redusert, og driftsbudsjettene ble skåret ned.

Krigsårenes krisetiltak og ekspansive politikk hadde ført stat og kommuner inn i gjeldskrise. Den virkelige tilstanden i statsfinansene kom for en dag i 1926. Statsgjelden hadde økt til svimlende summer, og det borgerlige stortingsflertall gikk inn for en hardhendt nedskjæring av offentlige utgifter. «Øksekomiteer» ble nedsatt for å skjære vekk offentlige virksomheter man mente å kunne greie seg uten.

En slik komité ble nedsatt av Høyre-regjeringen i 1927 for å granske universitetet, Norges tekniske høyskole og Norges Landbrukshøyskole. Mandatet var å undersøke om noe kunne spares inn, professorater inndras, byggeprosjekter sløyfes og om studentopptaket kunne begrenses. Slik mandatet var formulert, var dette det mest omfattende og mest alvorlige anslaget mot universitetets budsjett gjennom hele mellomkrigstiden. Ett av punktene i mandatet var om fysikkbygningen som var planlagt bygget på Blindern, kunne utgå siden det allerede fantes et godt utbygget fysisk institutt ved NTH i Trondhjem. I så fall ville hele den planlagte Blindern-utbyggingen stå i fare.

Komiteens innstilling, avgitt i 1928, inneholdt likevel ingen anbefalinger om nedskjæringer i universitetets budsjett. Tvert imot anførte komiteen at staten bevilget relativt mindre til universitetet nå enn i de «normale» årene før krigen, og at ingen lærerstillinger var overflødige. Komiteen gikk også enstemmig inn for at de planlagte kjemi- og fysikkbygningene måtte reises på Blindern. Fysikk var sentralt både for medisinere og realister, og som naturvitenskapens grunnvitenskaper måtte både fysikk og kjemi styrkes mest mulig.

Når komiteen enstemmig landet på denne konklusjonen, må æren for en stor del tilskrives professor Sem Sæland, som var det eneste medlem fra universitetet i komiteen. Sæland hadde tidligere vært professor og den første rektor ved NTH. Han hadde også vært valgt til stortingsrepresentant for Trondhjem. Han var blitt kalt til professoratet i fysikk ved universitetet i 1922, og det var forventninger om at hans administrative og politiske evner

131

ville være viktige for å få realisert utbyggingsplanene på Blindern. Før komiteen avgav sin innstilling, ble Sæland valgt til universitetets rektor. Som den eneste rektor som har sittet gjennom tre fulle perioder (1928–36) fikk han som oppgave både å lede universitetet gjennom de verste økonomiske kriseårene i nyere historie, og å gjennomføre den første Blindern-utbyggingen.

## Strid om adgangsregulering

Fra begynnelsen av 1920-årene begynte tilstrømningen av studenter til universitetet å stige kraftig. Fra 1920 til 1929 ble det samlede studenttall fordoblet, fra 1831 til 3615. I første del av perioden var økningen særlig sterk i søkningen til medisinstudiet. I 1922 hadde Det medisinske fakultet over 700 studenter og var blitt universitetets klart største fakultet, målt i studenttall. En slik studentmasse hadde fakultetet ikke kapasitet til å gi ordinær undervisning, slik målene for legeutdannelsen var definert. Problemet med tilstrømningen til medisinstudiet og hvordan det skulle håndteres, kom til å bli sentrale temaer i debatten om universitetet både internt og eksternt gjennom 1920- og 30-årene.

Kapasiteten i den prekliniske undervisning kunne økes ved å tilby flere parallelle laboratoriekurser og gi sommerundervisning, men kapasiteten i den kliniske undervisningen satte klare grenser. Studieordningen forutsatte at studentene skulle ha klinisk erfaring fra alle spesialavdelingene ved Rikshospitalet og Ullevål sykehus, og det var størrelsen på disse avdelingene som satte grenser for undervisningskapasiteten. Det medisinske fakultet argumenterte for at det var helt nødvendig for en kommende praktiserende lege å ha vært gjennom klinisk undervisning i alle spesialitetene.

I 1923 foreslo Det medisinske fakultet at adgangen til medisinstudiet skulle begrenses. Dette ble opplevet som et drastisk skritt. Fra universitetets opprettelse hadde alle studier vært åpne for enhver som hadde avlagt examen artium. Det medisinske fakultet presiserte at adgangsbegrensningen ikke skulle bli permanent, men bare være en nødløsning i en øyeblikkelig krisesituasjon. Kollegiet sluttet seg til forslaget, men ikke med glede: «Som det store hovedprinsipp må det nemlig etter kollegiets overbevisning hevdes at adgangen til Universitetets undervisning og eksamener bør stå åpen for alle.»

Regjeringen sluttet seg til universitetets forslag, som gikk ut på å ta opp inntil 60 medisinstudenter hvert år, valgt ut på grunnlag av karakterene til examen artium og karakterene i kjemi og fysikk til medisinstudiets første avdeling. Første avsnitt av første avdeling ville på denne måten være åpent for alle. Forslaget ble avvist av Stortinget, som insisterte på at medisinstudiet skulle være åpent.

Søkningen til medisinstudiet fortsatte bare å øke, og i 1926 måtte Stortinget modifisere sitt tidligere vedtak. Som et kompromiss ble det bestemt at universitetet kunne sette et tak på hvor mange studenter som hvert år fikk starte på den kliniske delen av studiet. I konkurransen om opptak til annen avdeling skulle eksamenskarakterene til hele første avdeling legges til grunn. De som ikke kom inn første semester, fikk fortrinnsrett ved neste opptak. Stortinget fastsatte et minimumsopptak på 50 studenter i semestret, nesten det dobbelte av det universitetet mente var forsvarlig.

Studenttallet nådde et toppunkt i 1931 da hele 1136 medisinstudenter var registrert. Adgangsreguleringen skapte lang kø mellom første og annen avdeling, og studietidens lengde økte dramatisk. Av dem som avsluttet medisinsk embetseksamen i 1939, hadde halvparten av kandidatene brukt ti år eller mer på studiet, mens den normale studietid tidligere hadde ligget på 7–7$^1/_2$ år.

Det medisinske fakultet måtte gripe til flere nødløsninger. Kapasiteten i første avsnitt av den prekliniske undervisningen ble økt gjennom kursundervisning i kjemi utenfor universitetet. Anatomi og fysiologi i annet avsnitt ble bare undervist ved universitetet, og her var kapasiteten begrenset. Det ble innført intern opptaksbegrensning fra første til annet avsnitt av første avdeling. Men dette slo ut i ny kø og en rekke andre problemer i tillegg. Det medisinske fakultet opplevde at det befant seg i en stadig krisesituasjon, og i 1938 fremmet fakultetet nytt forslag om en generell adgangsbegrensning av medisinstudiet. Denne gang ble forslaget vedtatt av Stortinget, i april 1940. Det var da allerede innført adgangsbegrensning ved et annet studium ved universitetet. Farmasøytutdannelsen, som var lagt til universitetet i 1931, var adgangsregulert helt fra starten.

I debatten om begrensning av adgangen til legestudiet ble det også reist spørsmål om samfunnets behov for leger. Risikerte man en overproduksjon av leger slik at mange kandidater ville stå uten arbeidsmuligheter? I mandatet til Høyskolekomiteen av 1927 var det tatt med at komiteen skulle vurdere om det burde «gjøres nogen begrensning av søkningen til Universitetet». Komiteen samlet inn materiale om hvilket «normalbehov» det kunne være for universitetskandidater i teologi, jus, medisin, realfag og filologi, og satte opp en grov prognose for samfunnets behov for universitetsutdannet arbeidskraft. Beregningen konkluderte med at universitetet uteksaminerte nesten dobbelt så mange som det var behov for. Men med den usikkerheten som lå i tallene, avviste komiteen å bruke behovsanslagene til å fastsette opptaksgrenser for universitetsstudiene. Studentenes egne valg fikk avgjøre tilgangen på akademisk utdannet arbeidskraft. Regjeringen og Stortinget sluttet seg til dette prinsippet. Med unntak av medisin og farmasi ble det ikke aktuelt å foreslå begrensninger i studieadgangen.

Med dette var rammen gitt for universitetets utvikling utover i 1930-årene. Tilstrømningen til universitetsstudiene holdt seg fortsatt på et høyt nivå, selv om økningen gikk langsommere enn i 1920-årene. Studenttallet økte fra 3600 i 1929 til 4000 i 1934 og ble liggende på samme nivå frem til krigsutbruddet. I 1940 var studenttallet 4200, men dette tallet inkluderer også rundt 100 farmasistudenter (de ble ikke regnet med i universitetets studenttall før 1935). Først etter 1935 fikk universitetet bevilget nye lærerstillinger. Dette innebar at universitetet gjennom hele perioden måtte ta hånd om et stort og stigende antall studenter uten at det kom noen tilsvarende økning i lærerstillinger. I 1923 rådet universitetet over 101 professorater og dosenturer. I 1940 var det tilsvarende antallet 110. Mens studenttallet var økt med 67 prosent, var lærerstaben bare knapt ti prosent større.

*Fredrik Stang, oljemaleri 1929 (Henrik Lund)*

I 1935 var Det historisk-filosofiske fakultet blitt det klart største, målt i studenttall. Tilstrømningen til dette fakultet skulle gi opphav til bekymringer for plassmangel og kapasitet i undervisningen, og for arbeidsmarkedet for nye filologer. Embetseksamen ved Det historisk-filosofiske og Det matematisk-naturvitenskapelige fakultet tok sikte på å kvalifisere til lærerstillinger i middelskole og gymnas. I 1920 kom det en ny ordning av lærereksamenene, slik at de ble delt i en lavere grad (*cand. mag.*) og en høyere grad (*cand. philol.* og *cand. real.*) For å få høyere grads eksamen måtte kandidaten ta et hovedfag. Lavere grads eksamen kvalifiserte til en adjunktstilling i middelskolen, mens høyere grad var nødvendig for å bli lektor i gymnaset. I tillegg til lærereksamenene fikk de to fakultetene i 1922 rett til å tildele gradene *mag. art.* og *mag. scient.* Magistergraden var uavhengig av skolens fagkrets og var en vitenskapelig utdannelse beregnet på dem som skulle arbeide med forskning eller annen faglig virksomhet utenfor skolen.

## Nye finansieringsformer og ny vekst

Selv om den sterke ekspansjonen og veksten i stillinger i årene frem til 1922 var stoppet opp, fikk universitetet langt på vei beholde sine ressurser ubeskåret gjennom krisetiden. Bare to stillinger ble permanent inndratt, og med stigende pengeverdi under regjeringens deflatoriske politikk i 1920-årene kom universitetets budsjett til å vise ganske sterk stigning målt i faste kroner. Fra bunnivået i 1933–34, da universitetsbudsjettet var skåret til benet, vokste statsbevilgningene markert utover i 1930-årene.

Justert for deflasjonen lå budsjettene i 1930-årene godt og vel over budsjettet for 1921–22. Til gjengjeld var universitetets budsjetter i stor grad bundet opp til lønninger og andre faste utgifter som ikke gikk ned i samme takt som kronens gjennomsnittlige kjøpekraft gikk opp. Universitetsansattes reallønn, som var kraftig redusert under verdenskrigen, ble forbedret gjennom mellomkrigstiden.

Bildet av krise blir moderert når man tar i betraktning hvilke ressurser universitetet kunne hente inn utenfor de ordinære stats-bevilgningene. Fondsavsetningene i årene rett etter verdenskrigen hadde gitt betydelig flere tilgjengelige midler til forskningsformål enn før, og i deflasjonstiden i 1920-årene økte avkastningen. Nansenfondet, Norsk Varekrigsforsikrings Fond og Statens videnskapelige forskningsfond av 1919 var i stand til å yte betydelige bidrag til forskning.

Ett av initiativene som forskningsfondene gjorde mulig å realisere, var opprettelsen av Institutt for sammenlignende kulturforskning. Ideen kom fra professor i rettsvitenskap Fredrik Stang, tidligere justisminister og formann i Høyre. I 1917 holdt han et foredrag om «Norden som centralsted for internationalt videnskabelig arbeide». Der utviklet han en idé om at de nøytrale skandinaviske land hadde en moralsk forpliktelse til å bidra til å få i gang igjen det internasjonale vitenskapelige samarbeidet som verdenskrigen hadde avbrutt. Som Norges bidrag foreslo han å ta opp studier av folkeretten og av sammenlignende kulturforskning.

Stang hadde håpet at en av krigskonjunkturens millionærer ville donere et fond som kunne finansiere et slikt institutt, men dette slo ikke til. I stedet vendte Stang seg til staten. Forskningsfondet på tre millioner kroner som Stortinget bevilget i 1919, ble delt i to avdelinger: den ene forbeholdt naturvitenskapelig forskning, den andre øremerket Institutt for sammenlignende kulturforskning. Kristiania kommune bevilget også et betydelig beløp til instituttet. Det var ikke vanlig for Kristiania by å gi bidrag til forskning. Når bystyret her gjorde et unntak, var nok Fredrik Stangs posisjon i byens politiske liv en viktig årsak. Byens myndigheter argumenterte for at et slikt institutt i Kristiania var «en enestaaende leilighet til paa en værdig og forstaaelsesfuld maate at træ frem som landets hovedstad».

Institutt for sammenlignende kulturforskning ble ikke knyttet formelt til universitetet, men var i realiteten drevet av universitetslærere og fullt integrert i universitetets virksomhet. Det ble et viktig sentrum for forskning og et kontaktpunkt for internasjonalt samarbeid. Ved å invitere fremragende utenlandske forskere som gjester for kortere eller lenger tid, bidro det til å plassere Universitetet i Oslo i en internasjonal vitenskapelig utveksling på linje med større og mer etablerte lærdomssentra. Instituttet gav midler til forskningreiser som ellers ville vært utenfor økonomisk rekkevidde. Ett resultat av instituttets virksomhet var Alf Sommerfelts studier av kaukasiske språk, som fikk stor anerkjennelse.

På tross av krisen inntok Universitetet i Oslo i mellomkrigstiden en plass i det internasjonale universitetsmiljøet som det aldri tidligere hadde hatt. Ett synlig uttrykk for denne plasseringen var at verdenskongressen for historisk vitenskap ble arrangert i Oslo i 1928, med professor Halvdan Koht som president.

Et ledd i å plassere universitetet i et overnasjonalt vitenskapelig fellesskap var innførelse av akademiske seremonier etter utenlandsk mønster, som ble tatt opp etter at Fredrik Stang ble valgt til rektor i 1922. Det ble anskaffet rektorkappe og senere dekankapper etter forbilder fra 1500-tallet, og det ble utarbeidet et omfattende seremoniell for doktorpromosjoner, rektorinaugurasjoner og årsfester inspirert av tilsvarende seremonier ved universiteter med tradisjoner fra middelalderen. Universitetet bestilte en stort anlagt kantate for kor og orkester, *Ignis Ardens*, med tekst av Olaf Bull og musikk av David Monrad Johansen. Kantaten ble første gang fremført ved promosjonsfesten i 1933. I 1920-årenes økonomiske krisetid måtte universitetet skaffe midler til slike formål utenom det ordinære budsjettet. Rektor Stang henvendte seg til rike privatfolk for å få støtte. Rektorkappen ble gitt som gave av den norske minister i Paris, Fritz Wedel Jarlsberg, mens Sam Eyde betalte Olaf Bulls honorar for teksten til kantaten.

Universitetet hadde vært helt uten slike akademiske seremonier etter at skikken med doktorpromosjoner var avskaffet i 1847. Den gang mente universitetet at det var upassende med et seremoniell lagt opp etter kongelig mønster. Når det nå ble tatt opp igjen, var det en understrekning av at universitetet gikk inn i en tradisjon som strakte seg lenger tilbake enn dets egen historie. Forut for hundreårsjubileet i 1911 hadde det vært viktig å fremheve at universitetet var en norsk institusjon. I 1920-årene ble symbolene brukt til å understreke at universitetet var del av et universelt vitenskapelig fellesskap. Rektor Stang startet også tradisjonen med at rektor hilste de nye studentene med tale på universitetsplassen på immatrikuleringsdagen 1. september. Denne seremonien ble første gang holdt i 1923.

Internasjonal anerkjennelse åpnet for nye former for forskningsfinansiering. Den amerikanske Rockefeller Foundation – stiftelsen som forvaltet Rockefeller-familiens store donasjoner til vitenskapen – ble i mellomkrigstiden en viktig kilde til finansiering av forskning i Europa. Også Universitetet i Oslo fikk bidrag fra denne kilden. I 1925 henvendte fysikkprofessoren Lars Vegard seg til Rockefeller Foundation med forespørsel om støtte til et permanent nordlysobservatorium i Nord-Norge. Etter Kristian Birkelands pionérinnsats i nordlysforskningen hadde professor Carl Størmer og senere Vegard fortsatt utforskningen av nordlyset. Med den anerkjennelsen som de norske forskerne hadde oppnådd, var det også mulig for dem å få støtte. Observatoriet ble bygget i Tromsø og innviet i 1930. Det var organisert som del av et frittstående Institutt for kosmisk fysikk, men Vegard var instituttets leder.

Rockefeller-stiftelsen finansierte også et institutt som ble lagt innenfor universitetet. Dette var Institutt for teoretisk astrofysikk, som ble muliggjort ved en gave på 105 000 dollar, tilsvarende 500 000 kroner. Instituttet stod ferdig på Blindern i 1934 og var den andre bygningen på det nye universitetsområdet.

Bakgrunnen for gaven til et astrofysisk institutt var at professor Svein Rosseland var en forsker med stort internasjonalt ry innenfor denne nye disiplinen. Rosseland hadde i flere år arbeidet hos Niels Bohr i København og senere i USA, og hadde høstet anerkjennelse for sin bruk av atomfysikkens teorier på studier av himmellegemers oppbygning og bevegelser. Rosseland hadde fått professoratet i astronomi ved universitetet i 1928, men ble også tilbudt en stilling ved Harvard University. Sammenlignet med Harvard var det dårlige vilkår for forskning universitetet kunne by ham i Oslo. Gjennom amerikanske kolleger fikk Rosseland kontakt med Rockefeller Foundation, som sa seg villig til å bygge et helt nytt institutt for ham i Oslo under forutsetning av at universitetet påtok seg driften. Universitetet grep sjansen og fikk regjeringen med på å gi en slik garanti.

Rockefeller-stiftelsen var ikke bare interessert i å støtte Rosselands forskning. Gaven forutsatte at det også ble gitt arbeidsplass i instituttet for professorene Carl Størmer, Vilhelm Bjerknes og Halvor Solberg. Stiftelsen ønsket å få til et institutt hvor fire av verdens fremste geofysikere kunne få anledning til å samarbeide om tverrfaglig forskning. Gaven var på denne måten et uttrykk for anerkjennelse av at universitetets geofysikkmiljø var blant de ledende i verden.

Rockefeller Foundation hadde støtte til medisinsk og biologisk forskning som en av sine hovedinteresser, og flere av universitetets miljøer innen disse fagområdene fikk støtte. Det ble blant annet gitt bidrag til Kristine Bonnevies forskning ved Institutt for arvelighetsforskning, og til økonomisk forskning. Universitetets Økonomiske Institutt ble opprettet i 1931 ved gaver fra Rockefeller Foundation og A/S Norsk Varekrigsforsikrings Fond.

Betydelige bidrag til universitetets forskning ble ytet av norske givere. Blant disse kan nevnes hvalfangstrederen Lars Christensen, som finansierte store ekspedisjoner til Antarktis. Dette var mesénvirksomhet i tråd med tradisjonen fra tidligere polarforskning, men det kom også nye former for private gaver til universitetet. Hele disipliner og institutter ble finansiert ved bidrag utenfra. En annen ny form for støtte var bidrag til å opprette professorater ved universitetet, med lønnen betalt av gavemidler. Det første gaveprofessoratet ble opprettet ved Det juridiske fakultet i 1925 da forsikringsnæringen etablerte et fond som skulle dekke lønnen til en professor i forsikringsrett. De første årene ble midlene benyttet til å lønne stipendiater som kunne kvalifisere seg for stillingen. I 1929 ble den første professor i forsikringsrett utnevnt.

I 1932 fikk universitetet sitt annet gaveprofessorat, i ernæringsfysiologi. Dette professoratet var gitt av industrimannen Johan Throne Holst, grunnlegger og leder av Freia Chokoladefabrik. Throne Holst og Freia bidro med betydelige beløp også til forskning innen sosialmedisin og økonomi. Som mesén og bidragsyter til forskning representerte Johan Throne Holst noe nytt. Han var opptatt av vitenskapens muligheter som grunnlag for nye måter å organisere samfunnet på, og i 1930-årene ble universitetet et sted for utvikling av slike tanker.

De store bidragene til vitenskapelig virksomhet ved universitetet kom ikke av seg selv, men var som oftest resultater av iherdige anstrengelser fra enkelte universitetslæreres side. Noen vitenskapsmenn viste anlegg for slikt entreprenørskap, hvor faglig engasjement gikk hånd i hånd med evner og oppfinnsomhet til å skaffe kontakter og penger. Vilhelm Bjerknes og Svein Rosseland er eksempler på denne entreprenørtype, likedan marinbiologen Johan Hjort.

Ved siden av å være bestyrer for Institutt for marin biologi var Hjort fra 1935 også leder av Statens hvalforskningsinstitutt, som var finansiert av en avgift på hvalfangstnæringen. De to instituttene fikk felles lokaler i det gamle kjemilaboratoriet i Frederiks gate etter at Kjemisk institutt var flyttet til Blindern. Ordningen gjorde at Hjort rådet over betydelig større ressurser til sin forskning enn universitetet alene kunne ha skaffet over sitt budsjett. Victor Moritz Goldschmidt fikk bidrag fra Statens råstoffond til arbeidet som ledet frem til hans formulering av geokjemiens fordelingslover, som regnes som et av de viktigste naturvitenskapelige bidrag som noen gang er kommet fra Norge.

Innen Det medisinske fakultet var det flere lærere som viste talent for denne form for entreprenørskap. En av dem var Theodor Thjøtta, som ble professor i bakteriologi i 1935. Da han tiltrådte, fant han tilstanden elendig med dårlig utstyr og gammeldagse og helsefarlige lokaler i Rikshospitalets gamle patologibygning. Økte driftsbevilgninger over universitetets budsjett hjalp noe, men Thjøtta trengte større midler for å realisere sine planer. Han gikk i gang med å skaffe tilskudd fra private givere, og i 1937 mottok universitetet 800 000 kroner i gave fra skipsreder Wilhelm Wilhelmsen. Gaven skulle gå til å bygge et helt nytt bakteriologisk institutt og til å finansiere forskning ved instituttet. Dette var den største gaven universitetet hadde mottatt fra en pri-

vatperson siden innsamlingen til universitetet i 1811. I takknem-
lighet til giverne ble instituttet gitt navnet Kaptein Wilhelm Wil-
helmsen og frues bakteriologiske institutt. Det stod ferdig på
Rikshospitalets område i 1940.

Aktivt arbeid med å skaffe gavemidler fra private var også
nødvendig for å få fullført det som tidligere hadde vært ansett
som en stor nasjonal satsing – museumsbygningen på Bygdøy,
som skulle huse vikingskipene og som var planlagt som del av et
stort nasjonalmuseum. I krisetiden ble bevilgningene utsatt, og
først i 1926 kunne fløyen med Osebergskipet tas i bruk. Deretter
var det slutt på ordinære statsbevilgninger, og de videre byggear-
beidene på museet måtte dekkes med andre midler.

Langt fra alle fagmiljøene greide å tiltrekke seg gavemidler til
bygninger og utstyr, og det oppstod store forskjeller fra det ene
instituttet til det andre. Professorene i kjemi Endre Berner og Odd
Hassel var blant dem som klaget over utilstrekkelig utstyrsbud-
sjetter. De hadde selv måttet garantere for lån for å få kjøpt det
de mente var mest nødvendig. Samtidig ble det i kjelleren under
Institutt for teoretisk astrofysikk konstruert en stor regnemaskin,
bekostet av Rockefeller-stiftelsen. Da den var ferdig i 1937, ble
differensialanalysatoren på Blindern regnet som verdens største
og mest avanserte matematikkmaskin.

## Blindern bygges ut

Stortingsvedtaket fra 1920 om at nye bygninger for Det matema-
tisk-naturvitenskapelige fakultet skulle reises på Blindern, ble
fulgt opp med bevilgninger til innkjøp av tomtegrunn og til arki-
tektkonkurranser. Stortinget satte også av én million kroner til
selve byggekostnadene for Fysisk institutt. Men som følge av
1920-årenes sparepolitikk ble budsjettavsetningen inndratt, og
det trakk ut før byggearbeidene kom i gang.

Arkitektkonkurransene ble likevel holdt som forutsatt. I 1922
var det konkurranse om reguleringen av universitetsområdet.
Førsteprisen gikk til professor Sverre Pedersen, som hadde tegnet
et stramt aksialt anlegg i tråd med den rådende nyklassisistiske

*Fresko og glassmaleri i Fysikkbygningen på Blindern 1936-38*
*(Per Krohg)*

stilen. Planen gikk ut på at de største universitetsbygningene skulle legges oppe på høyden på Blindern, langs en akse orientert mot Frognerkilen. Forlengelsen av aksen skar Frognerparken der hvor Gustav Vigelands fontenegruppe var i ferd med å komme på plass. To monumentale akser – Vigelandsanleggets og universitetets – ville dermed løpe sammen og virke formende for de nye bydelene som ville strekke seg ut over jordene i Vestre Aker.

I 1925 ble den neste arkitektkonkurransen utlyst. Oppgaven var å tegne utkast til bygninger for kjemi, fysikk og farmasi tilpasset Pedersens reguleringsplan. Førstepremien gikk til arkitektene Finn Bryn og Johan Ellefsen for et utkast i klassisistisk stil. Bryn og Ellefsen tegnet fysikk- og kjemibygningene som fløyer i et anlegg holdt sammen av en monumental kuppelhall med søylestilling ytterst på Blindern-platået.

I 1930 gav Stortinget klarsignal til at byggearbeidene på fysikk- og kjemibygningene kunne påbegynnes. Bygningen til Farmasøytisk institutt var da allerede under oppførelse og ble tatt i bruk høsten 1931. Den tredje bygningen som ble oppført på Blindern i 1930-årene, var Institutt for teoretisk astrofysikk. Det stod ferdig sommeren 1934. Senere samme år kunne Kjemisk institutt ta i bruk sin fløy, og rett over nyttår 1935 flyttet også Fysisk institutt til Blindern.

Fra arkitektkonkurransen ble holdt til bygningene stod ferdige, hadde byggestilen forandret seg. Klassisismen var forlatt, og universitetsbygningene ble i stedet oppført i en saklig funksjonalistisk stil med røde teglfasader. Arkitektene strøk kuppel og søylestilling fra tegningene til fysikk- og kjemibygningene, men dette svekket ikke anleggets monumentalitet. Inntrykket av et modernistisk tempel for naturvitenskapen ble styrket ved Per Krohgs stort anlagte veggdekorasjoner i vestibylen mellom fysikk- og kjemifløyene. Dekorasjonene ble gitt som gave til universitetet av generalkonsul Peter Krag.

De tre universitetsbygningene på Blindern var et kjempeløft i de vanskelige årene på 1930-tallet, og det ville ikke ha vært mulig å finansiere dem med bevilgninger over statsbudsjettet. Hele byggesummen ble dekket ved ekstraordinære midler. Institutt for teoretisk astrofysikk var en gave fra Rockefeller Foundation. Farmasøytisk institutt ble finansiert av apoteknæringen gjennom bidrag fra Apotekavgiftsfondet, og dette fondet bidro også med en tredjepart av byggesummen for fysikk- og kjemibygningen. Det største bidraget til fysikk- og kjemibygningen var et tilskudd fra Pengelotteriets overskudd, som dekket omtrent halve byggesummen. Midler fra Tøyenfondet betalte resten.

Bidraget fra Apotekavgiftsfondet var helt avgjørende for at Blindernutbyggingen kunne realiseres i en periode hvor det ellers var stopp for ny offentlig aktivitet. Av den samlede byggesum for fysikk- og kjemibygningen og Farmasøytisk institutt på noe over seks millioner kroner, dekket Apotekavgiftsfondet nær halvparten.

Planene om et farmasøytisk institutt hadde vært diskutert lenge. Formålet med instituttet var å gi kommende farmasøyter en organisert utdannelse på akademisk nivå. Stortinget hadde gått med på planene under forutsetning av at anleggsutgiftene til instituttet ble dekket av apoteknæringen selv. I 1887 ble det pålagt apotekene en årlig avgift som skulle finansiere et fremtidig institutt for farmasiutdannelse. Dette var opphavet til Apotekavgiftsfondet.

I 1923 ble det vedtatt en lov om apotekereksamen som knyttet farmasiutdannelsen til universitetet. Utdannelsesreformen gikk inn i en politisk strid om hvordan apoteknæringen skulle organiseres. Venstre ønsket å styrke den offentlige kontrollen med medisinomsetningen. Den nye apotekeksamenen skilte farmasiutdannelsen helt fra apoteknæringen og gjorde den til et offentlig anliggende. I 1931 kunne de første farmasistudentene starte i det nye Farmasøytisk institutt.

Omlegningen av farmasiutdannelsen og byggingen av Farmasøytisk institutt var et stort løft i 1920- og 30-årene, hvor andre utgiftskrevende offentlige tiltak var stanset. Når det likevel lot seg gjøre, var det fordi Apotekavgiftsfondet hadde vokst kolossalt gjennom ekstraavgifter innbetalt av apotekene i årene etter første verdenskrig. Apotekene hadde hatt svært gode inntekter i årene 1916–26 da det var forbud mot salg av brennevin i Norge. Brennevin kunne i denne tiden bare lovlig selges gjennom apotek til medisinsk bruk etter rekvisisjon av lege, og det ble gjort i stort omfang. Brennevin ble særlig forskrevet som legemiddel mot spanskesyken, den kraftige influensaepidemien i årene 1918–19. Noe av apotekenes fortjeneste på brennevinssalget ble inndratt gjennom økte avgifter, og disse midlene ble nå brukt til å finansiere Farmasøytisk institutt.

Universitetet hadde også oppnådd at Apotekavgiftsfondet skulle bidra til byggesummen for Kjemisk institutt og Fysisk institutt som vederlag for at farmasøytene skulle få undervisning ved disse instituttene. Et annet stort bidrag til universitetets byggeprosjekter kom fra Pengelotteriets overskudd. Statlig pengelotteri var innført i Norge i 1912 og hadde gitt betydelige inntekter som var fordelt til allmennyttige formål. Vitenskapen hadde tidligere fått bidrag, blant annet til Nansenfondet. Pengelotteriets overskudd ble fordelt av Stortinget, men skulle ikke brukes til å dekke statens ordinære driftsutgifter.

Fysikk- og kjemibygningene var planlagt å gi rommelige lokaler for Kjemisk institutt og Fysisk institutt, men forholdene ved universitetet endret seg drastisk før planene kom til utførelse. I tillegg til kjemi og fysikk måtte det gis plass til en rekke av Det matematisk-naturvitenskapelige fakultets institutter som ble flyttet ut av Domus Media. Helt fra begynnelsen bar fysikk- og kjemibygningene derfor preg av å være for små.

Heller ikke mellomkrigstidens siste store byggeprosjekt ble fullført for ordinære statsbevilgninger. Dette var en utvidelse av Universitetsbibliotekets bygning på Drammensveien for å gi plass til nye magasiner og større lesesal. De gamle lokalene var for lengst sprengt, og kollegiet tok opp byggeplanene med regjeringen i 1937. Selv om det var bedre tider og Stortinget hadde økt bevilgningene til universitetet, var regjeringen avvisende til å bruke ordinære statsmidler til formålet. Det endte med et kompromiss hvor staten og Tøyenfondet delte byggeutgiftene. Men krigen forsinket byggearbeidene, og de ble ikke fullført før etter frigjøringen.

# Studentene og universitetet

Første verdenskrigs krisetid førte til en politisk radikalisering og polarisering av fløyene i studentmiljøet. Tendensene var de samme som i landets politiske liv for øvrig, men i studentmiljøet ble utviklingen særlig tydelig. Det norske Studentersamfund ble en arena for skarp konfrontasjon. Høsten 1919 ble ridende politi utkalt for å gjenopprette ro og orden i gatene etter et stormende møte i Gamle festsal.

Revolusjonær sosialisme skulle sette sitt preg på 1920-årenes studentmiljø. I 1908 var det dannet en Sosialdemokratisk studentforening tilknyttet Det norske Arbeiderparti. Foreningen hadde lenge liten oppslutning, men etter den russiske revolusjon blomstret den opp, samtidig som Arbeiderpartiet la kursen om i revolusjonær retning og sluttet seg til den kommunistiske internasjonale. I 1920 gikk for første gang noen studenter og akademikere i 1. mai-toget med studenterluen på, og samme år skiftet den Sosialdemokratiske studentforening navn til Studentenes Kommunistlag. I 1921 startet laget utgivelsen av tidsskriftet Mot Dag. Rundt dette tidsskriftet dannet det seg en indre kjerne av aktivister som engasjerte seg på Arbeiderpartiets ytterste venstre fløy.

Ingen studentorganisasjon er i ettertid blitt så sagnomspunnet som Mot Dag. Den var en tett sammensveiset krets av studenter og unge akademikere, samlet omkring den karismatiske lederskikkelsen Erling Falk. Ved Arbeiderpartiets splittelse i 1923 gikk Mot Dag inn i Norges kommunistiske parti og ut i rikspolitikkens periferi, men av Mot Dags medlemmer var det mange som senere skulle få sentrale posisjoner i Arbeiderpartiet og i etterkrigstidens politikk og samfunnsliv. I studentverdenen inntok Mot Dag en dominerende plass gjennom nesten hele mellomkrigstiden. Mot Dag beholdt flertallet i Studentersamfundet med få avbrudd fra 1924 til 1940, men mot slutten av 1930-årene ble radikalismen adskillig avbleket. Erling Falk gled ut av bildet, og Mot Dag fant veien tilbake til Arbeiderpartiet.

Under Mot Dags ledelse begynte Studentersamfundet å engasjere seg i praktisk rettet velferdsarbeid for studentene. Studentersamfundet åpnet i 1926 et spisested med billig mat til studenter og startet Studentersamfundets Skrivemaskinstue og Arbeidsformidlingskontor, som formidlet deltidsarbeid til studenter. Tiltaket fikk straks stort omfang. Mange studenter var avhengige av lønnet arbeid for å kunne finansiere studiene. En undersøkelse fra 1924 viste at 14 prosent av studentene hadde deltidsarbeid ved siden av studiene, og andelen var økende.

Mange studenter opplevet 1920- og 30-årene som en ren nødstid. De initiativene som var tatt til å avhjelpe boligmangelen for studenter viste seg helt utilstrekkelige. Blindern Studenterhjem sto ferdig i 1925, men med sine 250 plasser monnet det lite i forhold til de mange utenbys studentene som nå søkte seg til universitetet. Pensjonsprisen ved studenthjemmet ble mye dyrere enn man hadde håpet. I praksis var det bare studenter fra bedrestilte familier som hadde råd til å bo der.

I 1927 åpnet det seg mulighet til å få finansiell støtte til et nytt studenthjem fra en uventet kilde. Universitetet mottok som gave det tidligere Rosendal baroni i Hardanger. Gaven omfattet slottet fra 1660-årene med park og kunstsamling, og et stort leilendingsgods. Rosendal var opprettet som stamhus for etterkommerne av biskop Edvard Londemann de Rosencrone i 1749. Den siste stamhusbesitteren, Clara Gædeken, ønsket heller at universitetet skulle overta, enn at Rosendal ved hennes død skulle gå til fjerne slektninger uten tilknytning til Norge. Edvard Londemann hadde innsatt Københavns universitet som siste arving til Rosendal hvis familien en gang skulle dø ut, og det var hans ønske at universitetet i såfall skulle bruke stamhusets formue til å bygge et studenthjem for norske og islandske «Studenter og Poeter».

Stortinget samtykket i å oppløse Rosendal som stamhus, og universitetet ble overdratt eiendommen. Universitetet overførte eiendomsretten til Den Weis-Rosenkroneske Stiftelse, som ble opprettet for å ta vare på slottet og parken i Rosendal som kulturminner og forvalte formuen som fulgte med. Stiftelsen skulle oppfylle biskop Londemanns ønske om et studenthjem, men det tok lang tid før dette lot seg gjøre. Først måtte man selge unna leilendingsgodset på mer enn 600 gårder og gårdparter som fulgte med gaven.

I begynnelsen av 1930-årene ble det tatt initiativ til å utvide velferdsvirksomheten som Studentersamfundet hadde startet og gi den et mer solid grunnlag. Studentersamfundet var havnet i en økonomisk krise, og både samfundet og studentutvalgene ved universitetet ønsket at universitetet skulle støtte virksomheten økonomisk og organisatorisk. I 1932 gikk samfundet og studentutvalgene sammen om å danne Studentenes Centralkontor, og meningen var å utvide virksomheten til å omfatte blant annet hybelformidling. Etter en idé som opprinnelig kom fra rektor Sem Sæland, foreslo studentenes talsmenn at alle studenter skulle betale en beskjeden semesteravgift, som kunne gå til å finansiere kontorets virksomhet. Men forslaget ble avvist av universitetet. Hverken rektor eller kollegiet ville godta en organisasjonsform hvor studentene selv skulle drive virksomheten og forvalte innbetalte avgiftsmidler utenom universitetets kontroll.

Grunnen til kollegiets skepsis var en mistanke om at det egentlig var Mot Dag som stod bak, og at Mot Dag ville få kontroll med midlene. Under Mot Dags ledelse var Studentersamfundet bragt på konkursens rand ved den skandaløse «Byggesaken». I 1918 hadde Studentersamfundet solgt den tradisjonsrike samfundsbygningen i Universitetsgaten, mens eiendomsprisene var på topp. Salget innbragte et betydelig beløp som var satt av til byggefond for et større samfundshus med møtesal og foreningslokaler. Dette skulle reises på en tomt som samfundet hadde kjøpt i Uranienborgveien rett bak slottet. I 1927 kom det for en dag at byggefondet var tapt. For en del var midlene i fondet brukt til å finansiere Studentersamfundets velferdsarbeid, men det oppstod også rykter om misligheter og om at Mot Dag hadde brukt penger fra fondet til å finansiere kommunistisk partiarbeid. Det ble stor offentlig skandale, og en periode mistet Mot Dag styreflertallet i Studentersamfundet.

Rektor Sæland og kollegiet hadde denne skandalen i frisk erindring da de motsatte seg at velferdsarbeidet for studentene skulle ledes av studentene selv uten å være underlagt universitetets kontroll. Samtidig var universitetsledelsen opptatt av at det måtte komme i gang tiltak på dette området. Begynnelsen av 1930-årene ble de verste kriseårene i Norges nyere historie, og studentenes situasjon ble ytterligere forverret. Kollegiet støttet tanken om å utvide velferdsvirksomheten, men forlangte at den ble drevet uten noen forbindelse med Studentersamfundet. Kollegiet besluttet å opprette et Universitetets Studentkontor som ville drive i direkte i konkurranse med Studentenes Centralkontor.

Studentersamfundet og studentutvalgene protesterte kraftig mot universitetets krav, men utfallet ble at Studentenes Centralkontor ble nedlagt i 1935 og virksomheten overtatt av Universitetets Studentkontor. Studentkontoret ble ledet av et styre med tre representanter fra Studentenes fellesutvalg og én representant fra kollegiet. Studentersamfundet var helt ute, slik kollegiet hadde forlangt. Studentkontoret ble ledet av en ansatt bestyrer. Det hadde lokaler i universitetsbygningene og fikk statstilskudd til driften bevilget over universitetets budsjett. Kontoret ordnet omsetning av brukte lærebøker, drev hybelformidling og arbeidsformidling, og utgav stensilerte forelesningsnotater og en årlig studenthåndbok med informasjon til nye studenter.

Parallelt ble det tatt initiativ til å få etablert offentlige låneordninger for studenter, som et supplement til de eksisterende stipendene og legatene. Kollegiet gikk inn for å opprette et fond for studielån. Studentene rettet henvendelse til Stortinget og regjeringen om at det måtte opprettes en offentlig lånekasse for studenter. Kravene fra studentene vant gjenklang i Arbeiderpartiregjeringen. I statsbudsjettet for 1936–37 ble det foreslått en første bevilgning på 10 000 kroner til en lånekasse for studentene ved universitetet. Stortinget vedtok enstemmig å øke bevilgningen til det dobbelte.

Studiefinansiering og studentvelferd fikk etter hvert ny betydning innen overordnede politiske perspektiver på utdannelsespolitikken. Den sosiale rekruttering til høyere utdannelse var svært skjev. Manglende offentlige ordninger for studiestøtte gjorde at høyere utdannelse forble et privilegium for de få:

*Fra Baroniet Rosendal, oljemaleri u.å.*
*(Anders Askevold)*

De stipend- og lånemidler som står til rådighet, er så util-
strekkelige at universitetsutdannelsen stadig er et privile-
gium for de bedrestilte lag av folket. Det er nesten uråd for
en bondestudent å skaffe midler til 7–8 års universitetsstu-
dium, og arbeiderklassen er ennu nesten ikke representert
ved Universitetet,

skrev Studentenes fellesutvalg i en henvendelse til Kirke- og
undervisningsdepartementet i 1937. Opplysningene i brevet
stemmer overens med samtidige statistiske undersøkelser av
sosial rekruttering til høyere utdannelse.

Økonomisk støtte til studenter ville ut fra slike perspektiver
tjene til noe mer enn å løse akutte krisebehov. Ved å påvirke den
sosiale rekrutteringen til høyere utdannelse, ville den være et
politisk virkemiddel for å omforme samfunnet gjennom sosial
utjevning. Etter at Arbeiderpartiet overtok regjeringsmakten i
1935, ble det gradvis gjennomslag for en slik politikk. Venstre og
Arbeiderpartiet satte prinsippet om demokratisering av adgangen
til høyere utdannelse inn i sine programmer for stortingsvalgene.

Samtidig ble spørsmålet om studentvelferd og omsorgen for
studenter løftet opp på et høyere plan av universitetets ledelse. I
1937 tok den nyvalgte rektoren Didrik Arup Seip opp forslag om
å innføre en organisasjon med obligatorisk medlemskap for alle
studenter, som skulle få ansvaret for velferdsarbeidet blant stu-
dentene. En slik organisasjon ville bli finansiert ved tvungen med-
lemskontingent og få et bedre økonomisk grunnlag enn det Uni-
versitetets Studentkontor hadde. Tilsvarende tanker hadde vært
fremme i diskusjoner blant studentene selv.

Rektor Seips initiativ kom i en tid hvor universitetsledelsen var
bekymret for forholdet mellom universitetet og studentene. Flere
ved universitetet følte at det måtte knyttes tettere bånd mellom
universitetet og studentene. De ønsket å utvikle et ekte fellesskap
mellom lærere og studenter. Økt omsorg for studentenes materi-
elle velferd gikk parallelt med økt interesse for å følge opp deres
åndelige utvikling.

Studentene sluttet opp om rektor Seips forslag, og regjeringen fremmet våren 1939 proposisjon om lov om Studentsamskipnaden i Oslo, bygget på et forslag utarbeidet av Studentenes fellesutvalg. Loven fastsatte at alle studentene ved universitetet måtte være medlem av samskipnaden som hadde som oppgave «å hjelpe fram studentenes økonomiske kår og deres kulturelle og kroppslige utvikling under studiet». Alle studenter ble pålagt en obligatorisk semesteravgift som skulle betales inn til samskipnaden. Lovforslaget møtte innvendinger fra Høyre, som var skeptisk til prinsippet om tvangsorganisering, men det ble vedtatt med stort flertall i Stortinget. Prinsippet om tvungent medlemskap hadde studentene nær enstemmig sluttet seg til, og semesteravgiften ble satt så lavt som fem kroner, slik at den ikke skulle gjøre situasjonen verre for vanskeligstilte studenter. Studentsamskipnaden skulle styres av studentene selv, men universitetet skulle ha tilsyn med økonomiforvaltningen.

Det var også mange som ønsket å bidra til å hjelpe studentene gjennom filantropiske tiltak. I 1938 ble det stiftet en støtteforening for studenter blant norske akademikere under navnet «Quod felix – 2. september». Medlemmene av foreningen forpliktet seg til å betale en frivillig «skatt» på to promille av inntekten, som skulle gå til sosiale tiltak for studentene. Ett av formålene var å få reist et studenthus som kunne være ramme om studentenes sosiale og kulturelle aktiviteter. Dette var et ønske som lå universitetsledelsen særlig på hjerte. Rektor Sæland og rektor Seip hadde flere ganger beklaget at Oslostudentene ikke hadde et studenthus som kunne bli sentrum for et godt studentmiljø.

Loven om Studentsamskipnaden i Oslo knesatte nye prinsipper for hvordan velferdsarbeidet for studenter kunne organiseres. Dette ble nå definert som et offentlig ansvar, hvor staten grep inn med tvungen organisering. Det var et klart brudd med den liberalistiske tradisjon hvor omsorg for studentenes levekår ble løst ved private stipend og legater.

Viktige velferdsoppgaver i samfunnet ble etter hvert definert som deler av statens ansvarsområde. De var forløpere for den moderne velferdsstaten. Universitetet selv hadde vært et viktig sted for utviklingen av de ideene som lå til grunn for velferdsstaten.

# Ny rolle – nyhumanisme og velferdsstat

Universitetet ble i mellomkrigstiden en arena for faglig fornyelse som pekte frem mot ny anvendelse av vitenskap i samfunnet. Under vekten av den dype økonomiske og sosiale krisen som rammet såvel Norge som hele resten av den industrialiserte verden, ble det økt interesse for hva vitenskapen kunne bidra med for at slike kriser kunne unngås for fremtiden.

Utfordringen ble tatt opp av universitetets økonomer. Universitetets Økonomiske Institutt ble et «forskningslaboratorium» for utvikling av ny økonomisk teori med sikte på å gjøre økonomien til en eksakt vitenskap etter mønster av naturvitenskapene. Gjennom 1930-tallet greide økonomene Ragnar Frisch og Trygve Haavelmo å utvikle et teoretisk apparat som kunne legges til grunn for en overordnet styring av økonomien. Dette var faglig innsats som vakte stor oppsikt også internasjonalt.

I virkeligheten var det en ny økonomisk fagdisiplin som ble grunnlagt gjennom «Frisch-revolusjonen». Faget fordret betydelig matematisk og teoretisk innsikt, og kunne ikke få plass innenfor den kortvarige statsøkonomiske eksamen. Etter forslag fra økonomene ble det opprettet en egen sosialøkonomisk embetseksamen, vedtatt av Stortinget i 1934. Samtidig ble statsøkonomisk eksamen opphevet. Hensikten med det nye økonomistudiet var å gjøre det til en egen profesjonsutdannelse. Gjennom oppøving i matematisk tenkning skulle sosialøkonomene være i stand til å beherske kompliserte teorier om samfunnsøkonomi. Statsøkonomisk eksamen hadde vært en forberedelse til forholdsvis underordnede stillinger i offentlig og privat virksomhet. Det nye studiet skulle være en forberedelse til lederposisjoner i overordnet samfunnsstyring.

Forutsetningen for at sosialøkonomien kunne brukes som styringsredskap, var at faget fikk innpass i politisk tenkning og handling. Kontakten med det politiske miljø ble etablert ved at Arbeiderpartiet tok opp flere av Frisch' ideer i sine programmer for å løse den økonomiske krisen. Å gripe til nye vitenskapelige løsninger passet godt til Arbeiderpartiets politikk etter at partiet

*Ellen Gleditsch, oljemaleri 1949 (Reidar Aulie)*

hadde vendt seg bort fra dogmatisk sosialisme. Men det var først etter 1945 at sosialøkonomene virkelig skulle få innpass i den faktiske utformingen av økonomisk politikk.

Medisinen var også et område hvor vitenskap og samfunnsstyring nærmet seg hverandre. Det var lang tradisjon i norsk medisin å se faget i vid samfunnsmessig sammenheng hvor sykdom måtte bekjempes ved samfunnsmessige tiltak. Hygiene utviklet seg til et fag som tok opp hvordan sykdommer og spredningen av dem hang sammen med sosiale forhold, ernæring, boligforhold og levemåte. Carl Schiøtz, professor i hygiene fra 1932, var en pioner i å utvikle skolen som et instrument for å bedre folkehelsen gjennom ernæring, gymnastikk og arbeidsforhold. Som sunnhetsinspektør i Oslo hadde han fått gjennomført «Oslo-frokosten» for byens skolebarn, som et viktig samfunnsmessig tiltak for å legge grunnlaget for barnas fremtidige helse. Under Schiøtz' ledelse ble Hygienisk institutt et sentrum for sosialmedisinsk forskning.

Et tredje fagområde som siktet mot å koble vitenskapelig innsikt til politisk handling, var pedagogikk. Skolen ble et viktig instrument for å omforme samfunnet og skape sosial utjevning. Slik pedagogikkfaget ble undervist ved Pedagogisk seminar, var dette uten vitenskapelig anerkjennelse og bare et hjelpemiddel for praktisk opplæring av universitetsutdannede lærere. I 1922 ble det slutt på at lederen av Pedagogisk seminar samtidig var professor ved universitetet. I 1933 ble det tatt initiativ fra skolehold til å få opprettet pedagogikk som eget universitetsfag. Hensikten var å skaffe et vitenskapelig grunnlag for fortsatte reformer av skolen. Tre år senere vedtok Stortinget å opprette et Pedagogisk forskningsinstitutt ved universitetet og bevilget samtidig et professorat i pedagogikk. Psykologen Helga Eng ble utnevnt i professoratet i 1938 og ble samtidig bestyrer av instituttet. Det vitenskapelige grunnlaget for pedagogikkfaget fant man blant annet i eksperimentalpsykologien, som anvendte metoder etter mønster av naturvitenskapene.

Sosialøkonomi, sosialmedisin og pedagogikk gikk inn som sentrale elementer i ideer om en generell vitenskapeliggjøring av samfunnsstyringen. På samme måte som naturvitenskap hadde utviklet ny teknikk som kunne skape grunnlag for industriell utvikling og økonomisk vekst, lå det muligheter til å skape et kvalitativt bedre samfunn med vitenskapens hjelp. Slike tanker gjennomsyret flere fagmiljøer ved universitetet enn dem som her er nevnt. Innenfor rettsvitenskapen var for eksempel professor Ragnar Knoph opptatt av å studere retten i lys av dens samfunnsmessige funksjon.

Arbeiderpartiet så med velvilje på universitetet og hadde tro på vitenskapen som grunnlag for endring av samfunnet i den retningen partiet ønsket. Det var ikke mange av universitetets professorer som var medlemmer av Arbeiderpartiet, men de var representert i begge regjeringene partiet dannet i mellomkrigstiden. Historieprofessoren Edvard Bull var Arbeiderpartiets nestformann og utenriksminister i den kortvarige Hornsrud-regjeringen i 1928. Bulls historikerkollega Halvdan Koht ble utenriksminister i Nygaardsvolds regjering fra 1935. Nygaardsvoldregjeringen førte en universitetsvennlig politikk som slo ut i økte bevilgninger til universitetet.

Tenkningen omkring anvendelse av vitenskapens innsikter for samfunnsstyring hadde et motstykke i tenkning rundt hvilket ansvar universitetet skulle ha for studentene. I videre forstand var dette et spørsmål om hvilken samfunnsmessig rolle universitetskandidatene skulle spille. Flere av universitetets fremste menn og kvinner ble opptatt av hva studentene fikk med seg fra studieårene ved universitetet utover faktiske sakkunnskaper i de respektive fag. Utviklingen i Tyskland, hvor studentene etter 1933 fremstod som lydige redskaper for nazismen, virket som en tankevekker.

Peter Rokseth, professor i fransk filologi, nedla et stort arbeid i å få frem hvordan andre lands universiteter la opp virksomheten. På grunnlag av studieturer til franske og tyske universiteter tok Rokseth opp planer om å organisere fagene ved Det historiskfilosofiske fakultet i institutter på samme måte som det var blitt vanlig i medisin og naturvitenskap. Instituttet skulle utvikles som et fellesskap av lærere, yngre forskere og viderekomne studenter, hvor forskning og undervisning ble nært forbundet med hverandre. Undervisningen skulle legges om fra kateterforelesninger til mindre seminarer, hvor lærere og studenter skulle arbeide sammen om faget. Dette grep tilbake til tanker fra tiden omkring universitetets grunnleggelse: Fellesskapet i forskning mellom studenter og lærere skulle bidra til å utvikle studentene som samfunnsbevisste borgere. Det historisk-filosofiske fakultet fulgte Rokseths anbefalinger og vedtok i 1937 et program for etablering av institutter for fakultetets fag. For at planen skulle bli til virkelighet, var det én betingelse som måtte oppfylles: Fakultetet måtte få mer plass. Et nybygg for Det historisk-filosofiske fakultet ble universitetets høyest prioriterte ønske.

Didrik Arup Seip gjorde seg som rektor til talsmann for at universitetet måtte engasjere seg sterkere for studentene, for deres materielle velferd og deres åndelige utvikling i studietiden I 1939 henvendte han seg til Kirke- og undervisningsdepartementet med en annen type bekymring for studentene som han mente det var universitetets moralske plikt å ta alvorlig: Ville det bli arbeidsmuligheter i fremtiden for alle studentene som nå tok sikte på en embetseksamen ved universitetet?

# 5

# Universitetet under okkupasjonen
## 1940–45

D EN TYSKE INVASJONEN 9. april 1940 innledet den mest dra-
matiske periode i Universitetet i Oslos historie. Universitetets
virksomhet ble øyeblikkelig berørt. Tyske tropper slo opp kvar-
ter i Domus Media, og studentene ble utestengt fra lesesalene.
Studenter og lærere deltok som soldater i forsvaret av landet. Til-
fangetatte norske offiserer ble stuet sammen i Aulaen.

Etter få dager var krigshandlingene over på Østlandet, og uni-
versitetet kunne gjenoppta virksomheten. Rektor Didrik Arup
Seip ble medlem av Administrasjonsrådet som Høyesterett opp-
nevnte for å stå for den sivile administrasjon av det okkuperte
Norge.

Studentene markerte seg tidlig som klare motstandere av
okkupasjonsmakten. Studentersamfundet valgte et samlingsstyre
for høstsemestret 1940 med et program om å sveise studentene
sammen til «en sluttet norsk front». Etter et utfordrende foredrag
av Johan Scharffenberg 21. september ble Studentersamfundet
oppløst og formannen og foredragsholderen arrestert. Snart etter
kom det til slagsmål mellom NS-studenter og andre studenter på
universitetets område. De tyske myndigheter truet med represa-
lier, og kollegiet og Studentenes Fellesutvalg kunngjorde parolen
«Verdighet, ro, disiplin. Det motsatte skader os alle.»

## Nazifisering

«Nyordningen» september 1940, da en kommissarisk tyskvenn-
lig regjering ble oppnevnt, fikk raskt konsekvenser for universite-
tet. NS-medlemmene i regjeringen ønsket en politisk omveltning

i nazistisk retning, og for dette formålet skulle universitetet brukes på linje med andre samfunnsinstitusjoner. Den kommissariske kirke- og undervisningsminister Ragnar Skancke tiltok seg rett til å utnevne professorer uten forutgående bedømmelse og innstilling fra universitetet, og et par NS-folk ble utnevnt. Kollegiet svarte med å protestere på folkerettslig grunnlag. Andre forsøk på nazifisering greide universitetsledelsen stort sett å avverge, og universitetets virksomhet fortsatte i all hovedsak som normalt frem til september 1941, da det ble erklært unntakstilstand i Oslo. 11. september ble Seip avsatt som rektor og arrestert, og Det akademiske kollegium ble oppløst. Ragnar Skancke overtok selv ledelsen av universitetet som 'rektor'. Som hans stedfortreder med det daglige administrative ansvaret ble Adolf Hoel innsatt som 'prorektor'.

Hoel var en av de meget få universitetslærere som var medlem av NS. Han var en respektert forsker. Som dosent i geologi fra 1919 hadde han hatt utforskningen av de arktiske områdene som sitt spesiale, og han var leder av Norges Svalbard- og Ishavsundersøkelser (senere Norsk Polarinstitutt). Utenfor universitetet var han kjent som aktivist for norsk overherredømme på Øst-Grønland. Etter den alminnelige oppfatning ved universitetet var Hoel langt å foretrekke sammenlignet med andre norske eller tyske nazister som kunne blitt innsatt som leder. Hoel la selv vekt på å opptre mest mulig korrekt overfor de valgte dekanene. Fra begynnelsen av vårsemestret 1943 overtok Hoel som rektor.

Studentutvalgene ble oppløst og erstattet med nye utvalg av NS-studenter, oppnevnt av Skancke høsten 1941. Fakultetsorganene fikk derimot fortsette sin virksomhet uforstyrret gjennom hele krigen. Dekanene var de siste gjenværende lovlig valgte tillitsmenn ved universitetet. Hovedansvaret for å lede universitetet gjennom de vanskelige årene kom til å hvile på deres skuldre.

Vinteren 1941–42 startet organiseringen av en norsk motstandsbevegelse, og det dannet seg hemmelige organer som ledet an i motstandskampen ved universitetet. «Aksjonsutvalget» konstituerte seg med medlemmer fra alle fakulteter, med professor i psykologi Harald Schjelderup som leder. Et hemmelig studentutvalg ble opprettet med stud. jur. Johan Vogt som formann. Begge utvalgene stod i nær kontakt med Hjemmefrontens ledelse.

Oppgaven for utvalgene var å mobilisere universitetsansatte og studenter i 'holdningskampen' – i motstanden mot okkupasjonsmakten og mot nazifiseringen av det norske samfunn. I februar 1942 utnevnte tyskerne en ren NS-regjering under Vidkun Quislings ledelse, og nazifiseringen ble trappet opp. Det kom til kraftige konfrontasjoner om skoleverket og kirken.

Oppslutningen fra universitetet i 'holdningskampen' var nær enstemmig. Så å si samtlige professorer stod åpent frem og sluttet seg til protester mot forsøkene på å innføre tvungen ungdomstjeneste i NS ungdomsfylking i 1942. Flere professorer ble arrestert og internert på Grini. Studentene reagerte spontant med en kortvarig streik da studentutvalgene ble oppløst, men både lærere og studenter fant det foreløpig klokest å fortsette arbeidet ved universitetet. Mange studenter ble engasjert i illegalt arbeid.

NS-regjeringens nazifiseringslinje fikk konsekvenser for universitetet som institusjon. Adgangsbegrensning til medisinstudiet var vedtatt av Stortinget rett før 9. april 1940, med virkning fra 1941. Ved reglement var det bestemt at opptak skulle skje på grunnlag av artiumskarakterer. I 1942 fastsatte NS-regjeringen at det også skulle legges vekt på andre ting ved opptaket. Medlemskap i NS og tysk frontkjempertjeneste skulle gi fortrinnsrett til medisin- og farmasistudiet.

Fakultetene motsatte seg bestemt det nye reglementet og protesterte med en klar prinsipiell begrunnelse. Med Hoels støtte ble Quisling og Skancke overtalt til et kompromiss, og iverksettelsen ble utsatt.

Kompromisset var en foreløpig seier for fakultetene, men forslaget ble tatt opp igjen av NS-regjeringen året etter. Kirke- og undervisningsdepartementet fastsatte høsten 1943 et reglement som bestemte at universitetets rektor skulle fastsette både hvor mange og hvilke studenter som skulle opptas. Reglementet skulle gjøres gjeldende for alle fakulteter. Den nazistiske ledelsen kunne dermed fritt bestemme hvem som skulle ha adgang til å studere ved universitetet.

Det nye opptaksreglementet vakte sterk harme blant studenter og lærere. Hoel forsøkte å roe gemyttene ved å forsikre at han som rektor ikke ville legge vekt på politiske hensyn ved opptak, men stemningen ved fakultetene gikk nå i retning av at det var nødvendig med kraftige protester. Aktivistene i Aksjonsutvalget mente at universitetet som institusjon måtte markere en klar prinsipiell holdning. Samtlige fakulteter fattet derfor likelydende vedtak om at de ikke kunne akseptere de nye opptaksreglene. De var uforenlige med de grunnverdier universitetet bygget på – verdier som var umistelige for nasjonen. Uttalelsene inneholdt en indirekte trussel om at universitetslærerne kunne komme til å legge ned arbeidet dersom reglene ble innført. Noen universitetslærere var skeptiske til å provosere NS og tyskerne gjennom slike formuleringer, men stemningen var overveiende for å foreta en kraftig markering av universitetets prinsipielle standpunkt.

NS-regjeringen reagerte med harme, men vek tilbake for motstanden og søkte å unngå konfrontasjon. Forhandlinger ble ført mellom Hoel og dekanene om å finne en løsning. Kompromisslinjen ble torpedert av ytterliggående NS-kretser ved universitetet, som lot Quisling bli kjent med et brev Det medisinske fakultet hadde skrevet til rektor Hoel der det het at man «forutsatte at reglementet ikke ble gjort gjeldende». Dette fikk begeret til å renne over. Quisling gav ordre om at reglementet skulle iverksettes straks, og Reichskommissar Terboven – som lenge hadde vært misfornøyd med studentene og det gjenstridige universitetet – gav Quisling beskjed om at det nå måtte reageres. 15. oktober 1943 og de følgende dagene ble 11 universitetslærere og rundt 70 studenter arrestert. De fleste var aktive motstandsfolk som var blitt pekt ut av NS-studenter. Blant de arresterte var Aksjonsutvalgets formann Harald Schjelderup.

Det ble satt i gang et intenst arbeid på mange hold for å få de arresterte satt fri. Også Adolf Hoel arbeidet energisk for løslatelse, og han oppnådde å få løfte fra statspolitiet om at de snart skulle slippes fri. Blant studentene var imidlertid utålmodigheten stor. På tross av oppfordringer om å forholde seg i ro og ikke provosere ytterligere, protesterte over 2000 studenter skriftlig mot

*Didrik Arup Seip, oljemaleri 1948 (Hugo Lous Mohr)*

arrestasjonene. NS-myndighetene reagerte med å trekke løftet om løslatelse tilbake.

## Aulabrannen

Med arrestasjonene, med professorenes streiketrusler og med studentenes protestaksjon var konflikten mellom universitetet og nazi-myndighetene i ferd med å nå et høydepunkt. Da inntraff det en begivenhet som endret situasjonen dramatisk. Natten til 28. november 1943 brøt det ut brann i Aulaen. Brannen var åpenlyst påsatt. Ildspåsetterne ringte selv brannvesenet. De materielle skadene var begrensede. Munchs veggdekorasjoner var tatt ned og bragt i sikkerhet allerede i 1940. Virkningene av brannen ble imidlertid meget omfattende. De nazistiske myndighetene slo saken stort opp og pekte ut studentene som de ansvarlige. Terboven fikk det påskudd han hadde ventet på for å rette et avgjørende slag mot universitetet. Han bestemte seg umiddelbart for å stenge universitetet og sende alle de mannlige studentene til fangeleir i Tyskland.

Aulabrannen kom overraskende på alle. Den alminnelige oppfatning blant nordmenn var at brannen var en provokasjon fra tyskerne. Først etter krigen ble det kjent at de ansvarlige for brannen var en norsk motstandsgruppe uten tilknytning til universitetet. Hovedmannen var den 40-årige aktuar og forretningsmann Petter Moen, som redigerte den illegale avisen London-Nytt. Moen ble senere arrestert av tyskerne og omkom da fangeskipet Westphalen gikk ned. Med de opplysninger vi har i dag, er det ikke mulig å si med sikkerhet hvilken hensikt han og de andre i gruppen hadde med brannstiftelsen. En av dem som deltok opplyste etter krigen at formålet var å aktivisere studentene i motstandskampen. Andre har ment at aksjonen hadde et mer begrenset siktemål, å hindre at Aulaen ble brukt til en tysk konsert dagen etter. Aulaen hadde en symbolsk betydning som ikke bare var knyttet til universitetet. Den var Oslos fremste konsertlokale, og det var alminnelig harme over at salen ble benyttet av nazistene for propagandaformål. Aulaen var for øvrig ikke mer ødelagt enn at konserten kunne gjennomføres etter programmet.

Terbovens beslutning om å stenge universitetet og arrestere samtlige studenter krevde større mannskap enn det de tyske politistyrkene kunne mønstre. Det ble derfor rekvirert militært personell fra Wehrmacht. Dette gjorde at norske motstandskretser fikk et varsel på forhånd. En antinazistisk offiser i den tyske hærledelsen stod i kontakt med Hjemmefrontens ledelse gjennom sosiologen Arvid Brodersen og varslet om aksjonen kvelden før den skulle finne sted. Brodersen fikk bragt nyheten videre til sine kontakter i løpet av natten, og om morgenen 30. november ble det spredt løpesedler ved universitetet der studentene ble oppfordret til å forlate universitetsområdet. Advarselen nådde imidlertid ikke frem til alle, og ikke få unnlot å ta den alvorlig.

Rett etter klokken 11 ble universitetsbygningene i sentrum og på Blindern, museene på Tøyen, Universitetsbiblioteket, Rikshospitalet, Ullevål sykehus og Deichmanske bibliotek omringet av tyske styrker. Alle tilstedeværende studenter ble arrestert. Mange ble også arrestert i sine hjem. Ialt 1200 mannlige studenter ble samlet i Aulaen. De fleste kvinnelige studenter ble løslatt, men noen ble holdt tilbake i andre rom i universitetsbygningene i sentrum. Det samme skjedde med de fleste universitetslærere som hadde vært til stede. Sjefen for det tyske sikkerhetspoliti, general Wilhelm Rediess, innfant seg i Aulaen og bekjentgjorde Reichskommissars beslutning om at universitetet skulle stenges, og at de mannlige studenter skulle overføres til en egen leir i Tyskland. De kvinnelige studentene skulle sendes hjem. Beslutningen skulle gjennomføres umiddelbart. De kvinnelige studentene og de fleste av lærerne ble løslatt, mens de mannlige studentene samme kveld ble sendt til oppsamlingsleire i Vestfold i påvente av transport til Tyskland. Noen universitetslærere ble sendt samme vei.

Aksjonen mot universitetet vakte voldsomme reaksjoner både i Norge og i utlandet. Protester og fordømmelser strømmet inn fra mange land. Den svenske regjering leverte en skarp protest til den tyske utenriksledelse. Etter det som senere er blitt kjent, vakte aksjonen også negative reaksjoner i den tyske ledelsen i Berlin. Terbovens aksjon var ikke klarert med hans overordnede på forhånd, og nyheten ble tatt i mot med misnøye i Hitlers nære omgivelser. Aksjonen var «et opplagt feilgrep», noterte Joseph Goebbels i sin dagbok. I Berlin fryktet man negative virkninger på forholdet til nøytrale land, hvor reaksjonene måtte forventes å bli kraftige. Hitler skal selv ha vært stemt for å løslate de fleste av studentene og avstå fra deportasjonen til Tyskland, men han endret raskt oppfatning. Etter den skarpe svenske protesten kunne det ikke være på tale om å gå tilbake på det som var bestemt.

Det ble satt i gang en intens virksomhet for å få de arresterte studentene og lærerne satt fri. Både Hoel og de NS-oppnevnte studentutvalgene engasjerte seg sterkt, og det samme gjorde kretser i det tyske Reichskommissariat som tok avstand fra Terbovens linje. Da det også kom direktiver fra Berlin om at man burde være liberal når det gjaldt løslatelser, gikk Terboven med på at en kommisjon med blant andre Hoel som medlem, skulle foreslå hvilke studenter som skulle slippes fri. Av omkring 1250 arresterte studenter ble 600 løslatt, mens 650 studenter ble sendt til Tyskland i løpet av høsten og vinteren.

I Tyskland fikk de norske studentene en behandling som skilte dem fra andre fanger. De første 250 som ankom, ble sendt til en treningsleir for SS nær Sennheim i Elsass, hvor de etter SS-sjefen Heinrich Himmlers ordre skulle få forpleining på linje med SS-soldater. Tyskerne anså studentene formelt ikke som fanger, men som «SS-frivillige» under opplæring. Formålet med oppholdet i Sennheim skulle være å gjøre de norske studentene til overbeviste tilhengere av nazistenes nyordning av Europa og den 'storgermanske tanke'. Forsøkene på dette «storslagne eksperiment» strandet imidlertid på hardnakket motstand fra studentenes side og ble oppgitt etter bare et halvt år. Siden fikk en del studenter adgang til å følge undervisning ved tyske universiteter en periode.

Den neste gruppen av studenter som ble sendt fra Norge ble internert i konsentrasjonsleiren Buchenwald. Den første tiden fikk de samme dårlige behandling som andre fanger i leiren, men etter hvert fikk de samme forpleining som studentene i Sennheim. Sommeren og høsten 1944 ble alle de norske studentene samlet i

Sennheim. Sent i 1944 måtte Sennheim evakueres. Allierte tropper nærmet seg, og studentene ble sendt på en utmattende og farlig marsj til Buchenwald. Derfra ble de sendt videre til fangeleiren Neuengamme våren 1945. I leirene ble studentene behandlet som ordinære politiske fanger, men de fikk stort sett bedre vilkår enn de andre.

## Et stengt universitet

Da universitetet ble stengt 30. november 1943, presiserte tyskerne og NS at dette gjaldt universitetet som utdannelsesinstitusjon. De ansatte mottok fortsatt sin lønn, og det vitenskapelige arbeide skulle fortsette. Virksomheten ved institutter og samlinger lot seg sånn noenlunde opprettholde, men den ble sterkt preget av at samlinger var pakket vekk og at alle slags hjelpemidler manglet. Mange universitetslærere satt i fangenskap, mens andre hadde kommet seg i sikkerhet i Sverige eller i allierte land. Også flere av universitetets teknisk-administrative tjenestemenn var engasjert i illegalt arbeid. Hemmelige aviser ble produsert i universitetets lokaler. Flere ble arrestert eller måtte forlate landet. Ansatte som hadde flyktet til utlandet, ble avsatt og lønnen inndratt. En hemmelig hjelpekomité under ledelse av Kristine Bonnevie samlet inn penger og støttet familiene. Med bistand av Hoel og fra kretser i Reichskommissariat greide dekanene å forhindre at de ledige undervisningslokalene ble tatt i bruk for okkupantenes formål. I 1944 ble auditoriene i sentrumsbygningene overlatt til bruk for noen av Oslos folkeskoler som hadde fått sine bygninger beslaglagt av tyskerne.

NS-ledelsen tok noen faglige initiativ i retninger nazistene var interessert i. Et 'Universitetets institutt for historisk forskning' ble opprettet i 1940 med et klart ideologisk forskningsprogram. Det historisk-filosofiske fakultet protesterte mot bruken av universitetets navn på et institutt som ikke var knyttet til universitetet. Protesten ble tatt til følge og instituttet omdøpt. Et arvebiologisk institutt ble opprettet ved universitetet med en NS-mann som bestyrer. Et professorat og et institutt for pressevitenskap ble opprettet for en annen NS-mann i 1944. Ingen av instituttene fikk noen særlig betydning. Det lyktes ikke naziregimet å bruke universitetets faglige autoritet til støtte for sine politiske synspunkter.

Fra NS-hold ble det etter hvert gjort forsøk på å få universitetet gjenåpnet for undervisning og eksamen. Forsøkene møtte motstand i fakultetene. Dekanene stilte som betingelse for gjenåpning at studentene skulle få komme tilbake fra Tyskland, og de arresterte lærerne skulle slippes fri. De krevde også at Didrik Arup Seip skulle løslates fra fangenskap og gjeninnsettes som rektor. Slike betingelser var uantagelige for tyskerne, og noen gjenåpning kom ikke på tale.

Rektor Seip satt i fangenskap på Grini til april 1942. Da ble han overført til konsentrasjonsleir i Tyskland. I Sachsenhausen var han døden nær av utsulting og utmattelse, og det ble intervenert på høyeste hold i Berlin for å få ham frigitt. Seip nøt stor anerkjennelse i tyske vitenskapelige kretser. På tross av protester fra Terboven, besluttet den tyske ledelsen å slippe Seip ut av fangenskap. Han ble holdt internert i Tyskland resten av krigen og fikk anledning til å ta opp sitt vitenskapelige arbeide. Grev Folke Bernadotte oppnådde de tyske myndigheters tillatelse til at Seip kunne dra til Sverige i begynnelsen av april 1945.

Samtidig kunne tysklandsstudentene forlate Neuengamme med «De hvite bussene» som Bernadotte og Sveriges Røde Kors hadde mobilisert for å bringe norske og danske fanger hjem. 14 studenter vendte ikke tilbake. De var døde under fangenskapet, av sykdom eller ved ulykker. Ytterligere tre døde etter hjemkomsten på grunn av sykdom de hadde pådratt seg i Tyskland.

Studentene deltok aktivt i kampene ute og hjemme. Flere sluttet seg til militære avdelinger i Sverige og i allierte land. Mange engasjerte seg i motstandsarbeid i Norge. Flere hadde sentrale posisjoner i den sivile og militære motstandsbevegelsen. Den strengt hemmeligholdte etterretningsorganisasjonen XU hadde flere svært unge studenter blant sine ledere. XU ble ansett som en av de mest effektive og velorganiserte etterretningsorganer de allierte rådet over i Europa.

Bronsetavlene som ble satt opp etter krigen ved oppgangen til

Aulaen inneholder navnene på 138 studenter som falt ute og hjemme. Universitetsstipendiat Einar Høigård gav sitt liv som den eneste av universitetets vitenskapelige ansatte. Han hadde en sentral stilling i motstandskampen, blant annet var han medlem av Aksjonsutvalget.

Ved frigjøringen i mai 1945 ble ialt åtte professorer, seks dosenter og fire andre vitenskapelige ansatte som var NS-medlemmer, fjernet fra sine stillinger. De fleste av dem var blitt ansatt av NS-myndighetene under krigen. Av professorene som var ordinært utnevnt, var det bare to som hadde sluttet seg til NS. Den ene av disse var professor i forsikringsmatematikk Birger Meidell, som var minister i Quislings regjering. Ved rettsoppgjøret etter krigen ble han dømt til livsvarig fengsel.

Adolf Hoel ble dømt til en kortere fengselsstraff for landssvik. I rettssaken var det få som kritiserte måten han hadde opptrådt på som leder av universitetet. Han hadde forsøkt å gå imellom og avverge de verste konfliktene med tyskerne og NS-ledelsen. Han hadde nedlagt et stort arbeid for å få løslatt arresterte studenter og ansatte. Han ble dømt for å ha sluttet seg til NS og stilt seg til disposisjon for okkupasjonsmaktens rettsstridige omstøtelse av universitetets ledelse.

Ialt 75 studenter ble relegert for bestandig eller for en viss tid for å ha støttet NS og tyskerne. 61 studenter ble ilagt en formell irettesettelse, og åtte studenter som var ulovlig immatrikulert, ble fratatt studieretten. I forhold til et samlet studenttall som i 1943 lå på 4000, viser tallene at oppslutningen om NS blant studentene var minimal.

\* \* \*

Etter krigen ble det diskutert om universitetet burde ha opptrådt annerledes i forhold til okkupasjonsmakten og NS-styret. Mellom det hemmelige Aksjonsutvalget og dekanene var det åpenbare forskjeller i vurderingen av hvordan man skulle forholde seg. Dekanene i de fakulteter som var mest berørt av striden om opptaksreglene, professor Halvor Solberg ved Det matematisk-naturvitenskapelige fakultet og professor Georg Henrik Monrad-

Krohn ved Det medisinske fakultet, fulgte en linje med fasthet i avvisning av uakseptable pålegg, men unngikk åpen konfrontasjon. Kretsen rundt Aksjonsutvalget fant at dekanenes linje var for unnfallende. Universitetet burde ikke samarbeide med NS-ledelsen, men vise åpent hvor universitetet stod i kampen for sannhet og rett. Dekanene arbeidet for å holde universitetet i gang under vanskelige forhold, og de søkte å unngå situasjoner som kunne medføre harde represalier med massearrestasjoner og kanskje henrettelser. For aksjonistene blant lærere og studenter innebar universitetets stengning en ærefull utgang som satte en effektiv stopper for videre forhandlinger og kompromisser. For den andre fløyen var stengningen og deportasjonen av Tysklandsstudentene en ulykke som de mente burde vært unngått.

Uenigheten var mest av taktisk natur. I de prinsipielle spørsmålene stod universitetet samlet: «Det kunne i kampens år ha hersket uenighet om fremgangsmåten i de enkelte situasjoner. .. Men selve idégrunnlaget sto alle ikke-nazister enige om: forskning og undervisning skulle være fri; adgangen til studiene skulle ikke være avhengig av politisk tro. Fordi Universitetet hadde unngått å svikte på dette grunnlag, kunne dets lærere og studentene i felles glede ønske rektor Seip velkommen tilbake til Universitetet den 13. mai 1945». Slik oppsummerer historikeren Sverre Steen okkupasjonsårene i sin gjennomgåelse av universitetets virksomhet under krigen.

# 6

# Universitetet i etterkrigstiden
# 1945–60

UNIVERSITETET I OSLO kom ut av okkupasjonstiden med styrket anseelse. Krigstiden hadde demonstrert at universitetet forvaltet verdier som var umistelige for et sivilisert samfunn. Rektor Seips hjemreise fra Tyskland ble et triumftog. På veien gjennom Sverige fikk han en ovasjonsartet velkomst ved Lunds universitet. I Oslo ble han mottatt med enorm jubel på universitetsplassen 13. mai 1945.

Vitenskapen kom ut av krigen med styrket prestisje. Krigstiden hadde vist hva målrettet forskning kunne utrette – med atombomben og radar som de fremste eksemplene på vitenskapelige nyvinninger som hadde avgjort krigens utfall. Det var store forventninger til hva vitenskapen kunne bidra med for å skape vekst og velstand i et frigjort Norge. Landet skulle gjenreises etter krigstidens ødeleggelser. I dette arbeidet hadde vitenskapelig innsikt en særlig plass. Ideene om planlagt samfunnsutvikling basert på vitenskapelig innsikt fikk sitt store gjennombrudd i norsk politikk. Tankene fra før krigen om en velordnet planmessig velferdsstat stod foran sin virkeliggjørelse.

Studentene ble integrert i velferdsstaten. De var en fremtidig arbeidsstyrke av akademisk utdannede mennesker som skulle utføre viktige oppgaver i samfunnet. Det offentlige påtok seg ansvar for å skaffe studielån til studenter som ikke kunne få økonomisk støtte hjemmefra gjennom Statens lånekasse for studerende ungdom, opprettet i 1947. Staten støttet den selvstyrte Studentsamskipnaden som sørget for studentenes materielle velferd i studietiden.

Norge fikk sitt andre universitet i 1946, da Stortinget vedtok å opprette Universitetet i Bergen. Det ble hilst velkommen av kollegiet ved Universitetet i Oslo, som så en kjærkommen mulighet for avlastning for et studenttall som var større enn kollegiet ønsket. Arbeiderpartiregjeringen satset mye på utvidelse av folkeskole og yrkesutdannelse, men hadde ikke like stort anlagte planer for å satse på universitetene. Statsråd Lars Moen, kirke- og undervisningsminister fra 1948, formulerte det som regjeringens ønske å gi universitetet «rimelige arbeidsvilkår». I formuleringen lå en respekt for universitetets oppgaver, men intet løfte om store utvidelser.

Årene 1945–60 ble likevel en periode med betydelig vekst. Bevilgningene til driftsmidler ble romsligere. Universitetets samlede stab ble mer enn fordoblet, fra 418 stillinger i 1946 til 1111 i 1961. Økningen i den vitenskapelige stab var på drøyt 70 prosent. En del av økningen skyldtes at Norges tannlegehøyskole i 1959 ble tilsluttet universitetet som dets sjette fakultet – Det odontologiske fakultet. I alt 90 vitenskapelige og tekniske stillinger fulgte med tannlegestudiet.

Universitetet fikk anledning til å utvide forskningsvirksomheten betydelig som resultat av opprettelsen av Norges almenvitenskapelige forskningsråd (NAVF), opprettet i 1949 for å fordele deler av overskuddet av Norsk Tipping. Men på ett område var det stillstand: Universitetet nådde ikke frem med sine ønsker om nye og større bygninger. Først i 1959 ble det gitt klarsignal fra myndighetene til å reise et nybygg for Det historisk-filosofiske fakultet.

## Etterkrigsår med rekordtilstrømning av studenter

Oppgavene som universitetet stod foran da undervisningen ble tatt opp igjen i september 1945, var store og krevende. Flere årskull av studenter hadde fått avbrutt studiene eller var ikke kommet i gang. Disse meldte seg nå ved universitetet. Høstsemestret 1945 ble det registrert 5951 studenter. Dette var det høyeste studenttall gjennom hele universitetets historie til da. Året etter ble rekorden slått. Det ble da registrert 6209 studenter. Også i 1947 var studenttallet over 6000 – tilsvarende 50 prosent flere studenter enn det hadde vært noe år før krigen. Studenttallet gikk noe ned fra 1948, men det holdt seg fortsatt over mellomkrigsnivået frem til begynnelsen av 1950-årene. Fra 1951 var det under 4000 studenter ved universitetet, og studenttallet fortsatte å synke frem til 1955–56. Da nådde det et bunnpunkt på knapt 3200 studenter. Fra dette nivå steg studenttallet igjen og kom over 5000 i 1959.

Universitetets virksomhet de første etterkrigsårene ble preget av den utfordring det var å sørge for undervisning og holde eksamen for et så stort antall studenter. Universitetet var dårlig rustet til å ta imot så mange. Universitetsbygningene hadde vært utilstrekkelige før krigen. Nå ble plassmangelen prekær. Bygninger og utstyr led under manglende vedlikehold. Universitetsbudsjettene var riktignok økt, men gav begrenset rom for fornyelser og utvidelser. Forskning og undervisning ble preget av den ressursknapphet som hele landet gjennomlevde i de første gjenreisningsårene. Midlene ble strengt rasjonert av regjeringen og Stortinget og kanalisert til de områdene som hadde høyest prioritet. Universitetets behov kom langt etter kravene om å gjenreise de krigsherjede delene av landet og til å bygge ut industri som kunne skaffe arbeidsplasser og valutainntekter til landet.

En første utfordring var å skaffe studentene et sted å bo. Studentsamskipnaden var knapt kommet i gang før krigen brøt ut, og organisasjonen hadde få ressurser å stille opp med i forhold til behovene som meldte seg. Boligmangelen i Oslo var blitt verre enn noensinne, og det private hybelmarked kunne ikke ta unna etterspørselen. Ved semesterstart høsten 1945 ble studentene som kom til byen tilbudt madrass på gulvet i universitetets gymnastikksal. Senere fikk Studentsamskipnaden innredet midlertidige boliger i tidligere tyskerbrakker og i tilfeldig leide hus i byen. På det meste var over 500 studenter innkvartert i midlertidige studenthjem.

For å skaffe tilstrekkelige lokaler til undervisning og til lesesaler måtte universitetet leie ekstra lokaler flere steder i byen. Det historisk-filosofiske fakultet fikk disponere den tidligere Hallings skole i Oscars gate bak Slottet. Bare eksamensavviklingen satte universitetet på alvorlige prøver. Høsten 1945 gikk over 3000 kandidater opp til forberedende prøve (examen philosophicum). Dette var mer enn tre ganger så mange som noen gang før, og eksamen ble holdt på flere steder i landet.

De første etterkrigsårene var medisinerne den største gruppen eksamenskandidater, med over 200 kandidater både i 1946 og 1947. Det store antallet skyldtes at køen av medisinstudenter fra tiden før det ble innført adgangsbegrensning nå ble avviklet. Det medisinske fakultet fikk presset gjennom langt flere studenter enn normal kapasitet skulle tilsi. Selv med stor innsatsvilje av studenter og lærere, var det knapt til å unngå at kvaliteten av undervisningen ble skadelidende. «Man må se det alvorlige faktum i øynene at henved 1000 norske leger i en kortere eller lengre del av studiet har fått en undervisning som ikke svarer til de krav man må stille,» uttalte regjeringen i 1950. Fra midten av 1950-tallet gikk antallet medisinske kandidater sterkt ned som en følge av adgangsbegrensningen.

Etter at køene ved Det medisinske fakultet var avviklet, var i noen år de juridiske kandidatene i flertall. En rekord på 346 jurister ble uteksaminert i 1949. I takt med synkende studenttall gikk universitetets samlede kandidattall sterkt ned gjennom 1950-tallet og nådde bunnen i 1959. Samtidig skjedde det en forskyvning mellom fakultetene. Antall juridiske kandidater sank til rundt 90 i året, medisinske kandidater til cirka 60. Antall filologer og realister viste samtidig en sterk relativ økning. Av kandidatene som ble uteksaminert i slutten av 1950-tallet, utgjorde realistene og filologene til sammen tre fjerdedeler. Det teologiske fakultet var redusert til en brøkdel av sin tidligere størrelse, målt i antall studenter og kandidater. Bare en håndfull teologiske kandidater ble uteksaminert hvert år. Menighetsfakultetet hadde definitivt overtatt som den viktigste utdannelsesinstitusjonen for prester til Den norske kirke.

*Otto Lous Mohr, oljemaleri u.å (Hugo Lous Mohr)*

# Studentboliger og studiefinansiering

«Som alle er klar over, vil for Universitetet den periode som ligger foran, nødvendigvis måtte bli en utpreget *byggeperiode*,» skrev den nyvalgte rektor Otto Lous Mohr ved utgangen av 1945. Midt oppe i utfordringen med de mange studentene og eksamenskandidatene, gikk både universitetet og Studentsamskipnaden straks etter frigjøringen i gang med å realisere store planer for å dekke langsiktige behov.

Studentboligene kom først. Studentsamskipnaden nedsatte i 1946 en byggekomité med finansmannen og kunstsamleren Rolf Stenersen som formann og drivende kraft. Oslo kommune tilbød tomt til en studentby rett nord for universitetsområdet, på den kommunale eiendom Sogn gård. Studentsamskipnaden skulle få feste eiendommen mot å betale en symbolsk avgift. Dette var et historisk gjennombrudd i forholdet til Oslo kommune. Sammenlignet med andre byer med universiteter i sin midte hadde Oslo vist en likegyldighet overfor sitt universitet og dets studenter som «med et mildt ord [er] skandaløs», skrev Peter Rokseth i 1945. Én grunn til kommunens velvilje var at Oslo skulle arrangere de olympiske vinterlekene i 1952, og byen måtte skaffe lokaler til innkvartering av deltagere og tilreisende publikum. Studentsamskipnaden avtalte at den olympiske komiteen kunne disponere studentbyen mens lekene varte, og så kunne studentene flytte inn etter at idrettsutøverne var reist.

Det første byggetrinnet av Sogn studentby ble påbegynt i 1950 med startkapital i en gave fra forsikringsselskapet Storebrand og med tilskudd fra Den Weis-Rosenkroneske Stiftelse. Men disse tilskuddene var ikke på langt nær tilstrekkelige, og studentene krevde at staten skulle ta ansvaret for studentenes boliger. Tiden for privat veldedighet var forbi. Staten hadde påtatt seg et hovedansvar for å finansiere sosial boligbygging gjennom Den Norske Stats Husbank, opprettet i 1946, og det ble funnet en ordning slik at Husbanken også ytet lån til å reise studentboliger. Byggekomiteen dekket det gjenværende kapitalbehovet ved å selge leieretttigheter. Landets kommuner ble tilbudt å tegne andeler i studentbyen mot å disponere hybler til bruk for studenter hjemmehørende i kommunen, og dette ble en stor suksess.

De tre første byggetrinn av Sogn studentby stod ferdig i 1957, med hybler til i alt 750 studenter. Studentbyene holdt høy standard etter datidens målestokk. Studentene bodde i boenheter på fem enkelthybler som delte kjøkken og bad. I tillegg var det pent innredede fellesrom for fritid og fest. Rolf Stenersen gav et storslått bidrag til utsmykning av studentbyen ved å tilby deler av sin egen store kunstsamling. Flere hundre litografier og malerier, de fleste av Edvard Munch, ble hengt opp på hybler og i fellesrom.

Studentsamskipnaden tok initiativ til å få opprettet en generell statlig låneordning for studenter. Dette ble et avgjørende løft for studentene i de første etterkrigsårene. Studentsamskipnaden hadde selv begynt å gi lån og garantier til studenter som trengte studiefinansiering, og den hadde overtatt forvaltningen av studentenes lånekasse ved universitetet. Disse kildene var imidlertid på langt nær tilstrekkelige til å dekke behovet for lån til de mange studentene som nå meldte seg.

Som resultat av Studentsamskipnadens initiativ ble Statens lånekasse for studerende ungdom vedtatt opprettet av Stortinget i 1947. Lånekassen var åpen for studenter også ved lærerskoler og vitenskapelige høyskoler. Lånene var behovsprøvd. Foreldre som hadde råd til det, ble forutsatt å betale for barnas utdannelse selv. De studentstipendene som universitetet disponerte fra forskjellige fond og legater, var fortsatt en viktig kilde til studiefinansiering. Først i 1956 ble det innført generelle studentstipender bevilget av staten.

Studentsamskipnaden tok initiativ på en rekke andre områder. Med kollegiets støtte fikk den i 1954 opprettet en helsetjeneste for studentene ved Universitetet i Oslo, finansiert over statsbudsjettet. Studentsamskipnaden startet reisebyrå, bokhandel og forlag. Forlagsvirksomheten begynte som en beskjeden produksjon av forelesningshefter ved Universitetets Studentkontor. Studentsamskipnaden overtok virksomheten og utvidet den til et nasjonalt forlag for lærebøker og forskningspublisering. I 1956 gav kollegiet tillatelse til at virksomheten ble drevet under navnet Universitetsforlaget. Kollegiet var påpasselig med at ikke universitetets navn ble brukt kommersielt, men Universitetsforlagets utgivelser av lærebøker og forskningslitteratur ble ansett å være i universitetets egen interesse. Tilsvarende fikk Studentsamskipnadens bokhandel lov til å kalle seg Universitetsbokhandelen.

Studentsamskipnaden hadde gratis tilhold i universitetets lokaler, men den kom til å få en svært selvstendig stilling i forhold til universitetet. Studentsamskipnadens lederskap hadde etablert nær kontakt med Arbeiderpartiets ledelse og hadde direkte kontakt med regjeringen uten å gå gjennom universitetet. Regjeringen var lydhør for de sakene som Studentsamskipnaden tok opp. Fra 1953 fikk Studentsamskipnaden direkte statsstøtte over en egen post i statsbudsjettet.

Studentene ved høyskolene i Oslo utenfor universitetet ble opptatt som medlemmer av Studentsamskipnaden i 1948. Etter forslag fra studentene selv ble Studenttinget i Oslo i 1957 opprettet som et fellesorgan for Oslostudentene, og styreformen for Studentsamskipnaden ble endret. Ledelsen av samskipnaden ble lagt til et hovedstyre, hvor studenttinget valgte flertallet av representantene. Universitetet og staten var fortsatt representert i hovedstyret, men i praksis kom ledelsen av Studentsamskipnaden til å ligge hos studentenes tillitsvalgte og Samskipnadens administrasjon. Studentene hadde vist seg fullt i stand til selv å styre sin velferdsorganisasjon. Den organisasjonsformen Studentsamskipnaden representerte, ble ansett som svært vellykket og ble kopiert både i Bergen og Trondheim og ved andre høyere læresteder.

## Byggeplaner – omsider

Det skulle ta lenger tid for universitetet å få realisert sine byggeprosjekter enn det tok for Studentsamskipnaden. Først i 1955 kunne et nytt instituttbygg tas i bruk på Blindern. Det var ZEB-bygget, som blant annet rommet instituttene for zoofysiologi, ernæringsforskning og biokjemi. Det var den første universitetsbygningen som var reist på Blindern siden 1935. I 1957 ble en bygning for mineralogi, geologi og paleontologi ferdigstilt vis-à-vis ZEB-bygget langs Blindern-anleggets tverrakse øst-vest.

Begge byggeprosjektene hadde vært avhengige av tilskudd utenom de ordinære statsbevilgningene til universitetet. ZEB-bygget var delvis finansiert av en gave fra A/B Choklad Fabriken Marabou, det svenske søsterselskapet til Freia Chokoladefabrik. Gaven var en fortsettelse av støtten til ernæringsforskning, som ble gitt av Freias eiere i 1930-årene. Et annet bidrag til byggesummen kom fra Forsvarsdepartementet. Forsvaret bevilget midler til lokaler for et Institutt for flymedisin, som ble etablert i tilknytning til Institutt for zoofysiologi og som tok opp forskning som forsvaret hadde interesse av. Geologibygningen ble i sin helhet betalt av en bevilgning fra NAVF.

Diskusjonen om stedsvalget for de andre planlagte nybyggene kom til å ta flere år. Plasseringen av de matematisk-naturvitenskapelige instituttbyggene var det ikke tvil om. De skulle legges til Blindern slik det var bestemt i 1920. Uenigheten var derimot stor om hvor nybygg for Det historisk-filosofiske fakultet skulle plasseres. I 1945 tok Peter Rokseth til orde for at Det historisk-filosofiske fakultets bygning burde reises på Blindern, og at alle fakulteter etter hvert skulle samles på dette ene universitetsområdet.

Forslaget møtte betydelig motstand. Da Det historisk-filosofiske fakultet behandlet byggesaken første gang i 1946, ble det flertall for å bli værende i sentrum og beholde tilknytningen til det gamle universitetsanlegget. Det kunne bygges nye hus for fakultetet i universitetshagen. Aula-fløyen på baksiden av Domus Media kunne bygges på, og den gamle kjemibygningen i Frederiks gate kunne rives og gi plass til en ny bygning for fakultetets institutter. Etter flertallets mening ville dette være nok til å dekke de historisk-filosofiske fagenes rombehov for lang tid fremover, samtidig som de øvrige universitetsbygningene i sentrum ville være store nok til å romme Det juridiske og Det teologiske fakultet.

Diskusjonen for og mot Blindern- og sentrumsalternativene gikk høyt i årene frem til 1950, da universitetet bestemte seg for

Blindern-alternativet. Diskusjonen dreide seg om mer enn bare valg av byggetomt. Universitetets formål, dets interne organisasjon og dets funksjon i samfunnet ble gjort til gjenstand for debatt. For Peter Rokseth var målet å gjenreise universitetets enhet. Særlig viktig var det å motvirke splittelsen mellom humaniora og naturvitenskap, som etter Rokseths mening hadde oppløst universitetets enhet etter at den vitenskapelige spesialiseringen satte inn på 17- og 1800-tallet. Derfor var det nødvendig at alle fakultetene ble plassert nær hverandre. Universitetet måtte bli «et dannelsessentrum hvor landets intellektuelle elite skapes». Dette fordret noe mer enn bare en samling av spesialiserte fagutdannelser. Det måtte bli tettere kontakt mellom lærere og studenter gjennom fellesskap i undervisning og forskning, og universitetet måtte ta ansvar for studentenes materielle velferd og fysiske sunnhet. Rokseths konklusjon var at et slikt ideal bare kunne realiseres ved å velge utbygging på Blindern.

Rokseths ideer vant gjenklang blant studentene. Allerede høsten 1945 hadde de reist krav om at det skulle settes av tomt til studentboliger på Blindern, og det var sterk oppslutning om tanken på en «campus» etter amerikansk mønster, med studentboliger og undervisningsbygninger inntil hverandre og med idrettsanlegg rett i nærheten. Da Det historisk-filosofiske fakultet sa nei til Blindernplanen, startet Studentenes Fellesutvalg en kampanje for å snu stemningen til fordel for Blindern og få kollegiet på sin side. Studentene ved alle fakulteter gikk nær enstemmig inn for Blindernplanen. De fikk støtte av mange universitetslærere, særlig yngre.

Selv om ikke alle delte Rokseths visjoner, var det mange som ønsket at universitetet skulle legges om i «angelsaksisk» retning. Krigen hadde bragt den tysk-skandinaviske universitetsmodellen i miskreditt. Man lette etter nye modeller. Samfunnets elite måtte få en utdannelse og en dannelse som samsvarte med demokratiets idealer og moderne vitenskapelig tenkemåte. Filosofiprofessoren Arne Næss la frem planer om et nytt introduksjonsstudium felles for studentene fra alle fakulteter som en utvidelse av forberedende prøve i filosofi, på linje med forrige århundres anneneksamen. Hensikten var å få til en fornyelse av universitetet på tvers av fakultets- og disiplingrenser. Kort før krigen hadde Næss fornyet innholdet av forberedende prøve i filosofi. Gjennom logiske øvelser skulle studentene læres opp i saklig diskusjon og avveining. Dette skulle være grunnlaget for universitetets åndsdannelse.

Den mest markante motstander av Blindern-planen var Francis Bull, professor i nordisk litteratur. For ham var universitetet en sentral institusjon i hovedstadens kulturelle og politiske liv, med en selvfølgelig plass nær Slottet, Stortinget, Nasjonalgalleriet og Nationaltheatret. Universitetets betydning for landets historie ble symbolisert ved beliggenheten på Karl Johans gate. Her hadde universitetet tilhold i tradisjonsrike, vakre bygninger med kvaliteter som et moderne universitet på Blindern aldri ville kunne erstatte. Den åndsdannelse Bull etterstrebet, var forankret i en sterk historisk tradisjon. Francis Bull var selv en fremstående representant for denne tradisjon. Som kulturpersonlighet og foredragsholder nådde han et publikum langt utenfor universitetets grenser. I debatten om universitetets utbyggingsplaner, både i offentligheten og innad i universitetet, kom hans argumenter imidlertid til kort.

Da universitetet ved årsskiftet 1949–50 skulle ta standpunkt til spørsmålet om utbygging på Blindern eller i sentrum, ble det flertall for Blindern i alle fakultetene unntatt det juridiske. Det teologiske fakultet delte seg på midten. Konklusjonen ble en overbevisende seier for Blindern-alternativet, og kollegiet sluttet seg til dette. Kirke- og undervisningsdepartementet fulgte universitetets forslag, og valget av Blindern ble stadfestet av et enstemmig Storting i november 1951.

Blindern-alternativet vant frem fordi det hadde et preg av «moderne» og «fremskritt» over seg. For studenter og ansatte som hadde sitt daglige arbeid i overfylte og slitte universitetsbygninger i sentrum – og i delvis falleferdige ekstralokaler som universitetet hadde leid utenom – virket det forlokkende å bygge nytt. På det store området på Blindern kunne det reises nye, luftige og rommelige universitetsbygninger i parklignende omgivel-

*Ragnar Frisch, oljemaleri 1962 (Agnes Hiorth)*

ser. Dertil kom at universitetet ville få nærmest ubegrensede utvidelsesmuligheter på naboeiendommen Gaustad, som tilhørte staten. Tidligere erfaring hadde vist at ikke bare undervisningsbehovene, men også forskningen – med sine krav til stadig spesialisering og nye institutter – presset på for stadige utvidelser. Universitetet hadde før brent seg på å bygge for lite. «Planløsninger som ikke rommer tilstrekkelige utvidelsesmuligheter, må i det hele tatt ikke komme på tale,» skrev kollegiet.

## Hvor stort skal universitetet være?

Både tilhengerne og motstanderne av Blindernplanen hadde sett for seg et fremtidig universitet med fra 3000 til 5000 studenter. Det var alminnelig antatt at studenttallet på over fem tusen var forbigående, og at studenttallet ville stabilisere seg på et lavere nivå. Da kollegiet la frem alternativene i 1949, var studenttallet allerede på retur, men kollegiet mente at man ikke burde planlegge for et lavere studenttall enn 6000–7000.

Universitetet ønsket ikke en vekst i studenttallet utover dette nivået. Kollegiet var bekymret for at kvaliteten av både forskning og utdannelse ville bli skadelidende hvis studenttallet ble for høyt. Universitetet i Oslo hadde hilst opprettelsen av Universitetet i Bergen velkommen som en kjærkommen avlastning for «utvidelsespresset» som universitetet følte.

Spørsmålet om det skulle innføres adgangsbegrensning til universitetsstudiene ble tatt opp av en komité oppnevnt av regjeringen i 1947, Robberstad-utvalget. Dette utvalget tok opp rektor Seips henvendelse til departementet fra 1939, der han bad om å få utredet om universitetsstudiene burde adgangsbegrenses for å hindre fremtidig arbeidsløshet blant akademikere. Utvalget avviste at universitetsstudiene skulle dimensjoneres ut fra beregninger av forventet behov for akademisk utdannet arbeidskraft i samfunnet. Slike behovsberegninger ville bli for usikre til å si noe bestemt om fremtidens arbeidsmarked, og utvalget advarte mot å innføre generell adgangsbegrensning. Robberstad-utvalget var imidlertid enstemmig av den oppfatning at det nå var for mange studenter som søkte seg til universitetet. Både i samfunnets og den enkeltes interesse burde flere velge yrkesrettede utdannelser. Den store søkningen til universitetet ble forklart ved at de universitetsforberedende skolene – middelskole og gymnas – hadde vært for sterkt bygget ut på bekostning av yrkesskoler. Ved å utvide kapasiteten i yrkesutdannelsen ville søkningen til universitetet gå ned, mente utvalget. Denne tankegangen var i overensstemmelse med Arbeiderpartiets utdannelsespolitikk, som særlig tok sikte på å styrke grunnskole og yrkesutdannelse.

Frykten for at kandidater med universitetsutdannelse gikk arbeidsledighet i møte, skulle vise seg å være ubegrunnet. I stedet ble det gjennom 1950-tallet voksende bekymring for mangel av akademisk arbeidskraft. Dette var også konklusjonen på en undersøkelse av tilgangen på og behovet for akademisk arbeidskraft, som forskningsrådene la frem i 1957. Her ble det påpekt at antallet studenter i Norge faktisk lå lavt i forhold til andre land, og at behovene for akademisk arbeidskraft ville bli langt større i tiden fremover. Når søkningen til universitetet gikk tilbake på 1950-tallet, hadde det dels rent befolkningsmessige grunner. De lave fødselskullene fra kriseårene på 1920- og 30-tallet var nådd frem til studentalder. Men det var også slik at en mindre andel av alderskullene valgte å ta examen artium og fortsette med universitetsstudier.

Dimensjoneringen av medisinstudiet var et stadig diskusjonstema mellom de medisinske fakultetene, Helsedirektoratet og Den norske Lægeforening. Medisinstudiet var strengt adgangsbegrenset, og opptaket var fastsatt etter hva universitetet mente var Det medisinske fakultets kapasitet. Universitetet satte et tak på 60 nye studenter til den kliniske del av medisinstudiet hvert år ut fra kapasiteten ved universitetsklinikkene. Medisinstudiet som kom i gang ved Universitetet i Bergen, ble søkt bygget ut slik at det kunne ta imot 40 studenter til klinisk undervisning etter at de hadde avlagt første avdelings eksamen i Oslo.

Den strenge adgangsbegrensningen til medisinstudiet i Norge hadde gjort at mange studenter søkte seg til utenlandske læresteder. Det oppstod også spørsmål om begrensningen var for sterk i forhold til landets legebehov. Allerede ved slutten av 1950-årene mente Helsedirektoratet at tilgangen på nye leger ville bli for liten. Det ble derfor gitt økte bevilgninger til Universitetet i Oslo for å utvide undervisningskapasiteten ved Det medisinske fakultet.

Politisk prioritering av helsevesenet skapte gjennomslag for en ny studieordning for medisinstudiet fra 1950. Studiet ble lagt om i mer kurspreget retning med undervisning i mindre grupper, og dette krevde betydelig flere lærere. Myndighetene fulgte opp ved å bevilge en rekke nye professorater og dosenturer til Det medisinske fakultet. I samme forbindelse ble Ullevål sykehus nå knyttet til universitetet som universitetsklinikk på linje med Rikshospitalet, slik at også overleger ved Ullevål sykehus ble professorer ved Det medisinske fakultet. Det ble også bygget ut universitetsinstitutter ved Ullevål sykehus.

Også overleger ved det kommunale Aker sykehus fikk professorater ved universitetet, men disse stillingene var øremerket klinisk undervisning for studentene ved Universitetet i Bergen, hvor det manglet klinisk undervisningskapasitet inntil Haukeland sykehus var bygget ut. Veksten i Det medisinske fakultet ble en del av veksten i det offentlige helsevesen. Både Rikshospitalet og Ullevål sykehus ble betydelig utbygget i løpet av 1950-tallet.

## Ny forskningsorganisering

I 1946 besluttet Stortinget å opprette Norges teknisk-naturvitenskapelige forskningsråd (NTNF). Her skulle representanter for universiteter og høyskoler, statsadministrasjon og industri sitte sammen for å mobilisere forskningsinnsats til fremme av landets økonomiske utvikling.

NTNF gikk straks i gang med å støtte forskningsarbeider ved Det matematisk-naturvitenskapelige fakultet, blant annet den senere Nobelprisvinner Odd Hassels forskning innen strukturkjemi. Den første etterkrigstidens debatt om forskning var sterkt preget av tanken på at grunnforskningen – den frie akademiske forskning som universitetene hadde drevet – var viktig som den egentlige drivkraften bak alle vitenskapelige og tekniske fremskritt.

Universitetsprofessorer var aktivt med i ledelsen av NTNF. Svein Rosseland, som selv hadde deltatt i alliert krigsforskning, var rådets første viseformann. Han var også formann i et utvalg under NTNF, som forberedte opprettelse av et Sentralinstitutt for industriell forskning (SI) i nær tilknytning til universitetet. SI kom i gang i 1949 med lokaler i tidligere tyskerbrakker som var flyttet til Blindernområdet, og instituttet rekrutterte lovende forskertalenter utdannet ved Det matematisk-naturvitenskapelige fakultet.

Avstanden til universitetsmiljøet skulle raskt komme til å øke. SI samarbeidet ikke så nært med universitetet som opprinnelig tenkt, og NTNF støttet særlig forskning ved spesialiserte institutter for anvendt forskning uten tilknytning til universitetet. Det største instituttet under NTNF ble Institutt for atomenergi (IFA), opprettet i 1948, som ble lagt på Kjeller nord for Oslo, ved siden av Forsvarets forskningsinstitutt (FFI) som hadde startet der i 1946.

Den politisk motiverte satsingen på militær- og atomenergiforskning førte til konflikter mellom akademisk forskning og anvendt forskning. Forskere ved universitetet og ved NTH så med bekymring på at hovedtyngden av offentlige midler til forskning skulle gå til anvendte formål på bekostning av grunnforskning. Ett resultat av konfliktene om atomforskning var at NTNF bevilget midler til å bygge en van de Graaff-generator ved Universitetet i Oslo. Dette fikk stor betydning for den videre utviklingen av det nyetablerte miljøet for kjernefysisk grunnforskning. Det ville ikke være mulig å opprettholde forskning på et så utstyrskrevende felt uten betydelige midler til utstyr og drift. Innen eksperimentelle naturvitenskaper var man nådd tidsalderen for «Big Science» hvor krav til utstyr og driftsmidler syntes å sprenge alle kjente rammer. Eksperimentell kjernefysikk var samtidig et fagområde som ble tillagt stor betydning. Det var viktig å følge med også for små land – ellers ville man uvegerlig sakke akterut i forhold til utenlandske fagfeller.

# Finansiering utenfra

Før krigen hadde de frie forskningsfondene, flere av dem knyttet til Det Norske Videnskapsakademi, vært en viktig kilde til å finansiere universitetets forskningsvirksomhet. Etter krigen var verdien av fondene redusert til en fjerdedel, som følge av redusert pengeverdi og politisk styrt lav rente. Det var maktpåliggende å finne alternative inntektskilder. Rett etter krigen kom det opp forslag om å innføre fotballtipping som statlig lotteri. Senere rektor Otto Lous Mohr grep sjansen og foreslo at inntektene som tippingen ville innbringe, skulle deles mellom idrett og forskning. Videnskapsakademiet greide å få regjeringen med på ideen. Regjeringen hadde flere ganger uttrykt at det var viktig å støtte forskningen, og her fikk den presentert en ordning for forskningsstøtte som ikke ville belaste de ordinære budsjettene. Lov om tipping ble vedtatt av Stortinget i 1946.

Videnskapsakademiet hadde foreslått at midlene fra tippeoverskuddet skulle forvaltes av et forskningsråd oppnevnt av akademiet selv. Det gikk ikke regjeringen med på. I stedet opprettet regjeringen i 1949 et nytt forskningsråd, Norges almenvitenskapelige forskningsråd (NAVF). NAVFs medlemmer skulle oppnevnes av regjeringen etter forslag fra universitetene og de vitenskapelige høyskolene, Videnskapsakademiet, andre forskningsinstitusjoner og av de mest aktuelle departementene. NAVF ble dermed et organ sterkere styrt av staten enn Videnskapsakademiet hadde ønsket. Forskningens andel av tippemidlene skulle deles mellom NTNF, Norges landbruksvitenskapelige forskningsråd og NAVF. Videnskapsakademiet rådet selv bare over små økonomiske ressurser og kom til å stå i skyggen av NAVF som forskningspolitisk organ.

NAVF definerte som sin oppgave å støtte grunnforskning ved universitetene og de få andre institusjonene som drev slik forskning. Forskningsrådet opprettet bare unntaksvis egne institutter. Universitetet i Oslo var den overlegent største mottageren av støtte, og NAVFs ledelse var nært knyttet til universitetet. I de tyve første årene var alltid en professor ved Universitetet i Oslo rådets styreformann. NAVF fungerte lenge som universitetenes og de vitenskapelige høyskolenes forskningsbudsjett.

Tippemidlene gav større inntekter til forskningen enn man hadde håpet. NAVF-midlene gav betydelige bidrag til utstyr, drift og forskningspublisering, og særlig til rekrutteringsstipender for yngre forskere. Utover i 1950-årene ble budsjettene så rommelige at de kunne finansiere hele universitetsbygg. Ved siden av å totalfinansiere Geologibygningen på Blindern, gav NAVF blant annet betydelige bidrag til universitetets solobservatorium på Harestua, som stod ferdig i 1954.

De første årene gikk nær halvparten av NAVFs bevilgninger til forskning ved Universitetet i Oslo. Tilskuddene kunne ved midten av 1950-tallet tilsvare 20–30 prosent av universitetets årlige bevilgninger over statsbudsjettet. Dermed kom forskningen ved Universitetet i Oslo opp på et helt nytt nivå i forhold til situasjonen før krigen. Tilskuddene fra NAVF gjorde det mulig å drive systematisk rekruttering av lovende forskere og påta seg forskningsoppgaver innen en rekke nye områder hvor det var påkrevd med utstyr og ny organisasjon. Forskning innen mange felter var nå avhengig av teamarbeid fra allsidig sammensatte forskergrupper. Uten NAVF-midlene og andre eksterne kilder ville ikke universitetet hatt mulighet til å gå inn på slike områder.

Utenlandske kilder spilte en ikke uvesentlig rolle for universitetets forskning i 1950-årene. Rockefeller Foundation fortsatte å gi støtte på flere områder. Midler fra Marshallhjelpen ble brukt til å kjøpe vitenskapelig utstyr i utlandet. Amerikanske myndigheter opprettet Fulbrightstipend-ordningen, som gjorde det mulig for utenlandske forskere å oppholde seg ved amerikanske forskningsmiljøer. Mange forskere med tilknytning til universitetet reiste til USA på forskningsopphold. Etter krigen ble forskningen internasjonalisert i større målestokk enn noensinne før.

Den kalde krigen medførte et betydelig militært innslag i finansieringen av forskning. Det amerikanske forsvaret plasserte forskningskontrakter i europeiske NATO-land. United States Air Force støttet forskning ved Universitetet i Oslo innen astrofysikk, kosmisk geofysikk og nevrofysiologi. Støtten ble gitt til forskningsprosjekter uten direkte militær anvendelse og ble ikke oppfattet å stride mot universitetets krav til uavhengighet og åpenhet om forskningsresultatene.

Universitetets forskere tok del i europeisk forskningssamarbeid. Det viktigste var CERN, samarbeidsprosjektet som ble startet i 1954 for å bygge en stor partikkelakselerator i Sveits til bruk for europeiske kjernefysikere. Kravene til utstyr og driftsbudsjetter innen «Big Science» tvang frem ordninger som gjorde det mulig for europeiske småstater å henge med i forskningen på disse områdene, i konkurranse med stormaktene USA og Sovjetunionen.

Private donasjoner spilte fortsatt en ikke uvesentlig rolle for finansiering av forskningen ved universitetet. I 1953 mottok universitetet første del av det som skulle bli den største private gaven universitetet noen gang har mottatt. Skipsreder Anders Jahre skjenket en million kroner til et fond til vitenskapens fremme. Siden fulgte nye store tilskudd, og i 1959 var fondet kommet opp i 20 millioner kroner. Fondets kapital er senere mangedoblet. Tre fjerdeparter av avkastningen ble øremerket forskning ved Universitetet i Oslo innen medisin og rettsvitenskap. Fra 1960 er en del av avkastningen etter giverens bestemmelse brukt til en årlig pris, Anders Jahres pris for medisinsk forskning, som er den største og mest prestisjefylte forskningspris universitetet deler ut.

## Nølende vekst – og forsiktig reorganisering

De første etterkrigsårene ble det bevilget midler til flere stipendiatstillinger for å sikre rekruttering til vitenskapelige stillinger. Det var vanskelig å få kvalifiserte søkere til ledige lærerstillinger. Først på 1950-tallet ble det noen økning av betydning i antall lærerstillinger. Økningen kom særlig Det medisinske fakultet til gode, som resultat av omlegningen av studieordningen. Fakultetet økte sin stab av professorer og dosenter fra 23 i 1945 til 58 i 1960. De fleste av disse var undervisningsstillinger knyttet til legestillinger ved universitetsklinikkene. Det ble også bevilget stil-

*Francis Bull, byste i bronse 1968 (Per Palle Storm)*

linger til faget psykologi, som følge av at en egen psykologisk eksamen ble besluttet opprettet i 1948.

Veksten var langsommere ved øvrige fag og fakulteter, men samlet sett økte antallet vitenskapelige stillinger – universitetsbibliotekarene inkludert – fra 277 i 1946 til 662 i 1960. Veksten var svakest i toppstillingene. Antall professorer økte fra 105 til 164. Resultatet ble en tiltagende hierarkisering av den vitenskapelige staben, med et forholdsvis lite antall professorer på toppen og en voksende stab av dosenter og ansatte i «mellomgruppen» – amanuenser, prosektorer, konservatorer, universitetsbibliotekarer og lektorer – og nederst stipendiater og vitenskapelige assistenter. Mens professorene var embetsmenn utnevnt av Kongen, var resten tjenestemenn ansatt av universitetet og med høyst ulike arbeidsplikter og ansettelsesvilkår. Dosentene ble embetsmenn på linje med professorene i 1958.

Universitetet anstrengte seg for å styrke professorenes mulighet til å drive egen forskning. Salg av byggetomter på Tøyen hadde innbragt store midler til Tøyenfondet. På rektor Mohrs initiativ bad universitetet om tillatelse fra myndighetene til å benytte midler herfra til å gi professorene et sabbatsår til forskning med jevne mellomrom. Dette ble gjennomført fra 1952.

Ordningen med forskningsterminer styrket universitetets innretting mot forskning. I samme retning gikk prosessen med organisering av nye institutter ved alle fakultetene. De fleste fagene ved Det historisk-filosofiske fakultet organiserte seg i institutter. Det medisinske fakultet fikk en rekke nye institutter som følge av vitenskapelig spesialisering. Det juridiske fakultet – som hittil hadde beholdt sin tradisjonelle organisasjonsform – opprettet institutter fra 1954. Instituttenes virksomhet var ofte finansiert ved bidrag fra NAVF eller private gaver. En gave fra Anders Jahre gjorde det mulig å starte Britisk institutt i 1948. Historisk institutt startet som et forskningsinstitutt under NAVF og ble overført til universitetet i 1953. Private donasjoner – og i tillegg støtte fra NAVF – finansierte opprettelsen av et norsk institutt i Roma i 1959, som ble en del av Universitetet i Oslo.

Universitetet fikk gjennom denne prosessen en organisering i tre nivåer – nederst institutt, i midten fakultet og på toppen Det akademiske kollegium. Grunnivåets institutter var organisasjoner for forskning og var organisert etter forskningsdisipliner som ikke nødvendigvis falt sammen med undervisningsfag. Ved Det matematisk-naturvitenskapelige fakultet og Det historisk-filosofiske fakultet ble det derfor nødvendig å supplere med seksjoner hvor lærere i forskjellige undervisningsfag møttes for å drøfte undervisningsspørsmål.

Styringen av grunnenhetene var enkel og lite formell. Bestyreren av et institutt var oppnevnt av kollegiet. Ved de mindre instituttene var bestyrerstillingen normalt knyttet til professoratet i vedkommende fag, og innehaveren var instituttbestyrer på livstid. På de store instituttene ved Det matematisk-naturvitenskapelige fakultet ble det vanlig at bestyrervervet gikk på omgang mellom professorene. Bestyreren avgjorde alene de saker som kom opp. Seksjonene fikk en åpnere beslutningsprosess. I seksjonsmøtene under Det matematisk-naturvitenskapelige fakultet deltok formannen for studentenes fagutvalg sammen med alle lærerne i faget.

På nivåene over – fakultet og kollegium – ble det reist krav om representasjon og medinnflytelse av både tjenestemenn og studenter. Professorene møtte *ex officio* i fakultetsmøtene med stemmerett, og dekaner og rektor ble valgt av professorene. Kravet om at også andre enn professorene skulle delta i styringen av universitetet, var blitt reist med styrke under diskusjonen for og mot Blindern-utbyggingen. Særlig studentene fremholdt at universitetets holdning i denne saken viste at «professorveldet» var dårlig egnet til å føre universitetet inn i en ny tid.

Et gjennombrudd for kravene om medinnflytelse kom med loven om Universitetet i Bergen, vedtatt av Stortinget i 1948. Denne loven fastsatte at valgte representanter for studenter og vitenskapelige tjenestemenn der skulle møte i fakultetene med stemmerett. Studentene var gitt representasjon som resultat av en vellykket aksjon fra Bergensstudentene overfor kirke- og undervisningsminister Kaare Fostervoll. Fostervoll var selv tidligere studentaktivist og en av opphavsmennene til Studentsamskipnaden. Han støttet studentenes representasjonskrav. Og under behandlingen av lov om Universitetet i Bergen uttalte stortingskomiteen at representasjon fra tjenestemenn og studenter også måtte innføres ved Universitetet i Oslo. Her ble studentenes representanter bare innkalt til fakultetsmøter for å gi sin mening til kjenne i enkeltsaker, uten å ha rett til å stemme eller delta i forhandlingene. Tjenestemennene var ikke representert.

En komité nedsatt av kollegiet la i 1952 frem forslag til endret styringsordning for universitetet. Et mindretall i komiteen ønsket å gå lenger enn det som var innført ved Universitetet i Bergen, og foreslo at tjenestemenn og studenter skulle bli representert med stemmerett også i Det akademiske kollegium. Dette forslaget fikk støtte fra fakultetene og kollegiet, og bestemmelser om representasjon for studenter og tjenestemenn ble tatt inn som del av den nye loven om Universitetet i Oslo, som ble vedtatt av Stortinget i 1955. I 1957 trådte loven i kraft – hvorpå én representant for studentene og én for de vitenskapelige tjenestemenn kunne ta sete i kollegiet ved siden av rektor og fakultetenes dekaner. Samtidig ble det innført nytt universitetsverv som prorektor, rektors stedfortreder og kollegiets nestformann.

Representasjon fra studentene i universitetets høyeste organ var et virkelig radikalt skritt. Det satte Universitetet i Oslo i en særstilling blant Europas universiteter. Når forslaget gikk så lett gjennom, må det ses på bakgrunn av de gode erfaringene man hadde med den studentstyrte Studentsamskipnaden. Det er også rimelig å tro at krigstidens erfaringer talte til fordel for å la studentene få medinnflytelse over universitetet.

Medinnflytelsen var imidlertid begrenset. Representanter for studenter og tjenestemenn fikk stemmerett ved valg av rektor og prorektor, men i fakultetene og i kollegiet fikk de ikke stemmerett i saker som angikk doktorgrader eller innstilling av professorer eller dosenter. De hadde også få stemmer i fakultetsrådene i forhold til professorene.

# Studiene i endring

Studieplaner og undervisningsopplegg gjennomgikk forandringer ved de fleste fakultetene i løpet av 1950-årene. Store forandringer ble foretatt i studieoppleggene ved Det matematisk-naturvitenskapelige og Det historisk-filosofiske fakultet. Embetseksamen ved disse fakultetene var organisert som en lærerutdannelse som førte frem til adjunkt- og lektoreksamen. Den sterke utbyggingen av skolen i etterkrigsårene hadde medført lærermangel, og fakultetene var under press utenfra for å forenkle og forkorte studiene for å øke utdannelseskapasiteten. Innad var det et voksende misforhold mellom studienes organisering etter skolefag og forskningens krav om spesialisering i stadig nye disipliner.

Det matematisk-naturvitenskapelige fakultet innførte i 1958 en studieordning som brøt radikalt med den gamle. I stedet for bifag ble det innført vekttallsemner av forskjellig størrelse, som kunne kombineres på mange ulike måter. Denne ordningen var etter mønster fra amerikanske universiteter og ble foreslått av professor i oseanografi Harald Ulrik Sverdrup, som selv i mange år hadde undervist ved University of California. Det matematisk-naturvitenskapelige fakultet utdannet ikke lenger bare lærere. Et økende antall kandidater gikk til stillinger innen forskning i offentlig eller privat virksomhet. Studieordningen tok konsekvensen av det ved at den ble lagt tettere opp til forskningsfagene. Reformen av lavere grads eksamen var fra Sverdrups side tenkt som første ledd i en omfattende omlegning av studiene etter amerikansk mønster, hvor ett av leddene var å innføre en organisert forskerutdannelse etter mønster av den amerikanske Ph. D-graden.

Det historisk-filosofiske fakultet gikk ikke så langt. I den nye studieordningen som dette fakultetet innførte i 1957, var den viktigste omlegningen at grunnfaget ble innført som en kortere studieenhet enn bifaget. Grunnfaget ble lagt nærmere opp til skolens arbeidsform, med fast pensum og kursundervisning med obligatorisk fremmøte. Dermed skulle overgangen fra skole til universitet bli enklere, og studietiden kortere og mer effektiv for studentene.

*Anders Jahres medisinske pris, bronsemedalje 1960*
*(Nic. Schiøll)*

De nye embetseksamenene ved Det matematisk-naturvitenskapelige og Det historisk-filosofiske fakultet opphørte formelt å være lærereksamener. Gjennom nye lover fra 1959 for matematisk-naturvitenskapelig og historisk-filosofisk embetseksamen ble det slik at universitetet fikk ansvaret for de akademiske gradene cand. mag., cand. real. og cand. philol., mens spørsmålet om undervisningskompetanse i skolen ble regulert i egne lover. Det historisk-filosofiske og Det matematisk-naturvitenskapelige fakultet var fortsatt landets største institusjoner for utdannelse av lærere til den høyere skolen, men fakultetenes tilbud og studentenes valg av fag var ikke lenger bundet til skolens krav. Eksamensfagene ved fakultetene omfattet langt flere fag enn de ordinære undervisningsfagene i skolen.

Et økende antall studenter avla magistergraden. Magistergraden ble vanlig for de første studentene innenfor samfunnsvitenskapene. I 1947 ble sosiologi og statsvitenskap føyet til listen over fag det kunne avlegges magistergrad i. Samfunnsvitenskapene lot seg ikke lett innpasse som hovedfag til historisk-filosofisk embetseksamen. De var ikke undervisningsfag i skolen, og utdannelsesmessig falt de utenfor de etablerte ordningene. Statsvitenskap lå dessuten under Det juridiske fakultet. Magistergraden var den studieordningen som lå best til rette for samfunnsvitenskapene som forskningsdisipliner.

# Den samfunnsvitenskapelige utfordringen

Planer om et institutt for samfunnsvitenskapelig forskning hadde vært fremme før krigen. I 1950 ble planene realisert som et privatfinansiert institutt for samfunnsforskning (ISF). Dette ble aldri en del av universitetet, men det fikk grunnleggende betydning for utviklingen av samfunnsvitenskapene ved universitetet. Sosiologi fikk sitt første professorat i 1948, og Institutt for sosiologi ble opprettet i 1950. Statsvitenskap fikk sitt institutt opprettet og sin første lærerstilling besatt i 1957. De første årene var de små fagmiljøene ved universitetet helt avhengige av Institutt for samfunnsforskning. ISF greide å skaffe midler til å bygge opp et dynamisk, tverrfaglig forskningsmiljø. Både NAVF og amerikanske forskningsfond var viktige kilder for finansiering av virksomheten. De nye samfunnsvitenskapene ble et fagfelt ved universitetet som i alt overveiende grad var finansiert av forskningsmidler utenfor universitetets budsjett og bare med et fåtall stillinger ved universitetet.

Miljøet ved ISF var i startfasen sterkt inspirert av Arne Næss' ideer om en rasjonell, verdifri samfunnsdebatt, og det var en innfallsport for impulser fra ny amerikansk samfunnsforskning. Både i metoder og studieobjekt stod samfunnsforskningen for en fornyelse på tvers av disiplinene og med et stort nedslagsfelt i mange av universitetets fag. Interessen vendte seg mot å studere samfunnet og dets virkemåte. Det juridiske fakultet innførte nye samfunnsvitenskapelige disipliner i sin fagkrets og opprettet stillinger i rettssosiologi og kriminologi. Hensikten var å utvide det faglige grunnlaget for rettsvitenskapen og fornye jusen som instrument for samfunnsreformer. Det medisinske fakultet styrket sin komponent i sosialmedisin, som ble et obligatorisk eksamensfag for medisinstudentene i 1950.

## Universitetet i velferdsstaten

Universitetet inntok en viktig plass i reformpolitikken som arbeiderpartiregjeringen førte i årene etter 1945. Det ble ingen kamp mellom et konservativt universitet og en reformivrig regjering slik det hadde vært i 1880- og 90-årene. Rettsvitenskapen ble en støttespiller for samfunnsreformer. De fremvoksende samfunnsvitenskapene utviklet styringsinstrumenter for en aktiv reformpolitikk. Det oppstod svært tette og nære bånd mellom regjeringen, deler av sentraladministrasjonen og enkelte fagmiljøer ved universitetet. Mest omtalt er «jerntriangelet» mellom Finansdepartementet, Statistisk Sentralbyrå og Sosialøkonomisk institutt. Sosialøkonomien ble styringsdisiplinen fremfor noen i det planlagte etterkrigssamfunnet, og sosialøkonomene ble en virkelig vellykket styringsprofesjon. Andre forbindelser ble utviklet mellom pedagogikk ved universitetet og i skolen. Det medisinske fakultet var en grunnpilar i oppbygningen av velferdsstaten. Universitetet utdannet leger, tannleger og psykologer til det offentlige helsevesen. De universitetsutdannede profesjonene hadde en sakkunnskap og et samfunnsmessig engasjement som passet nøye overens med reformpolitikkens mål. Regjeringen viste respekt for universitetet. Professorenes lønninger ble hevet rett etter krigen og lagt på nivå med departementenes ekspedisjonssjefer, og regjeringen unnlot å bryte med etablerte prinsipper for akademisk selvstyre.

Regjeringen tok initiativ til å legge et viktig helseprofesjonsstudium til universitetet, ved å foreslå Norges tannlegehøyskole innlemmet. Fra 1959 fikk universitetet Det odontologiske fakultet som sitt sjette fakultet. De nazistiske myndighetene hadde innlemmet tannlegehøyskolen i universitetet under krigen, men dette ble reversert i 1945. Tannlegehøyskolen var siden vokst til en institusjon med omtrent 90 ansatte og hadde fått til en betydelig forskningsmessig oppgradering med støtte fra NAVF. Det var tannlegemangel i Norge, og regjeringen ønsket å utvide og styrke tannlegeutdannelsen som et vitenskapsbasert studium. Initiativet til å legge odontologistudiet til universitetene var drevet frem av kirke- og undervisningsminister Birger Bergersen, som selv var professor ved Norges tannlegehøyskole.

I 1958 var planene for det nye universitetsområdet på Blindern kommet så langt at det kunne utlyses arkitektkonkurranse for bygningen til Det historisk-filosofiske fakultet. Utbyggingen var innpasset i en overordnet plan for disponeringen av områdene fra Blindern til Gaustad, som regjeringen hadde trukket opp. Universitetet skulle bygges ut som en del av et samlet vitenskapelig miljø. Universitetet skulle legges ved siden av en rekke planlagte vitenskapelige institusjoner.

Universitetet la frem en femårsplan i 1959 som i tillegg til byggeprosjektene konkluderte med behovet for 50 prosent flere ansatte, en fordobling av driftsbevilgninger til institutter og samlinger og økning av andre driftsbevilgninger med 50 prosent. Dette var hva kollegiet fant nødvendig for å sikre kvaliteten av forskning og undervisning ved et universitet med maksimalt 7000 studenter.

# 7

# Universitetet i vekst
# 1960–74

IKKE I NOEN TIDLIGERE epoke av universitetets historie har et tiår medført så store forandringer som 1960-tallet. Som vekstperiode var det uten sidestykke. Fra 1960 til 1970 ble studenttallet tredoblet, fra 5600 til 16 800. Denne veldige tilstrømning var i seg selv nok til helt å endre bildet av universitetet slik det ble opplevet innad og utad. Endringene var imidlertid enda mer omfattende. Universitetsområdet på Blindern ble bygget ut. Det gav universitetet et helt nytt ansikt. Universitetets stab av vitenskapelige og teknisk-administrative ansatte økte sterkt. Antall vitenskapelige stillinger ble mer enn fordoblet, fra under 500 til omtrent 1200. Økningen i antallet studenter og ansatte sprengte etablerte arbeidsmåter og organisasjonsformer.

Samtidig skjedde det grunnleggende forandringer av universitetets virksomhet, av normene for studenters og universitetslæreres adferd, og av hvilken rolle universitetet skulle spille i samfunnet. I løpet av ti år var universitetet omfattende og grunnleggende forandret.

Blindern-utbyggingen kom i gang i 1960 med utgangspunkt i universitetets egen femårsplan for å gi plass til et universitet med 7000 studenter. Dette tallet ble fort uaktuelt. I 1960 nedsatte regjeringen en komité med statssekretær Per Kleppe som formann, som fikk i oppgave å utrede behovet for utbygging av universitetene og høyskolene de neste ti årene. Komiteen mente det var realistisk å bygge ut med sikte på et samlet studenttall ved universiteter og vitenskapelige høyskoler på 18 000 i 1970. Derav måtte Universitetet i Oslo bygges ut til å klare 11 000.

Kleppekomiteens tall var beregnet på grunnlag av sannsynlig

etterspørsel fra studentenes side. Fødselskullene som nådde studiealder var voksende, og i tillegg var studietilbøyeligheten – andelen av kullene som tok examen artium og søkte seg til høyere utdannelse – sterkt tiltagende mot slutten av 1950-tallet. Dette var en utvikling som ikke tidligere var forutsett. Beregninger fra slutten av 1940-tallet hadde konkludert med et maksimaltall for studenter ved universitetet på 5100 i 1970.

Den sterkt tiltagende søkningen til høyere utdannelse i disse årene var et internasjonalt fenomen. I en rekke land ble det foretatt utredninger av behovet for flere studieplasser. Gamle universiteter ble bygget ut, og mange nye ble opprettet. Flere studieplasser ble en høyt prioritert sak for regjeringene. Da Sovjetunionen som det første land hadde greid å sende en kunstig satellitt ut i verdensrommet i 1957, opplevde man det i USA som en nødvendighet å ta et krafttak for å gjenvinne et teknologisk og vitenskapelig overtak. I kampen om militært og økonomisk hegemoni ble det viktig å føre en større del av alderskullene frem til høyere utdannelse og satse på universitetsundervisning og forskning på bred basis. Det amerikanske eksemplet ble fulgt av de andre vestlige land.

Kleppe-komiteens anbefaling var å sørge for ressurser til å bygge ut universitetene så langt man kunne for å imøtekomme etterspørselen fra studentenes side. Taket på 18 000 studenter på landsbasis var diktert av hva man mente å kunne makte. Anbefalingene ble fulgt opp fra regjeringen og Stortingets side. 1960-årene ble en nærmest eventyrlig byggeperiode ved Universitetet i Oslo. I tillegg til universitetsbygningene på Blindern ble det gitt statsstøtte til å fullføre Studentbyen på Sogn og til å reise den enda større Studentbyen på Kringsjå ved Sognsvann. I 1970 stod Kringsjå ferdig med 1673 hybler og 245 små leiligheter, fordelt på 17 bygninger. Studentbyene hadde da til sammen over 3300 boenheter.

Utbyggingen av det nye universitetsanlegget på øvre Blindern startet i 1960. I 1962 ble de første bygningene tatt i bruk – velferdsbygningene og institutt- og undervisningsbygningen for Det historisk-filosofiske fakultet. Utbyggingen ble foretatt etter en plan utarbeidet av arkitekten Leif Olav Moen, som hadde vunnet arkitektkonkurransen om Det historisk-filosofiske fakultets bygning i 1958. Planen innebar en modifisert videreføring av Sverre Pedersens Blindern-regulering fra 1924, med frittstående høyblokker omgitt av lavere undervisningsbygninger for fakultetene, og med felles velferdsfunksjoner samlet i lavblokker rundt en stor brolagt plass midt i anlegget. Utbyggingen fortsatte i høyt tempo, med bygninger for samfunnsvitenskap (1967) og matematiske fag (1963–67), en høyblokk for universitetets og Studentsamskipnadens administrasjon (1964), bygninger for preklinisk odontologi (1968), kjemi (1969) og biologi (1971). Utbyggingen av Blindern ble ett av de største offentlige byggeprosjektene i Norge gjennom tidene. På mindre enn ti år hadde universitetet utvidet sin bygningsmasse med 160 000 kvadratmeter. Biologibygningen på 37 000 kvadratmeter var i seg selv ett av de største bygg som inntil da hadde vært oppført for statens regning.

Det juridiske og Det medisinske fakultet ble ikke med til Blindern. I stedet delte juristene de gamle universitetsbygningene ved Karl Johans gate med Det medisinske fakultets institutter for prekliniske fag. Det odontologiske fakultet ble delt. Prekliniske fag ble lagt til Blindern, mens klinikken ble værende i den tidligere Norges tannlegehøyskole i Geitmyrsveien. Nye bygninger for odontologistudiet hadde vært avgjørende for å øke undervisningskapasiteten for tannleger i Norge. Nybygg for klinisk odontologi i tilknytning til den gamle høyskolebygningen stod ferdig i 1968, men tomten i Geitmyrsveien var for liten til å romme både preklinisk og klinisk undervisning – derfor ble undervisningen delt.

Det nye universitetsanlegget på Blindern var tegnet i en modernistisk stil, tilpasset funkisbygningene fra 1930-tallet. Fasadene var holdt i rød tegl og sorte plater. Utforming og plassering av bygningene var bestemt av prinsipper om rasjonell funksjonsfordeling og transportflyt. Institutter med kontorer for ansatte og arbeidsplasser for hovedfagsstudenter var lagt i høyblokkene, undervisningsrom og lesesaler for grunnfagsstudenter i lavblokkene inntil. Lesesalene ble anlagt i kolossalformat. Felleslesesalen

*Air, skulptur i stål 1961–62 (Arnold Haukeland)*

for Det samfunnsvitenskapelige fakultet fikk 740 plasser. Bygninger med omfattende laboratorieutstyr, som Kjemibygningen og Biologibygningen, ble holdt i maksimalt fem etasjes høyde, av hensyn til de tekniske løsningene.

I kontrast til det modernistiske ytre valgte fakultetene å gi flere av bygningene navn etter personer som har spilt en viktig rolle i fagenes historie. Det samfunnsvitenskapelige fakultet valgte å oppkalle sin bygning etter presten og folkelivsgranskeren Eilert Sundt. Det historisk-filosofiske fakultet bestemte seg for å gi sine bygninger navn etter professorene Niels Treschow, P.A. Munch og Sophus Bugge. Norskfilologene kalte sin fløy Henrik Wergelands Hus.

Hovedkantinen ble gitt navnet Frederikke etter universitetets grunnlegger Frederik 6. Frederikke var tegnet av arkitektene Frode Rinnan og Olav Tveten, og ble anlagt etter industrielle prinsipper for optimal flyt i transport og produksjon. Kjøkken og serveringssystem skulle ha kapasitet til å servere middag hver dag til det som tilsvarte befolkningen i en mindre by. Velferdsbygningene rommet for øvrig hva en by ville trenge av servicetilbud: bank, posthus, helsetjeneste, varehus, parfymeri, frisør, medisinutsalg, bokhandel – og et lite kapell. Inntil Frederikke ble det reist et stort idrettsbygg. Formålet med anlegget var at studentene på Blindern skulle finne alle de tjenester de trengte gjennom sin hverdag. Universitetsområdet på Blindern var på den måten anlagt som en modernistisk idealby.

Tilstrømningen av studenter til de fakultetene som holdt til på Blindern, kom snart til å sprenge alle prognoser. Studenttallet totalt for universitetet var allerede oppe i over 12 000 i 1966, og økningen var størst i Blindernfagene. I 1969 var det ialt 15 000 studenter ved universitetet. Av disse var 12 000 registrert ved fakultetene som holdt til på Blindern. Det historisk-filosofiske fakultet var det klart største. Fra 1960 til 1969 steg studenttallet ved fakultetet fra 2200 til 5800. Da hadde fakultetet alene flere studenter enn det hele universitetet hadde hatt i 1960. Det matematisk-naturvitenskapelige fakultet opplevet en langt svakere økning – fra 1650 til 3000. Den raskeste økningen skjedde ved

Det samfunnsvitenskapelige fakultet – fra 892 ved starten i 1963 til 3060 i 1969.

Studenteksplosjonen på 1960-tallet ble på denne måten særlig et Blindernfenomen. Fakultetene som ble igjen i sentrum, Det juridiske fakultet og Det medisinske fakultet, opplevde «bare» en fordobling av studenttallet gjennom 1960-tallet, mens humaniora og samfunnsvitenskap fikk en tredobling.

Det samfunnsvitenskapelige fakultet ble opprettet i 1963. Stigende studenttall og flyttingen til Blindern var avgjørende for at forslaget om et slikt fakultet gikk igjennom i kollegiet. Her ble de samfunnsvitenskapelige fagene fra Det juridiske fakultet (sosialøkonomi og statsvitenskap) og samfunnsfagene fra Det historisk-filosofiske fakultet (psykologi, pedagogikk, sosiologi og sosialantropologi) samlet. Fagene representerte forskjellige tradisjoner og faglige retninger. Det nye fakultet administrerte et konglomerat av fagspesifikke embetseksamener i sosialøkonomi, psykologi, sosiologi og pedagogikk. I 1967 ble det opprettet en egen samfunnsvitenskapelig embetseksamen (cand. polit.-graden) med samme struktur som historisk-filosofisk embetseksamen, med grunnfag, mellomfag og hovedfag, og med anledning til å kombinere fag på tvers av fakultetsgrensene. Denne studieordningen viste seg å passe godt til studentenes ønske om å kombinere særlig historisk-filosofiske og samfunnsvitenskapelige fag.

Utbyggingen av Blinden-fakultetene ble fulgt opp med bevilgninger fra Stortinget til å opprette en rekke nye stillinger, i et omfang som aldri før i universitetets historie. Tilførslene av vitenskapelige stillinger skjedde særlig i «mellomgruppen» av universitetslektorer, amanuenser og tilsvarende. Fra knapt 200 stillinger i 1960 steg antallet til 500 i 1968. I 1972 talte gruppen 650 ansatte. Antallet professorater steg vesentlig langsommere – fra 156 i 1963 til 226 i 1975, mens antallet dosenturer ble mer enn tredoblet (fra 41 i 1960 til 140 i 1972).

Universitetslektor var en ny stillingskategori ved universitetet. Før annen verdenskrig var det bare seks lektorer ansatt ved universitetet. De fleste av disse var nærmest hjelpelærere i fremmedspråkene, og de var ofte ikke regnet som vitenskapelige ansatte på samme måte som dosenter og professorer. De første lektorene som ble ansatt rett etter krigen ble betraktet som rent undervisningspersonale, med 8–12 timers undervisningsplikt ukentlig og i praksis ingen tid til eget vitenskapelig arbeid. Den eneste måten å avansere til høyere stillinger var å søke embetene som professor eller dosent, og for å få slike stillinger var det bare vitenskapelige kvalifikasjoner som telte.

Den store tilførselen av lektorstillinger medførte at universitetet fikk et pyramideformet hierarki, med forholdsvis få professorer og dosenter og et stort antall lektorer, hvor rettigheter og forpliktelser var vesentlig forskjellig fra topp til bunn. Representanter for lektorgruppen målbar misnøye med arbeidsbetingelsene. Det ble raskt fremmet krav om at lektorene måtte få nedsatt undervisningsplikt, få anledning til å drive egen forskning, og få muligheter for opprykk etter vitenskapelige kvalifikasjoner. Med det lille antallet professorater og dosenturer i forhold til lektorstillingene var det klart at ikke alle universitetslektorene kunne gjøre regning med å få et professor- eller dosentembete, selv om de kvalifiserte seg forskningsmessig.

I tillegg til lektorstillingene fantes en rekke stillinger som amanuenser og konservatorer og tilsvarende, med ulike kvalifikasjonskrav og ansettelsesbetingelser. Ett av de gjennomgående temaene i universitetets indre debatt gjennom 1960- og 70-tallet var kravet om harmonisering av ansettelsesbetingelser og arbeidsplikter innenfor «mellomgruppen» og om likestilling i arbeidsplikter mellom mellomgruppestillinger og professorater/dosenturer. Disse kravene fikk særlig tyngde etter hvert som kravene for å bli ansatt som universitetslektor ble skjerpet. I noen tilfeller var det ansatt lektorer som kom rett fra hovedfagseksamen, men et voksende antall universitetslektorer hadde vitenskapelige kvalifikasjoner på linje med det som krevdes av dosenter og professorer.

Ansatte i mellomgruppen opplevde det som urimelig at universitetslærere med samme kompetanse skulle ha vidt forskjellige arbeidsvilkår og ulik innflytelse på styringen av universitetet. Mens samtlige professorer og dosenter satt i fakultetsrådene,

*Sverre Steen, oljemaleri 1968*
*(Harald Dal)*

hadde den voksende gruppen av lektorer liten formell medinnfly-
telse. Instituttene var styrt av en bestyrer oppnevnt av kollegiet,
vanligvis en professor. Forskjellen mellom gruppene av vitenska-
pelig ansatte med hensyn til ansettelsesprosedyre, arbeidsplikter
og medinnflytelse forklarer mange av de indre spenningene som
oppstod ved universitetet i kjølvannet av den raske veksten i
antall stillinger.

Kravet om demokratisering av styringsordningene ved univer-
sitetet var ett utgangspunkt for en omfattende prosess med utred-
ning av egen organisasjon som ble satt i gang i 1967. Da opp-
nevnte kollegiet en komité med professor i medisin Alf Brodal
som formann. Den fikk som mandat å utrede «en revisjon av uni-
versitetets organisasjonsmessige oppbygging». I disse formule-
ringene lå forventninger om grunnleggende endringer.

En viktig forandring av universitetsadministrasjonen var alle-
rede gjennomført i 1962, da det ble opprettet et embete som uni-
versitetsdirektør som leder av universitetets administrasjon. Lov
om Universitetet i Bergen fra 1948 hadde innført et slikt embete.
I Bergen var universitetsdirektøren også medlem av Det akade-
miske kollegium, med stemmerett på linje med rektor og deka-
nene. Forslag om å opprette en tilsvarende stilling ved Universi-
tetet i Oslo hadde vært fremme både i 1930-årene og rett etter
krigen, men kollegiet hadde gått imot forslagene. Kollegiet
ønsket at rektor fortsatt skulle være universitetets leder, og fryk-
tet at en direktør utnevnt av regjeringen ville fungere som en opp-
synsmann til å kontrollere universitetet – noe som kunne redusere
universitetets indre selvstyre.

Regjeringen unnlot å innføre et direktørembete mot kollegiets
vilje da universitetsloven ble revidert i 1955, men i 1962 ble
embetet likevel opprettet. Kirke- og undervisningsdepartementet
kom til at de oppgavene universitetet stod overfor og den størrel-
sen det snart ville få, krevde en samlet administrativ ledelse med
større kontinuitet enn skiftende rektorer. Tidligere hadde univer-
sitetssekretæren bistått rektor og kollegiet med å ivareta admi-
nistrasjonen mens kvestor hadde overoppsynet med universitetets
økonomi. Universitetsdirektøren skulle nå få det samlede ansva-

ret for universitetets administrasjon, også økonomiforvaltningen. Regjeringen la seg på en forsiktig kompromisslinje. Direktøren ble ikke medlem av kollegiet med stemmerett. Universitetsdirektøren skulle utnevnes i statsråd etter kollegiets innstilling, men skulle få sin instruks fra regjeringen. Dette var ment å sikre universitetsdirektøren selvstendighet samtidig som styringen av universitetet fortsatt skulle ligge i rektors og kollegiets hender. Universitetssekretær Olav Meidell Trovik ble utnevnt til universitetsdirektør i 1962.

Debatten om universitetets interne styringsordninger skulle få et vesentlig annerledes preg kort etter at Brodal-komiteen hadde påbegynt sitt arbeid. Komiteens første innstilling – lagt frem i 1969 – la opp til en radikal omlegning av styringsstrukturen. Komiteen ønsket å innføre en demokratisk styreform med valgt ledelse ved instituttene og å åpne for bred representasjon i fakultet og kollegium. Komiteen viste til at «demokratiske prinsipper tilsier at alle de forskjellige grupper som kan avgrenses, i alminnelighet bør være representert i universitetets styrende organer». Dette la opp til en revolusjon i prinsippene for universitetsstyring.

## «Studentopprøret»

Politisk revolusjonære synspunkter hadde for alvor slått inn over universitetet fra 1968. «Studentopprøret» ble stående som et vendepunkt i universitetenes historie over hele den vestlige verden. Uro blant studenter ved amerikanske universiteter bredte seg til Frankrike, Storbritannia, Tyskland og andre land i Vest-Europa. Urobølgen nådde også Blindern. Institutter og fakulteter ble arenaer for skarp debatt og militante aksjoner.

Studentmiljøet i Oslo hadde i etterkrigsårene vært preget av saklig realisme. Det norske Studentersamfund hadde gjenreist sitt gamle ry som «landets frieste talerstol». Studentersamfundet var uten egen møtesal, men Dovrehallen i Storgaten ble en ramme om Samfundets møter som etter hvert ble legendarisk.

Studentmiljøet hadde rekruttert til politiske grupperinger som markerte seg i opposisjon til det regjerende Arbeiderpartiet. Sosialistisk studentlag i Oslo, Arbeiderpartiets studentforening, drev iherdig opposisjon mot regjeringens NATO-politikk, støttet av flere yngre universitetslærere. Noen av lagets ledere ble ekskludert fra Arbeiderpartiet i 1959 og var blant grunnleggerne av Sosialistisk Folkeparti året etter. På høyresiden var det en studentgruppering rundt Minervas kvartalsskrift (startet 1959) som målbar en verdikonservativ kritikk av sosialdemokratiet, inspirert av tradisjoner i humanistiske fag ved universitetet, med røtter tilbake til M.J. Monrad.

Denne formen for opposisjon ble avløst av en helt annen slags politisk aktivisme. Med «studentopprøret» kom en fundamental kritikk av den bestående politiske orden, og universitetets egen virksomhet i undervisning og forskning ble trukket inn i politisk debatt og gjort til gjenstand for politiske aksjoner. Aksjonsformene var til dels militante – demonstrasjoner, okkupasjoner og andre former for massemobilisering.

Studentopprøret var et sammensatt fenomen, med mange forskjellige årsaker. Det var et livsstilsopprør, som rettet seg mot vedtatte normer og samfunnsmønstre som ble avvist som autoritære og undertrykkende. En egen ungdomskultur, med egne omgangsformer, klesdrakt, musikk og litteratur sprengte seg vei i opposisjon til det etablerte voksensamfunnet.

Ungdomsopprøret fant en villig mobiliseringsbase blant studentene i USA og Vest-Europa. Ved universitetene var svært mange jevnaldrende samlet. De hadde en homogen livssituasjon, og de hadde ofte grunn til å være misfornøyde med levekårene. Universitetene var overfylte, studiefinansieringen ofte dårlig og arbeidsvilkårene generelt utilfredsstillende. Beskrivelsen hadde gyldighet også for Universitetet i Oslo, om ikke så uttalt som for en del utenlandske universiteter. Universitetsanlegget på Blindern var planlagt for et universitet med maksimalt 7000 studenter. Med dobbelt så mange studenter som forutsatt ble det trangt om plassen.

Fremtidsutsiktene for 1960-tallets studenter var usikre. Flere studenter enn tidligere kom fra miljøer uten akademiske tradisjoner og hadde få rolleforbilder å forholde seg til. Eksisterende forbilder mistet sin gyldighet. Masseuniversitetet kunne ikke føre alle dagens studenter frem til en eliteposisjon tilsvarende tidligere tiders akademikere, og mange studenter tok avstand fra etablerte eliter og måten de fungerte på. Mange var utålmodige med å få brukt sine kunnskaper til å forandre samfunnet. Akademikerne skulle solidarisere seg med de underprivilegerte.

Politiseringen av universitetsmiljøet gikk over i en politisering av faglige debatter innen de ulike disipliner. Særlig ble det reist kritikk av hvordan vitenskapen ble brukt innenfor den etablerte samfunnsorden i den kapitalistiske verden. Med inspirasjon fra Tyskland ble det reist skarp kritikk av positivismen som overordnet teoretisk paradigme i samfunnsvitenskap og humaniora. Kritikken gikk over i et marxistisk fundert oppgjør med vitenskapens politiske rolle. «Fagkritikk» ble lansert for å avsløre hvordan tilsynelatende verdifri vitenskap i virkeligheten bidro til å opprettholde og forsterke et autoritært og undertrykkende politisk system. Velferdsstatens og de akademiske profesjoners autoritære karakter skulle avsløres. Kritikken kom krasst til uttrykk innenfor samfunnsvitenskap, filosofi og enkelte andre humanistiske fag.

Studentopprøret og den faglige opposisjonen som kom til uttrykk, må ses på bakgrunn av den sterke studenttilstrømningen til humaniora og samfunnsvitenskap. Samtidig var den fagkritiske vendingen noe mer enn et rent studentpolitisk fenomen knyttet til disse fagene. Bevisstgjøringen om vitenskapens samfunnsmessige rolle grep inn i mange disipliner ved andre fakulteter. Landevinningene i naturvitenskap og medisin hadde skapt en alminnelig begeistring for vitenskapen som drivkraft for utvikling og fremgang. Det ble nå i stigende grad reist spørsmål ved hvordan naturvitenskapen ble brukt i en økonomi basert på vekst og forbruk. Det ble større oppmerksomhet om skadelige virkninger på miljøet og om de store forskjellene mellom industriland og fattige land i den tredje verden.

Studentopprøret ved Universitetet i Oslo fikk ikke det dramatiske forløpet som ved enkelte universiteter i USA, Frankrike og Tyskland. Politiske plakater, «veggaviser» og løpesedler satte sitt preg på universitetsbygningene, og politiske møter og aksjoner hørte til dagens orden. Det kom av og til kortvarige studentstreiker. Men selv når demonstranter grep til virkemidler som okkupasjoner og avbrytelser av møter i fakultetsråd og kollegium, valgte universitetsledelsen å unngå konfrontasjon. Det ble aldri aktuelt å tilkalle politi for å gjenopprette ro og orden.

Studentenes aktivisme rettet seg for en stor del mot forhold utenfor universitetet. Studenter deltok for eksempel i mange protestdemonstrasjoner mot USAs krigføring i Vietnam, som ble holdt utenfor universitetsområdet. Slike demonstrasjoner kunne i enkelte tilfeller lede til sammenstøt med politiet. I forbindelse med en studentdemonstrasjon i 1971 ble Stortingets møte avbrutt. Dette var begivenheter som fikk stor oppmerksomhet i presse og kringkasting.

Studentopprøret fikk konsekvenser for styringsformen ved universitetet. Ved flere samfunnsvitenskapelige og historisk-filosofiske institutter ble det reist krav om direkte demokrati, med deltagelse av lærere, studenter og teknisk-administrative ansatte på like vilkår i styringen av institutter og seksjoner. Kravene fikk betydelig sprengkraft fordi de grep inn i en allerede pågående strid mellom grupper av ansatte om hvem som skulle ha innflytelse over instituttenes ledelse. Etter Brodal-komiteens anbefaling ble det innført prøveordninger med valgte instituttråd med representasjon fra de ulike gruppene, som igjen valgte instituttbestyrere for en avgrenset periode.

Universitetet under rektor Hans Vogts ledelse var åpent for kravene om medbestemmelse og om større åpenhet i styringen av universitetet. Det ble skarp debatt om hvilken representasjon de ulike gruppene skulle ha i instituttorganene. Kollegiet trakk opp vide rammer for instituttenes administrasjonsordninger, men satte som krav at representanter for det fast ansatte vitenskapelige personalet skulle ha flertall i besluttende organer. Ett enkelt institutt – Institutt for sosiologi – innførte en avvikende ordning basert på direkte demokrati, med et instituttmøte hvor ansatte i alle kategorier, hovedfagsstudenter og representanter for grunnfagsstudenter hadde lik stemmerett. Instituttet praktiserte ordningen noen år på tross av at fakultetet og kollegiet nektet å godkjenne den.

# Kampen mot Ottosen-komiteen

Særlig to universitetspolitiske saker mobiliserte en radikalisert studentmasse. Den ene var om universitetet skulle innføre adgangsbegrensning for å kunne kontrollere tilstrømningen av studenter. Den andre var forslagene som ble lagt frem i innstillingene fra Ottosen-komiteen.

Universitetet opplevde tilstrømningen av studenter fra begynnelsen av 1960-tallet som en trussel mot dets mulighet til å fungere etter hensikten. Studentene formelig oversvømte universitetet, som ikke hadde lokaler eller lærerstab til å ta imot. I 1963 foreslo universitetet å innføre en generell adgangsbegrensning ved Det matematisk-naturvitenskapelige fakultet, etter at søkningen dit hadde vist sterk økning. Fakultetets planlagte nybygg var ikke ferdige, og universitetet fant det ikke mulig å gi forsvarlig undervisning til alle som søkte dit. Stortinget samtykket i adgangsbegrensningen, som i praksis fikk liten betydning. Opptaksvotene var store nok til at alle som søkte, fikk påbegynne realfagsstudiet.

I 1964 besluttet kollegiet å foreslå å regulere adgangen til Det historisk-filosofiske fakultet, med virkning fra 1965. Dette forslaget ble imidlertid ikke gjennomført. Regjeringen ønsket å holde adgangen til universitetene så åpen som mulig. Søkningen til universitetene ble større enn man hadde forutsett, men regjeringen ønsket ikke å stenge adgangen til universitetet for dem som søkte seg til høyere utdannelse.

Kapasitetsproblemene i høyere utdannelse var en av grunnene til at regjeringen i 1965 nedsatte Videreutdanningskomiteen for å utrede hva som kunne gjøres for å skaffe høyere utdannelse til alle dem som nå meldte sin interesse. Formann i komiteen var Studentsamskipnadens administrerende direktør Kristian Ottosen. Komiteens første delinnstilling fra 1966 ble positivt mottatt også av studentenes organisasjoner, men de øvrige delinnstillingene – fremlagt i årene fra 1967 til 1970 – ble møtt med massiv kritikk og avvisning fra et politisert universitetsmiljø.

Ingen komité som har arbeidet med høyere utdannelse har fått en slik mottagelse. «Kamp mot Ottosen-komiteen» ble en parole for mobilisering av studentaktivisme med tverrpolitisk oppslutning. I komiteens innstillinger mente man å finne et uttrykk for myndighetenes ønske om å rasjonalisere universitetene og bringe dem under kontroll – gjøre dem mer ufrie, begrense studentenes valg av studier og gjøre studieordningene mer næringslivsrettet. Kritikerne av det politiske systemet mente her å se hvordan makthaverne ønsket å stramme grepet om universitetet og gjøre det til et mer effektivt redskap for politisk ensretting og undertrykking.

Kritikken av Ottosen-komiteen fikk bred oppslutning. Studenter av alle politiske avskygninger tok avstand fra en universitetspolitikk som syntes å skulle avgrense studenters og læreres tradisjonelle frihet. Ottosen-komiteen ble beskyldt for å presse universitetet til å bli en «studentfabrikk» for å utdanne flest mulig på kortest mulig tid, med krav om nedskjæring av studietid for den enkelte, noe som ville gå utover mulighetene til refleksjon og personlig modning.

Kritikken mot Ottosen-komiteen fikk betydelig tilslutning også fra universitetslæreres side. Det ble reagert mot å se universitetene som produksjonsenheter underlagt effektivitetsmål. Skulle det presses gjennom så mange studenter som det nå syntes å ligge an til, var det mange som fryktet at universitetets preg av forskningsinstitusjon helt ville gå tapt. Særlig ble det reagert på forslagene om en organisert forskerutdannelse. Dette ble sett som helt uakseptabelt ut fra universitetets tradisjoner. Forskning var en aktivitet som i prinsippet var uforutsigbar, en personlig prosess der forskerens arbeid med sitt materiale ikke kunne eller burde styres av økonomiske eller andre hensyn.

Konfrontert med det man tolket som angrep på universitetets frihet ble det fra universitetets side formulert et forsvar av universitetet som trakk tråder tilbake til ideen om det «humboldtske universitet». Universitetet måtte stå i et uavhengig forhold til myndighetene og være et kritisk korrektiv til samfunnet. En politisering av universitetet ble nødvendig for å gjenreise universitetets frie stilling.

Motstanden mot Ottosen-komiteen og ønsket om å begrense

adgangen til universitetet var begge utslag av et ønske om å forsvare universitetets identitet. Det var generell uvilje mot å gjøre universitetet for stort, og det var fryktet at studenttilstrømningen ville tvinge universitetslærerne over i rene undervisningsstillinger uten tid til å drive egen forskning og faglig refleksjon. Studentene avviste adgangsbegrensning, men sluttet opp om idealet om et fritt og uavhengig universitet.

Det Ottosen-komiteen faktisk foreslo, var tiltak for en betydelig økning av kapasiteten i høyere utdannelse. Studenttallet var vokst mye mer enn det Kleppe-komiteen hadde lagt opp til, og Ottosen-komiteen la til grunn at det var studentenes egne valg som måtte bestemme dimensjoneringen. Komiteen gikk derfor inn for å øke kapasiteten ved de eksisterende universitetene og for å bygge ut de nye universiteter i Trondheim og Tromsø. Den gikk også inn for å etablere et nytt skoleslag som alternativ til universitetene, distriktshøyskoler. Disse skulle bygges ut i distriktene for å møte etterspørselen etter kortere og mer yrkesrettede utdannelser enn det universitetene tilbød. Forslaget var begrunnet med at mange studenter heller ville ønske å ta slik utdannelse fremfor langvarige, kostbare og lite direkte yrkesforberedende studier ved universitetene. Erfaringen fra etterkrigstiden var at søkningen til slike kortere studier – for eksempel lærerskolene – hele tiden hadde oversteget kapasiteten.

Stortinget vedtok i 1968 å opprette et universitet i Tromsø, og samme år ble det vedtatt å slå NTH og Norges lærerhøgskole sammen til et universitet i Trondheim. Ottosen-komiteens forslag om å opprette distriktshøyskoler fikk også gjennomslag i Stortinget. Forslaget fikk begeistret tilslutning fra distriktsinteresser, og allerede i 1969 ble de første distriktshøyskoler startet på prøvebasis.

De av Ottosen-komiteens forslag som direkte berørte universitetets studieplaner og indre organisering, fikk ikke umiddelbare følger i form av pålegg fra myndighetenes side. Regjeringen ønsket ikke å presse gjennom vidtrekkende reformer på tvers av den sterke motstanden fra universitetenes side. Det ble ikke aktuelt å gripe inn på de områdene hvor universitetet tradisjonelt var

*Universitetets Myntkabinett 150 år, bronsemedalje 1967*
*(Øivind Hansen)*

selvstyrt. Signalene fra politiske myndigheter var derimot entydig til støtte for de tankene som Ottosen-komiteen hadde tatt opp.

Komiteen la til grunn at høyere utdannelse var et velferdsgode som flest mulig i samfunnet burde få adgang til. Dimensjonering av høyere utdannelse skulle ikke bestemmes ut fra et antatt samfunnsmessig behov for utdannet arbeidskraft, men ut fra studentenes etterspørsel etter utdannelse. Høyere utdannelse skulle ikke være forbeholdt en fåtallig elite, men være en demokratisk rettighet åpen for flest mulig. Det samme synet ble gjennomført som grunnlag for offentlig studiefinansiering. Låne- og stipendordningene gjennom Statens Lånekasse ble generelle ordninger som alle kunne søke. Den siste behovsprøvingen mot foreldres inntekt og formue (unntatt for ungdom under 19 år) ble opphevet i 1972.

Også Universitetet i Oslo stilte seg positivt til Ottosen-komiteens forslag om distriktshøyskoler. Kollegiet så muligheter for at universitetet kunne bli avlastet noe av den store studenttilstrømningen. Det var derfor interesse for at distriktshøyskolene ikke bare skulle ta opp utdannelsestilbud som adskilte seg fra universitetsstudiene. Mange ønsket at distriktshøyskolene skulle ta opp universitetsfag på grunnfagsnivå og på den måten overta noe av elementærundervisningen, slik at universitetet kunne få frigjort tid og krefter til forskning og hovedfagsundervisning. Slik tilstrømningen til universitetet økte mot slutten av 1960-tallet og begynnelsen av 1970-tallet, tiltok bekymringen for hvordan universitetet skulle kunne greie belastningen med det store studenttallet.

I 1970 henvendte kollegiet seg til regjeringen og foreslo at det ble opprettet et nytt universitetsområde på Østlandet. Studenttallet vokste over hodet på universitetet. På tross av store demonstrasjoner fra studentene vedtok kollegiet i 1972 å foreslå innført adgangsbegrensning også ved Det samfunnsvitenskapelige og Det historisk-filosofiske fakultet. Det var kommet klare signaler fra regjeringen om at økningen i ressurser til Universitetet i Oslo ikke lenger ville fortsette, og i Stortinget var adgangsbegrensning til universitetet nå politisk akseptabelt.

# Studentaktivisme i ml-bevegelsens tid

Den politiske aktiviteten blant studentene tok en ny vending ved en ytterligere radikalisering ved utgangen av 1960-årene. Fra 1969 ble grupperingene utgått av SUF(ml) blant de mest aktive i studentpolitikken. Rød Front vant styrevalget i Det norske Studentersamfund høsten 1969, og det ble drevet intens mobilisering fra ml-siden for valg til student- og fagutvalg og til Studenttinget.

Ml-bevegelsen bygget på ytterliggående revolusjonær marxistisk ideologi og fant inspirasjon i den kinesiske kulturrevolusjonen. Den la vekt på militante aksjonsformer og var internt organisert som et sentralstyrt og veldisiplinert parti med sin egen kultur. Rundt en indre kjerne ble det organisert en rekke frontorganisasjoner for å mobilisere bredere støtte. Bevegelsens uttalte mål var en revolusjonær omveltning i Norge. «Væpna revolusjon» som middel for arbeiderklassens maktovertagelse var et virkemiddel bevegelsen i prinsippet vedkjente seg. Studentopprøret i 1968 hadde startet som en anti-autoritær frihetsbevegelse. Med ml-bevegelsen kom autoritær kommunisme i forgrunnen.

Etter 1969 vendte studentaktivismen seg fra fagkritikken og mer i retning av interessearbeid for studentene. Mobilisering mot adgangsbegrensning og mot Ottosen-komiteens forslag gikk side om side med mobilisering for bedre studiefinansiering. Krav om bedret studiefinansiering og kompensasjon for merverdiavgiften som nå ble innført, samlet store massedemonstrasjoner i Oslo og de andre universitetsbyene i 1969 og 1970. Aksjonsformene ble samtidig mer militante. Det er naturlig å se dette som et resultat av at ml-bevegelsen var blitt toneangivende blant aktivistene på venstrefløyen. Interessekamp egnet seg bedre som mobiliseringsgrunnlag enn fagkritikk, og ml-bevegelsen var skeptisk til mye av fagkritikkens innhold.

Studenttinget ble en arena for mobilisering for og mot Studentsamskipnaden. For ml-bevegelsen og andre ytterliggående marxistiske grupper var Studentsamskipnaden et organ for undertrykking og disiplinering av studentene. Den tilslørte den reelle motsetningen mellom studentene og staten. Etter deres mening var det statens ansvar å skaffe studentboliger og kantiner til billig pris. Den studentstyrte Studentsamskipnaden var et skinndemokratisk blendverk som burde avsløres. Det ble mobilisert for at studentene skulle holde opp med å ta bedriftsøkonomiske hensyn og vise ansvarlighet i utøvelsen av styreflertallet i Studentsamskipnaden, og i stedet vedta husleier og kantinepriser slik de passet studentene. Hensikten var å presse frem at staten overtok og viste sitt sanne ansikt ved å diktere prispolitikken.

I Bergen og senere i Tromsø førte denne linjen til at studentene ble fratatt sitt styreflertall i studentsamskipnadene der. Studentsamskipnaden i Oslo greide å ri stormen av. I Studenttinget ble det ikke flertall for å sette prinsippet om brukerstyring i fare. Det ble satt i gang husleiestreiker i studentbyene flere ganger, men de ble stort sett av kort varighet.

I 1971 ble den gamle planen om et nytt hus for Studentersamfundet endelig realisert. Chateau Neuf ved Majorstuen stod ferdig ved det sydlige ytterpunktet for Blindern-aksen, tegnet av arkitektene Kjell Lund og Nils Slaatto. Chateau Neuf vakte oppsikt ved sin brutalt modernistiske arkitektur. Arkitektenes bruk av betong, glassbyggesten og metall i fasadene lot bygningen fremstå som en naken konstruksjon. Interiøret holdt samme stil. Storsalen, som med sine 1200 sitteplasser var ett av Oslos største forsamlingslokaler, hadde åpne tekniske installasjoner, lys- og ventilasjonsanlegg fremhevet som arkitektoniske elementer, malt i skarpe farver.

Chateau Neuf ble likevel ikke tatt i bruk som studenthus slik det var planlagt. Tomten var stilt gratis til disposisjon av staten mens byggesummen var tenkt finansiert ved privat innsamling. Størrelsen sprengte denne finansieringsmåten. Planene for huset vokste i takt med studenttallet i Oslo, og det viste seg umulig å finansiere en så stor bygning med private midler alene. Staten og universitetet trådte støttende til på den måten at mesteparten av arealene i huset ble leid ut til universitetet. Storsalen ble brukt som forelesningslokale, og flere institutter ved Det historisk-filosofiske fakultet flyttet inn i bygningen. Andre arealer ble brukt til kommersiell restaurantdrift. Virksomheten førte raskt til klager

*Alf Brodal, oljemaleri 1975 (Jan Sæther)*

på støy og uorden fra folk som bodde rundt. Chateau Neuf ble et sterkt synlig symbol for adferd av studenter og annen ungdom som brøt med etablerte normer i samfunnet.

Chateau Neuf hadde fått sitt navn etter Hans Majestet Grisen, midtpunktet for tidligere tiders parodiske studentikose seremonier. Da huset ble innviet, var Hans Majestet for lengst tvunget i eksil av de revolusjonære, og Chateau Neuf ble rammen om legendariske mønstringer av ml-bevegelsens tilhengere. Studentersamfundets generalforsamling høsten 1974 samlet over 5000 deltagere og ble det største politiske studentmøte holdt i Oslo noensinne. Med over 3200 mot 1400 stemmer vant Rød Front en overlegen seier over konservative utfordrere.

## Et forandret universitet

Universitetet kom ut av 1960-årenes sterke vekst og omveltninger som en forandret institusjon. Blindern var blitt et sentrum for politisk kamp og mobilisering som vakte oppsikt over hele Norge. Det å være student ved universitetet var blitt noe helt annet enn det var tidligere. Det å være universitetslærer og drive forskning og undervisning, hadde også fått et annet innhold.

Knapt noe universitetsfag var upåvirket av den sterke politiseringen på slutten av 1960-tallet. Riktignok var virkningene svært forskjellige fra fakultet til fakultet. Det juridiske fakultet hadde stått utenfor mye av radikaliseringsprosessen blant studentene. Innad i Det juridiske fakultet oppstod det imidlertid sterke spenninger, særlig mellom de samfunnsvitenskapelige disiplinene – kriminologi og rettssosiologi – og flere av de tradisjonelle rettsvitenskapelige disiplinene. Kriminologene og rettssosiologene kom til å fremstå som skarpe kritikere av det juridiske fagmiljøs rolle i det norske samfunn. Fakultetet kom på denne måten til å romme ytterpunktene i det polariserte universitetsmiljøet på 1970-tallet.

Det historisk-filosofiske og Det samfunnsvitenskapelige fakultet var de fakulteter som var sterkest påvirket av det som skjedde, men det var store variasjoner fra fag til fag. Innenfor enkelte disipliner kom det til fagpolitiske konfrontasjoner som førte til varig splittelse. Det mest uttalte eksemplet var pedagogikk. Innenfor dette faget var positivismekritikken reist med stor kraft mot det etablerte faglige lederskap, som på sin side nektet å komme opposisjonen i møte. Opposisjonen samlet støtte fra studenter og yngre lærere, og Det samfunnsvitenskapelige fakultet foreslo å opprette et alternativt studieopplegg – det sosialpedagogiske studiealternativet – på tross av motstand fra flertallet ved Pedagogisk forskningsinstitutt. Studiealternativet ble godkjent av kollegiet i 1974.

Sosialpedagogikken tok opp i seg sentrale elementer av den fagkritiske bevegelsen. Den definerte seg som en frigjørende pedagogikk med en klar samfunnspolitisk profil. Studiet skulle legges opp etter nye pedagogiske prinsipper og bryte med mye av universitetets tradisjoner i undervisning og evaluering. Striden vedvarte til det sosialpedagogiske alternativet ble integrert i det ordinære studietilbudet i pedagogikk i 1978.

Frem av den politiserte fagdebatten vokste en ny form for identitet knyttet til det å være universitetslærer. Universitetslærere stod frem og støttet opposisjonelle strømninger i samfunnet, begrunnet med sitt faglige ansvar. Filosofilærere lenket seg sammen ved Mardøla i 1970 i en aksjon av sivil ulydighet for å bevare naturen mot utbygging. I den opphetede debatten om norsk EF-medlemskap kom mange universitetslærere til å engasjere seg på nei-siden, i opposisjon til en politikk rettet inn mot økonomisk vekst og effektivisering av samfunnet. Dette ble for mange en virkeliggjøring av idealet om universitetets samfunnskritiske funksjon.

Det var ikke noen enstemmig oppslutning om denne nye rollen for universitetslærere. Mange tok avstand fra politisering og politisk bruk av fagene. Avstanden vokste mellom de forskjellige fakultetene. Profesjonsorienterte studier og naturvitenskapelige forskningsmiljøer gikk en annen vei enn de politiserte miljøene i samfunnsvitenskap og humaniora. Debatten om vitenskapens ansvar for miljø og sikkerhet fikk imidlertid konsekvenser også for naturvitenskapene. Det matematisk-naturvitenskapelige fakultet foreslo i sitt budsjettforslag for 1971 at forurensnings- og naturvernproblemer måtte gis en sterkere stilling de kommende årene, ikke for at fakultetet skulle engasjere seg i praktisk løsning av problemene, men fordi fakultetet «utdanner ekspertise som kreves til dette, og driver den grunnforskning som er nødvendig for at samfunnet skal mestre problemene innen disse områdene.»

Det universitetet som var vokst frem på begynnelsen av 1970-tallet, var et universitet som var mer splittet enn tidligere, og som hadde vesentlig mer motsetningsfylt forhold til det omkringliggende samfunn enn universitetet hadde hatt ti år tidligere. Aftenposten kommenterte på lederplass i 1972 at det samfunnskritiske universitet lett kunne fremkalle sitt motstykke i det «universitetskritiske samfunn».

# 8

# Universitetet i samfunnet
## 1975–90

FORSLAGET TIL STATSBUDSJETT som ble lagt frem høsten 1971 innvarslet at den sterke veksten for universitetet gikk mot slutten. Universitetet hadde foreslått opprettet 173 nye vitenskapelige stillinger. Regjeringen fremmet forslag om 57. Med stadig økende tilstrømning av studenter ville dette medføre en ytterligere forverring av forholdstallet mellom lærer og student, som gjennom årene før hadde utviklet seg i ugunstig retning. Universitetet oppfattet det svake budsjettet som et løftebrudd fra myndighetenes side. Universitetet ble ikke tilført tilstrekkelig med ressurser til å håndtere det voksende studenttallet.

Budsjettforslaget kom mens den politiske aktivismen blant studentene stod på det høyeste. Studenter og universitetsledelse gjorde felles sak. Studentene gikk til generalstreik én dag, og seks tusen underskrifter på en protest mot statsbudsjettet ble overrakt statsministeren ved en stor demonstrasjon foran regjeringsbygningen. Rektor og universitetsdirektør holdt pressekonferanse sammen med studentenes ledere. Aksjonen demonstrerte interessefellesskapet mellom studentene og universitetsledelsen.

Protestene mot det svake budsjettet førte ikke til økte bevilgninger. Fra 1973 ble det så å si stopp for vekst i stillinger og driftsbudsjett. Skiftende regjeringer la frem planer for Stortinget for utbygging av høyere utdannelse. Alle planene gikk ut på at studenttallet ved Universitetet i Oslo skulle holdes konstant og universitetets budsjett ikke økes mer enn pris- og lønnsøkning gjorde nødvendig. En rekke planlagte byggeprosjekter ble lagt til side. En periode med stillstand var innledet. Denne perioden skulle komme til å vare i 15 år.

Signalene om krise som universitetsledelsen og studentene hadde sendt ut høsten 1971, gav imidlertid resultater. Stortingets kirke- og undervisningskomité bemerket i sin budsjettinnstilling at særlig enkelte fag ved Det historisk-filosofiske og Det samfunnsvitenskapelige fakultet syntes å arbeide under uholdbare forhold, og komiteen bad om forslag til kriseløsninger hvor også spørsmålet om adgangsbegrensning ble tatt opp.

Universitetet hadde veket tilbake for å foreslå adgangsbegrensning utover de strengt regulerte profesjonsstudiene i medisin, farmasi og odontologi, men i lys av utsiktene til nullvekst i budsjettene foreslo både Det historisk-filosofiske og Det samfunnsvitenskapelige fakultet adgangsbegrensning til sine studier. Dette var noe universitetet ugjerne gikk til. Meningene innenfor de to fakultetene var sterkt delte, og Det juridiske fakultet gikk imot enhver form for adgangsbegrensning til jusstudiet.

Med klar presisering av at dette dreide seg om midlertidige nødstiltak, vedtok kollegiet våren 1972 å gå inn for en «mild» adgangsbegrensning til Det historisk-filosofiske og Det samfunnsvitenskapelige fakultet. Behandlingen i universitetsorganene viste at det mellom studentene og universitetet ikke var noe interessefellesskap i dette spørsmålet. Fakultetsrådene både i Det samfunnsvitenskapelige og Det historisk-filosofiske fakultet ble avbrutt av demonstranter. Kampen mot «lukking» ble en fanesak for mobilisering av studentaktivister på ytterste venstre fløy, og motstanden mot adgangsbegrensning fikk støtte fra studenter av alle politiske avskygninger.

Regjeringen gav i 1973 samtykke til den foreslåtte adgangsbegrensningen. Den ble gjennomført på en lempelig måte med romslige opptakskvoter. Først i 1975 ble søkere til de to fakulteter avvist. Adgangen til realfagsstudiet var i praksis åpen for alle søkere, men det ble innført begrensninger for opptak til enkeltfag. Synkende studenttilstrømning og adgangsbegrensning førte til at veksten i studenttilstrømningen stoppet opp fra 1974. Da var det registrert drøyt 20 000 studenter. Studenttallet skulle holde seg på dette nivå frem til 1989.

På tross av at universitetet selv hevdet at det egentlig var dimensjonert for et studenttall på rundt 15 000, var det sterk motstand i universitetsledelsen mot å avvise så mange søkere at man ville komme ned på dette nivået. «Etter min oppfatning ville det være et svik mot den studiesøkende ungdom og også mot studiemotiverte eldre, som for begge kategoriers vedkommende i stadig større utstrekning banker på lukkede dører,» uttalte rektor Otto Bastiansen i 1974. «Det må være vår oppgave å kjempe for at de studenter vi har, skal få den plass og den undervisning de har krav på.» Universitetet aksepterte på denne måten et studenttall det selv mente det ikke hadde tilstrekkelig med lokaler og personale til å håndtere.

For Universitetet i Oslo kom det stagnerende studenttallet til å bety en sterk relativ tilbakegang i forhold til andre institusjoner for høyere utdannelse. Det samlede antall studenter ved universiteter og høyskoler vokste fra 64 000 i 1973 til 88 000 i 1982. Andelen av disse som studerte ved Universitetet i Oslo, sank fra en tredjedel til en drøy femtedel. Universitetet i Oslo delte skjebne med Universitetet i Bergen. 1970-tallet ble tiåret for utbygging av distriktshøyskoler. Universitetene i Trondheim og Tromsø ble prioritert, mens Bergen og Oslo opplevde stillstand i bevilgninger og studenttall.

«Jeg pleide å si at et hovedstadsuniversitet aldri blir populært. Et nytt universitet i Tromsø var det distriktspolitisk sus over, og det samme gjaldt distriktshøgskolene. 'Universitetet på Blindern' ble av mange sett på som et sted hvor studentene laget bråk og preket væpna revolusjon,» uttalte rektor Johs. Andenæs i et tilbakeblikk.

Overgangen fra sterk ekspansjon til nullvekst i budsjetter og stillinger kom brått og ble en smertefull erfaring for universitetet. Romsligheten i bevilgningene på 1960-tallet hadde gjort det mulig å sette i gang forskningsvirksomhet over et vidt spektrum av fagområder. Virksomheten hadde igjen avfødt ekspansive fagmiljøer som presset på for videre utvidelser. Stillstand i bevilgninger ble opplevde som tilbakegang, og mange fagmiljøer opplevde ubalanse mellom oppgaver og ressurser. Veksten i studenttallet hadde vært større enn veksten i antall stillinger gjennom

*Utsnitt av billedteppet Trollveggen i Administrasjonsbygget på
Blindern u.å (Hannah Ryggen)*

1960-årene, slik at forholdstallet mellom studenter og lærere faktisk var forverret i løpet av vekstperioden.

Stagnasjonen stilte universitetets beslutningsmønster overfor nye utfordringer. I stedet for å fordele et ekspanderende budsjett, måtte universitetet foreta prioriteringer innenfor en stagnerende økonomisk ramme. Fra Kirke- og undervisningsdepartementet fikk universitetet klar beskjed om at det ikke var verdt å bruke tid på å skrive ekspansive budsjettforslag. Nye oppgaver måtte for fremtiden løses ved omdisponering av de ressursene universitetet allerede hadde.

Utfordringen for universitetsledelsen ble å gjenopprette tillitsforholdet mellom universitetet og myndighetene og samfunnet for øvrig. Universitetet fulgte to linjer i disse bestrebelsene. Den ene gikk ut på å understreke og styrke universitetets samfunnsrelevans. Den andre linjen som ble fulgt, var et sterkt forsvar for universitetets egenart og for verdien av grunnforskningen, som var universitetets særlige ansvar og som måtte vurderes ut fra annet enn kortsiktige nyttebehov.

Universitetet opplevde at bildet som var skapt av universitetet utad, bidro til å svekke tilliten. «Et av de mest skremmende aspekter ved å skulle overta som rektor ved Universitetet i Oslo, er det faktum at store deler av det norske samfunn har fått et bilde av Universitetet som vi som hører hjemme her, har vanskelig for å kjenne igjen,» sa den nyvalgte rektor Otto Bastiansen ved rektorskiftet i januar 1973.

## Tilpasning til samfunnsendringer

Å åpne universitetet for allmennheten var en prioritert oppgave i Otto Bastiansens rektortid. Et stort anlagt arrangement med «åpne dager» ble holdt høsten 1975 med titelen «Universitetet i hverdagen». Publikum ble invitert til å besøke alle deler av universitetet for å få et innblikk i studenters og ansattes hverdag. Arrangementet tok særlig sikte på å styrke kontakten mellom universitetet og miljøer som tidligere hadde hatt liten kontakt med universitetet, blant dem fagbevegelsen. Statsminister Trygve

Brattelis åpningstale understreket behovet for å «skape god kontakt mellom de lærde utdanningssteder og de store folkegrupper i dagens samfunn».

Åpenhet til samfunnet var en måte å gjenreise tilliten til universitetet, ved å få frem relevansen for samfunnet av den virksomheten som ble drevet der. Dette gjaldt forskning like mye som undervisning. Både i Bastiansens og etterfølgeren Bjarne A. Waalers rektortid ble det tatt initiativ fra universitetsledelsen til å legge om universitetets studietilbud for å styrke relevansen ytterligere, ved bedre å tilpasse seg det man kunne anta var samfunnets fremtidige behov for akademisk utdannet personale.

På den ene side var det voksende bekymring for de fremtidige arbeidsmulighetene for de mange studentene som var i gang med å ta sin utdannelse. Prognoser lagt frem i 1974 tydet på overproduksjon av filologiske kandidater i forhold til det tradisjonelle arbeidsmarkedet for filologer. På den annen side ble det følt behov for å gjøre universitetets studier bedre tilpasset endringer i kvalifikasjonskrav i samfunnet. Universitetet som lærerutdannelsesinstitusjon stod i fokus for omfattende utredninger. Rektor Waaler tok i 1978 opp universitetets lærerutdannelse som et viktig problemområde som universitetet burde arbeide med på tvers av fakultetsgrensene. Det var nødvendig å styrke universitetskandidatenes yrkeskvalifikasjoner i konkurranse med kandidater med annen utdannelse. Universitetet var allerede under press for å styrke den praktisk pedagogiske side av lærerutdannelsen. Kollegiet vedtok i 1982 å innføre fagdidaktiske komponenter i «skolefagenes» grunnfag. Et annet initiativ fra rektor Waaler ledet til opprettelsen av en ny utdannelse i helseadministrasjon organisert under Det medisinske fakultet. Et nytt behov var oppstått som følge av den sterke ekspansjonen innen helsevesenet.

Den mest omfattende studiereformen ved universitetet på 1970-tallet var omleggingen av gradsstrukturen under Det matematisk-naturvitenskapelige fakultet, gjennomført i 1977. Ved denne reformen ble cand. real.- og mag. scient.-gradene avskaffet. I stedet ble det innført et realfagsstudium i tre trinn. Cand. mag.-graden ble beholdt med en studietid på $3^1/_2$ år, på nivået over kom en ny *cand. scient.*-grad basert på et hovedfagsstudium på minst $1^{1}/_{2}$ år, og på toppen et doktorgradsstudium som førte frem til den nye *dr. scient.*-graden. Doktorgradsstudiet forutsatte en samlet arbeidsmengde på minst to år, fordelt på en selvstendig vitenskapelig undersøkelse og et individuelt studium. Med denne reformen innførte universitetet sitt første organiserte doktorgradsstudium.

Forslaget om doktorgradsstudiet grep tilbake til et tidligere forslag om et organisert doktorgradsstudium i realfag, som hadde vært fremmet i 1963, men som den gang var blitt forkastet av universitetet. Ottosen-komiteen hadde tatt opp forslag om organisert forskerutdannelse og fått tilslutning i regjeringen og Stortinget, men forslagene ble avvist av Universitetet i Oslo på prinsipielt grunnlag.

Når Det matematisk-naturvitenskapelige fakultet besluttet å ta forslaget om doktorgradsstudiet opp igjen i 1975, var den direkte foranledningen at NTH året før hadde innført dr. ing.-graden som en organisert forskerutdannelse på toppen av sivilingeniørstudiet. Det matematisk-naturvitenskapelige fakultet argumenterte for at universitetets kandidater måtte kunne konkurrere med NTHs doktorgradskandidater på arbeidsmarkedet. Doktorgraden ville være en kvalifisering til arbeid med forskning i forskjellige yrkessammenhenger, ved universiteter og høyskoler, i forskningsinstitutter og bedrifter. Forskning i realfagene var blitt et stort arbeidsområde i det offentlige og i næringslivet, og dette arbeidsmarkedet var forventet å vokse betydelig i årene fremover.

Ved de øvrige fakultetene var det fortsatt uvilje mot å gjennomføre tilsvarende endringer i studieoppleggene. Det historisk-filosofiske fakultet gikk med på å redusere studietiden til cand.mag.-graden, men både dette og flertallet av de øvrige fakulteter stilte seg lenge avvisende til å innføre doktorgradsstudier. Ved Det historisk-filosofiske fakultet var det sterk stemning for å forsvare fagstudiene mot endringsforslag utenfra. Så sent som i 1976 vedtok fakultetsrådet å beholde forberedende prøve i latin som obligatorisk for cand.philol-graden – et krav som da bare var opprettholdt for filologikandidatene ved Universitetet i Oslo, og som studentene flere ganger hadde foreslått opphevet. For realister og jurister var kravet om forberedende prøve i latin opphevet allerede i 1930-årene.

Omlegningen av studieordningen ved Det matematisk-naturvitenskapelige fakultet fortsatte med innføring av teknologisk orienterte studier, hvor studenter ved fakultetet kunne avlegge eksamen og få tittelen sivilingeniør. En utredning fra 1976 hadde foreslått å opprette en ny teknisk høyskole i Norge for å utdanne flere sivilingeniører, som man mente det ville bli behov for i 1980-årenes næringsliv. Universitetene hadde gått mot å opprette en ny teknisk høyskole og hadde i stedet tilbudt å utdanne sivilingeniører selv. Regjeringen støttet universitetenes forslag, og universitetet fikk tilført midler til å starte det nye studieopplegget fra begynnelsen av 1981. I 1984 fikk universitetet rett til å tildele sivilingeniørgraden. Bare få kandidater benyttet seg av adgangen til å bli sivilingeniør ved Universitetet i Oslo, men innførelsen av teknologisk orienterte studie var et signal om at Det matematisk-naturvitenskapelige fakultet så det som sin oppgave også å utdanne kandidater til næringslivet.

Universitetet argumenterte for at universitetsgradenes store grad av fleksibilitet ville ligge godt til rette for å kombinere fag på nye måter, noe som ville kunne kvalifisere for mange arbeidsoppgaver. En interfakultær cand.mag.-grad fra 1973 hadde gjort det mulig å kombinere fag fra alle fakulteter, og det var mulig å innpasse fag fra andre utdannelsesinstitusjoner og fra utenlandske universiteter.

Det samfunnsvitenskapelige fakultet fulgte etter Det matematisk-naturvitenskapelige fakultet med å innføre organisert forskerutdannelse. I 1984 fremmet fakultetet forslag om å innføre gradene *dr. polit.* og *dr. psychol.*

## Ny styringsstruktur

I 1975 vedtok Stortinget omfattende endringer i universitetsloven, som innebar en ny styringsform ved universitetet. Endringene bygget på de forslag kollegiet hadde fremmet for regjeringen tre år tidligere på grunnlag av Brodal-komiteens innstilling. Regjeringens lovproposisjon og Stortingets vedtak fulgte hovedtrekkene i universitetets forslag.

Lovendringen gjennomførte prinsippet om at alle grupper ved universitetet skulle være representert i styringsorganene på alle nivåer. Stortinget skar gjennom diskusjonen om hvilke grupper som skulle ha stemmerett i hvilke saker, ved å vedta at alle representantene skulle ha lik stemmerett i alle saker.

Lovvedtaket forutsatte at medlemstallet i Det akademiske kollegium skulle utvides, men Stortinget overlot til regjeringen å fastsette størrelsen. Regjeringen innhentet universitetets uttalelse, og kollegiet fremmet en delt innstilling. Kollegiets flertall holdt på et lite kollegium med 14–16 medlemmer, blant dem rektor, prorektor og de syv dekanene. Mindretallet gikk inn for et stort kollegium med 40 medlemmer, som i tillegg til rektor, prorektor og dekanene skulle bestå av representanter for vitenskapelige ansatte, øvrige tjenestemenn og studenter. Regjeringen gikk inn for en modell tett opp til mindretallets forslag, med et kollegium med 33 medlemmer, men med adgang til å ha et arbeidsutvalg. Internt bestemte universitetet seg for et arbeidsutvalg med ni medlemmer og flere observatører. I arbeidsutvalget deltok rektor, prorektor og dekanene sammen med representanter for studenter og teknisk-administrative ansatte.

Denne løsningen innebar et kompromiss mellom dem som ønsket å videreføre det gamle systemet med dekanene og rektor som lederne av universitetet, og dem som ønsket et bredere representativt forum med et løsere forhold til fakultetenes ledelse. Det store kollegiets møter ble delvis åpnet for tilhørere.

Iverksettelsen av den nye styreordningen medførte problemer knyttet til studentenes representasjon. Loven forutsatte at samme valgordningsregler skulle gjelde for alle grupper av stemmeberettigede, også studentene, og valgordningsreglementet fastsatte som hovedprinsipp at studentenes valg skulle skje ved urnevalg. Regelen var innført siden valg på allmannamøter erfaringsmessig gav lite representative utfall. Fra studentpolitikkens venstreside hadde det vært mobilisert for en ordning hvor studentene selv kunne fastsette sin valgordning. Striden om valgordningen truet med å sette studentenes deltagelse i universitetsorganene i fare, siden bare representanter valgt etter valgordningsreglene kunne aksepteres som lovlig valgte.

Studentenes Fellesråd valgte å legge spørsmålet om valgordningen frem for alle registrerte studenter til uravstemning. Uravstemningen i 1976 ble et knusende nederlag for venstresiden. Aldri hadde så mange studenter benyttet sin stemmerett. Over 9600 avgitte stemmer tilsvarte en oppslutning fra studentene på nær 50 prosent, og nesten tre fjerdedeler av stemmene ble avgitt for at studentene skulle bruke de valgreglene som departementet hadde fastsatt.

Året etter nådde aktivismen fra ml-bevegelsen et høydepunkt i anvendelse av fysisk vold ved universitetet. En gjesteforelesning av en israelsk forsker ble avbrutt av demonstrasjoner, og det samme skjedde ved møter i kollegiet og kollegiets arbeidsutvalg. Demonstranter brøt seg inn på universitetsdirektørens kontor for å hindre arbeidsutvalget i å fortsette et møte. Demonstrasjonene mot kollegiet gjaldt behandlingen av et forslag om lov om disiplinærtiltak overfor studenter, som var utarbeidet for å få like regler ved universitetene og de vitenskapelige høyskolene. Lovforslaget hadde møtt alminnelig motstand blant studentene, og det ble heller aldri fremmet av regjeringen. Av en ml-bevegelse på vikende front ble det forsøkt brukt som et middel for ny politisk mobilisering. Forsøket mislyktes. Demonstrasjonene mot disiplinærloven kom til å markere avslutningen av den epoke da ml-bevegelsen preget studentlivet ved universitetet.

Det politiske engasjementet blant studentene gikk raskt tilbake mot slutten av 1970-årene. De ytre tegnene på politisk aktivisme ble borte fra universitetsområdene, og studentenes deltagelse i universitetsvalgene sank. Det ble vanskelig å finne kandidater nok til å fylle de plassene som universitetsloven gav studentene i institutt- og fakultetsorganer. Interessen for valgene i Studentersamfundet sank til et lavmål.

Demokratiseringen av universitetsorganene gjennom den nye styringsordningen som trådte i kraft i 1977, fikk få øyeblikkelige konsekvenser. Prinsippene om representasjon fra studenter og vitenskapelige tjenestemenn var allerede gjennomført på institutt- og fakultetsnivå, og gjennom lang behandling av organisasjons-forslagene var det oppnådd bred enighet om hovedpunktene. At vitenskapelige tjenestemenn og embetsmenn utgjorde én samlet gruppe med like rettigheter, ble ikke lenger opplevet som kontroversielt. At representanter for ikke-vitenskapelige tjenestemenn og studenter skulle avgi stemme i saker som gjaldt ansettelser og vitenskapelige grader, vakte heller ikke stor motstand. Tidligere hadde disse spørsmålene utløst stor uenighet. Motsetningene innenfor universitetssamfunnet var tonet ned, og de nye organene opprettholdt kontinuiteten fra de tidligere. Det nyvalgte fakultetsrådet ved Det historisk-filosofiske fakultet valgte imidlertid som en viktig symbolsak å gjøre om vedtaket fra året før om å opprettholde forberedende prøve i latin.

Kort etter at universitetets styringssystem var lagt om, ble det i den nye hovedavtalen mellom staten og fagorganisasjonene i 1980 gjennomført nye regler for ansattes medbestemmelsesrett i statsforvaltningen. Etter lange og ganske vanskelige forhandlinger ble bestemmelsene gjennomført ved universitetet gjennom en særavtale mellom universitetet og fagforeningene i 1982. Avtalene innførte lokal forhandlingsrett for ansattes fagforeninger i en rekke saker. Universitetet måtte dermed forholde seg til et dobbelt sett av regler for ansattes medbestemmelse – gjennom valgte organer og gjennom lokale forhandlinger. Fagforeningene ved universitetet grep raskt den nye muligheten til aktiv medbestemmelse, som kanskje særlig fikk betydning for det teknisk-administrative personalet.

«Hovedavtalen har gitt organisasjonene en vesentlig større og viktigere rolle i styre og stell ved universitetet,» konkluderte Foreningen for vitenskapelige tjenestemenn ved Universitetet i Oslo i 1983. «Særavtalen gjorde det langt vanskeligere å være rektor ved universitetet. Særinteressene som allerede var sterke nok ved institusjonen, hadde nå fått nok en kanal å artikulere seg gjennom,» uttalte rektor Bjarne A. Waaler i et intervju i 1989. Etter en anstrengt startfase gikk imidlertid ordningen seg til.

# Forsvar for grunnforskningen

Stagnasjonen i statsbevilgninger til universitetet i 1970-årene falt sammen med at andelen av forskningsmidler fra NAVF som ble kanalisert til Universitetet i Oslo, gikk tilbake. Gjennom 1960-årene hadde forskningsmiljøene ved universitetet mottatt over 40 prosent av NAVFs forskningsbevilgninger. Andelen steg mot slutten av tiåret. I 1968 gikk mer enn halvparten av NAVFs prosjektmidler til Universitetet i Oslo. Ti år senere var denne andelen redusert til en tredjedel. Samtidig stagnerte NAVFs budsjett målt i faste kroner. Forskningsrådet hadde hatt sterk vekst i budsjettet i begynnelsen av 1970-årene, men deretter stoppet den opp. Flere konkurrerte om de samme midlene. Vitenskapelig ansatte ved de øvrige universitetene og de fremvoksende distriktshøyskolene meldte seg med prosjektsøknader.

NAVF hadde fra starten av definert sin oppgave som å støtte forskningen ved universitetene og de vitenskapelige høyskolene. Størsteparten av midlene hadde vært fordelt etter søknad fra enkeltforskere og forskningsmiljøer. I fordelingen fulgte rådet rent faglige kriterier. Ved inngangen til 1970-årene ble forskningspolitikken lagt om i retning av sterkere styring av forskningsmidlene. Myndighetene ønsket å prioritere prosjekter og programmer med klarere samfunnsmessig relevans og direkte nytteverdi. I 1970 sammenlignet NAVFs styreformann, professor Anders Bratholm, forskningspolitikken med den økonomiske politikk som var ført siden 1930-årene og konkluderte med at «meget tyder på at også forskningspolitikkens laissez-faire-periode nærmer seg slutten». Forskning var blitt en integrert del av helt sentrale samfunnsfunksjoner, og det var voksende interesse for å styre forskningsressursene ut fra politisk definerte mål.

Bevilgninger til teknologisk forskning hadde økt fra slutten av 1960-tallet og var begrunnet ut fra næringspolitiske mål. På 1970-tallet ble også samfunnsvitenskapene trukket inn i tanker om planlegging og styring av forskning for gitte samfunnsformål. Statsmidler til forskning ble i stigende grad kanalisert gjennom målrettede programmer over de enkelte fagdepartementers budsjetter. Andelen av offentlige forskningsbevilgninger som gikk til grunnforskning, ble redusert. Når offentlig og privat forskningsvirksomhet ble sett under ett, hadde anvendt forskning vokst dobbelt så mye som grunnforskningen gjennom 1970-årene.

Bekymring for grunnforskningens stilling nådde politisk nivå i 1980, da regjeringen nedsatte et utvalg med professor Olav Gjærevoll som formann for å utrede «grunnforskningens vilkår i Norge». I Norge var det i all hovedsak universitetene og vitenskapelige høyskoler som utførte grunnforskning. Gjærevollutvalget tegnet et dystert bilde av vilkårene grunnforskningen hadde ved universitetene. 1960-årene hadde vært en god epoke for grunnforskningen i Norge – antagelig den beste noensinne. Den senere stagnasjonen i forskningsrådstilskudd hadde rammet universitetets grunnforskningsvirksomhet hardt, på toppen av stillstanden i stillingstall og driftsbevilgninger. Særlig gjaldt dette fag som krevde tungt utstyr og kostbare materialer.

Antallet årsverk ved universitetene anvendt til grunnforskning hadde vokst sterkt, som følge av at alle faste lærerstillinger ved universitetet nå var definert som forskerstillinger. På den annen side hadde utstyrs- og driftsbevilgningene ikke vist en tilsvarende økning. Det var blitt et misforhold mellom personalressurser og penger til utstyr og drift. Gjærevoll-utvalget anbefalte en økning av årlige statsbevilgninger til universitetsforskning for å ta igjen noe av det forsømte.

Gjærevoll-utvalgets anbefalinger fikk liten oppmerksomhet sammenlignet med anbefalingen fra et utvalg for teknisk-industriell forskning som arbeidet samtidig, og som konkluderte med et behov for å øke innsatsen innen teknisk forskning til det dobbelte for å fremme vekst og nyskapning i norsk industri. Gjærevoll-utvalgets forslag tok sikte på å gjenopprette balansen mellom grunnforskning og anvendt forskning slik den hadde vært tidlig på 1970-tallet. Den videre forskningspolitiske utvikling tok en annen vei. Industrirettet forskning og utvikling ble definert som sentrale virkemidler for å gjenvinne veksten i norsk økonomi etter nedgangstiden i 1970-årene, da norsk industris konkurranseevne var blitt vesentlig svekket.

Universitetets argumentasjon for ny vekst i bevilgningene ble sterkt preget av forsvaret for grunnforskningen og dens betydning. Myndighetene ble stadig minnet om verdien av grunnforskning både som et gode i seg selv og som grunnlag for all ny kunnskap, også den som senere skulle komme til praktisk anvendelse i samfunnet. Grunnforskningen var selve universitetets sjel. «Det er forskningsvirksomheten som gjør oss til et universitet,» påpekte rektor Waaler i sin tale ved immatrikuleringen i 1978.

I 1978 fastslo kollegiet som prinsipp at forskning og undervisning er plikter som ligger til alle faste vitenskapelige stillinger ved universitetet, med noen ganske få unntak. En universitetslærer er og skal være en *forsker*. Undervisning og forskning skal ikke skilles ad.

## Drakamp om ressurser

Forsvaret for universitetsforskningen gav liten uttelling i form av nye bevilgninger til Universitetet i Oslo. Samtidig økte presset innenfra og utenfra for å gå inn i nye områder, både på undervisnings- og forskningssiden. Stillstand i budsjettet økte oppmerksomheten om hva som ville være mulig å få til ved omdisponering av eksisterende midler. Den plutselige utflating av veksten i stillingstall og budsjetter hadde «frosset» en gitt fordeling av ressurser mellom fag og fakulteter.

Forskjellene mellom fakultetene var svært store. Med 55 lærere og 3200 studenter hadde Det juridiske fakultet i 1975 58 studenter per lærer. Forholdstallet var ved Det medisinske fakultet samtidig 4,7 studenter per lærer, ved Det matematisk-naturvitenskapelige fakultet 7,4 studenter per lærer, og ved Det historisk-filosofiske og Det samfunnsvitenskapelige fakultet henholdsvis 19 og 18 studenter per lærer. En overfladisk sammenligning kunne gi misvisende konklusjoner. Likevel ble det fra flere fakulteter tatt til orde for en omfordeling av ressursene mellom «rike» og «fattige» fakulteter.

Med en tredjedel av de vitenskapelige stillingene og av driftsbevilgningene til forskningsformål, men bare en sjettedel av studentene, fremstod Det matematisk-naturvitenskapelige fakultet i statistikken som relativt ressurssterkt. Rektor Otto Bastiansen trakk denne relative velstand frem i sin tale ved årsfesten i 1976: «men jeg ønsker å stille spørsmål: relativt til hva? ... Relativt til det internasjonale universitets aktiviteter i sitt område står det svakt.» Bastiansen mente man måtte være forsiktig med å tro at ressursoverføring mellom fag og fakulteter kunne løse de problemene universitetet slet med.

I Bjarne A. Waalers rektortid ble arbeidet med å kartlegge ressursbruken ved universitetet en hovedsak. Som dekanus ved Det medisinske fakultet hadde Waaler gjennomført en grundig undersøkelse av ressurser og oppgaver ved alle fag innenfor dette fakultetet. Undersøkelsen hadde som formål å finne kriterier for å sammenligne ressursbruken i ulike fagmiljøer. Slike kriterier var nødvendige som grunnlag for beslutninger om å omfordele stillinger og bevilgninger. Det ble lagt ned et stort arbeid for å få et tilsvarende grunnlag for sammenligning av ressursbruken mellom fakultetene.

Arbeidet med ressursutredningene hadde flere siktemål. For universitetet var det maktpåliggende å presse på overfor myndighetene for økte bevilgninger. Da var det viktig å kunne demonstrere at universitetet forstod å husholdere på beste måte med ressursene – og at det ikke var ødselhet eller skjulte reserver å finne i institusjonen. Dessuten var det nødvendig å vise at universitetet faktisk var i stand til å prioritere innenfor sitt budsjett, slik at ressurser kunne overføres til pressede områder fra mindre pressede fag. Nye fagområder kunne bare tas opp ved overføringer fra allerede eksisterende virksomhet. Fleksibilitet i ressursbruken var derfor også en betingelse for nyskapning.

Fra 1982 ble det satt i gang ressursundersøkelser av flere fakulteter og fagmiljøer. Formålet var å få frem et grunnlag for å vedta overføringer på tvers av fakultetsgrensene og innenfor fakultetene. Prosessen gikk helt frem til 1988. Avgjørelsene som da ble fattet i kollegiet, gjenspeilte at situasjonen for fakultetene hadde endret seg vesentlig siden diskusjonen om omfordeling startet nesten 15 år tidligere. Det historisk-filosofiske fakultet hadde i mellomtiden mistet en tredjedel av studenttallet og måtte gi fra seg stillinger. Det juridiske, Det matematisk-naturvitenskapelige og Det samfunnsvitenskapelige fakultet ble netto mottagere, mens Det odontologiske fakultet måtte avgi flest stillinger. Totalt sett var det et lite antall stillinger som ble berørt, ialt 22 av universitetets 1600 vitenskapelige stillinger. Internt i fakultetene var det imidlertid skjedd en ganske betydelig overføring av ressurser mellom fagområder – i takt med skiftende studenttilstrømning og ut fra prioritering av nye fagområder og nye oppgaver.

## Stagnasjonstiden i tilbakeblikk

Det er ikke mulig å gi noen på langt nær uttømmende oversikt over den faglige nyskapningen som hadde skjedd ved universitetet i den lange perioden med tilnærmet nullvekst i budsjettet. Det finnes mange utsagn fra disse årene som røper frustrasjon og oppgitthet. Knappe ressurser preget hverdagen for universitetsansatte og studenter. Trange driftsbudsjetter gikk ikke bare utover forskningsvirksomheten, men også hverdagslige funksjoner som rengjøring og vedlikehold. Universitetsbygningene i sentrum og på Blindern fikk etter hvert tydelig preg av slitasje og forfall.

Nyrekruttering til flere fag ble mer eller mindre umulig på grunn av stillstand i budsjettene, og mange miljøer opplevet «forgubbing» som et problem. Under den raske veksten i 1960-årene hadde universitetet rekruttert mange ansatte som befant seg i samme aldersgruppe. Dette gav liten mobilitet, og det skapte bekymring for hvordan man skulle rekruttere nye forskere når pensjonsalderen nærmet seg.

Likevel gav situasjonen også opphav til kreativitet og fornyelse. En bølge av begeistring bar frem forskning og undervisning med et uttalt kvinneperspektiv i mange fag. Miljøene ved Det historisk-filosofiske fakultet, som på mange måter følte seg som taperne i dragkampen om ressurser og oppmerksomhet, og som også opplevet en sterk nedgang i studenttallet, grep til nye midler for å formidle sin forskning. Fra 1983 ble Humanioradagene en

*Frikvarter, oljemaleri u.å (Odd Nerdrum)*

fast årlig mønstring av humanistiske disipliner, som nådde frem til et bredt publikum.

Sett under ett var det ved universitetet skjedd forandringer gjennom de 15 årene med stagnerende budsjett som viste at det hadde vært mulig å få nyskapning til. Innenfor Det matematisk-naturvitenskapelige fakultet var Institutt for informatikk etablert og vokst frem til et stort institutt. Fakultetet hadde gitt rom for utvikling av petroleumsrelatert forskning og undervisning innenfor geofagene, i takt med økende etterspørsel for å møte behovene knyttet til oljeaktivitetene i Nordsjøen. Det juridiske fakultet utviklet et miljø i petroleumsrett med støtte fra eksterne kilder. Innenfor Det historisk-filosofiske fakultet var det lykkes å etablere et miljø i mediefag, som i 1987 laget et nytt studiefag i samarbeid med Det samfunnsvitenskapelige fakultet. Et tverrfaglig senter for kvinneforskning ble opprettet i 1986.

Delvis var nyskapningene gjort mulig gjennom tilførsel av stillinger over statsbudsjettet. Selv om veksten i stillingstallet var svært beskjeden sammenlignet med 1960-årene, skjedde det likevel en økning også i tiden etter 1972. Fra 1974 til 1984 økte universitetets samlede stab fra 2820 til 3077. Universitetet hadde disse ti årene fått 85 nye vitenskapelige stillinger og 171 ikke-vitenskapelige stillinger. Økningen var større på papiret enn i virkeligheten. Mange nye stillinger var egentlig en lovpålagt konvertering av midlertidige ansettelsesforhold til faste stillinger. Særlig gjaldt dette personale ved Universitetsbiblioteket og filosofilærere til examen philosophicum.

Av fakultetene var det bare Det matematisk-naturvitenskapelige som hadde fått et betydelig tilskudd av nye vitenskapelige hovedstillinger og professor II-stillinger. I alt fikk fakultetet 47 nye faste vitenskapelige stillinger i tiden fra 1975 til 1985. Økningen gjenspeiler regjeringens og Stortingets prioritering av fagområder under fakultetet, som informatikk, petroleumsgeologi og teknologisk orienterte studier.

Ett universitetsbygg ble reist i denne perioden. Det var første trinn av bygningen for Preklinisk medisin, som stod ferdig på Gaustad i 1978. Å få dette byggeprosjektet realisert på tross av det rådende budsjettklimaet, hadde kostet store anstrengelser. Da planene var klarert med statsmyndighetene, hadde de nær grunnstøtt på motstand i Oslo kommune. Fra lokalpolitisk hold ble det reist innvendinger med henvisning til vern av miljø og dyrket mark. At bygningen i det hele tatt ble reist, skyldtes i vesentlig grad Bjarne A. Waalers personlige innsats og overtalelsesevne.

Behovet for en bygning for preklinisk medisin var begrunnet med både forsknings- og undervisningsargumenter. I den nye bygningen fant de medisinske basalfagene vesentlig bedre arbeidsforhold enn i de 130 år gamle bygningene som de flyttet ut av i Oslo sentrum. Bygningen var også helt sentral for arbeidet for å øke medisinutdannelsens kapasitet.

## Studentbefolkningen i endring

Studentene ved universitetet forandret seg gjennom 1970-årene. Selv om studenttallet samlet holdt seg på et nivå rundt 19 000, ble studentenes fagvalg og studieadferd endret. Studenttallet ved Det historisk-filosofiske fakultet ble redusert fra 5654 i 1974 til 3510 i 1984. Antallet jusstudenter økte i samme tidsrom med 30 prosent. I 1984 hadde Det juridiske fakultet over 4000 studenter. Dette satte fakultetet i akutt krisetilstand. Det var da 66,5 studenter per lærer, og mange bekymret seg for kvaliteten av undervisningen. Det ble også spurt om fremtidige arbeidsmuligheter for så mange juridiske kandidater.

Universitetet fremmet forslag om adgangsbegrensning til Det juridiske fakultet, men forslaget ble avvist av regjeringen, som ønsket å holde Universitetet i Oslo så åpent som mulig. I stedet valgte regjeringen å tilføre Det juridiske fakultet penger og nye lærerstillinger som del av «sysselsettingspakken» høsten 1984. Et nytt hensyn ble med dette innført i universitetspolitikken. Norge opplevde stigende arbeidsledighet. Regjeringen så universitetsstudier som et virkemiddel for å sysselsette ungdomskullene og dermed minske køen av arbeidssøkere. I 1983–84 utgjorde ledigheten over tre prosent av arbeidsstokken. Arbeidsledighet på et slikt nivå hadde ikke landet opplevet siden 1930-tallet, og

241

myndighetene satte inn store ressurser for å få ledigheten ned.

Antallet uteksaminerte kandidater hadde gått noe tilbake gjennom 1970-årene, på tross av konstante studenttall. Dette røpet et nytt mønster i studieadferden. Studentene brukte lenger tid på å fullføre studiene, og mange søkte seg til universitetet uten å ta sikte på en fullstendig universitetsgrad. Registrering av antall deltidsstudenter er usikker, men det var synlig færre studenter som fulgte undervisningen. Alderssammensetningen endret seg, og det samme gjorde studentenes familiestatus. Gjennomsnittsalderen steg. Et voksende antall studenter var gift eller samboende, og langt flere hadde barn.

Et betydelig innslag i studentmassen var studenter med flere års yrkeserfaring bak seg som vendte tilbake til universitetet for videreutdannelse eller for å ta opp helt nye fag. Voksne kvinner som ønsket å gå ut i arbeidslivet søkte seg til universitetet, mange for å fullføre tidligere avbrutt utdannelse. Et annet nytt innslag var pensjonister som fulgte universitetsundervisning. Studentmassen var samlet blitt eldre og mer heterogen.

Ett slående endringstrekk var det økende innslaget av utenlandske studenter. I 1970 var 313 utenlandske studenter registrert. I 1984 var antallet økt til 1368. Av disse kom et betydelig antall fra den tredje verden. Som ledd i norsk utviklingshjelp ble det stilt til disposisjon studieplasser og studiefinansiering ved norske universiteter for studenter fra u-land som ønsket å kvalifisere seg for akademiske yrker i sine hjemland. Internasjonaliseringen av studentmassen ble hilst velkommen av universitetet selv, men den satte universitetet på nye prøver. Det var ikke alltid lett for utenlandske studenter å dra nytte av universitetets undervisningstilbud, som i all hovedsak foregikk på norsk. I takt med det økende innslag av utenlandsstudenter ble det nødvendig å utvide universitetets tilbud av undervisning i norsk som fremmedspråk. Det ble også viktig med faglig og sosial rådgivning for studenter som ikke var fortrolige med norske forhold.

# Kvinnenes inntog ved universitetet

Det mest grunnleggende endringstrekket i studentbefolkningen var den økende kvinneandelen. Frem til 1950-tallet var menn i overveldende flertall blant studentene. Kvinnenes inntog ved universitetet fra 1960- og 70-årene av var en del av en samtidig grunnleggende strukturendring i det norske samfunnet. Rundt 1960 hadde kvinneandelen av studentene nådd 20 prosent; i 1970 utgjorde kvinner en tredjepart av universitetets samlede studenttall. Kvinnene skaffet seg i stadig større utstrekning lønnet arbeid utenfor hjemmet. Økt utdannelse var en viktig forutsetning for denne utviklingen.

Gjennom 1970-tallet økte kvinnene til et flertall av studentene. Samtidig ble universitetet et sentrum for den organiserte kvinnebevegelsen, som vokste frem fra 1970-tallet med forskjellige politiske avskygninger. Med feministbevegelsen ble 1960-tallets studentopprør ført videre i 1970-tallets kvinneopprør. I dette opprøret var flere av universitetets kvinnelige vitenskapelig ansatte blant de mest aktive. I 1982 var kvinneandelen av studentene kommet opp i 50,4 prosent, og siden har kvinnene alltid vært i flertall blant universitetets studenter.

Som arbeidsplass var universitetet lenge sterkt kjønnssegregert. Så å si alle kontoransatte var kvinner, og kvinner bemannet garderober og kantiner. Blant de vitenskapelige ansatte var derimot menn i overveldende flertall. I 1968 var ikke mer enn 2,9 prosent av universitetets professorer og dosenter kvinner, mens kvinneandelen av vitenskapelige ansatte i mellomgruppen var 12,1 prosent. Ti år senere – i 1978 – var andelen blant fast ansatte økt til 5,5 prosent av toppstillingene og 19,3 prosent av mellomgruppestillingene. Selv om dette var en betydelig økning, var den likevel sakte og langt svakere enn økningen i kvinnenes andel av uteksaminerte høyere grads kandidater. Blant de uteksaminerte var kvinneandelen i 1978 økt til 27,5 prosent, mens andelen av kvinner i rekrutteringsstillinger fortsatt bare var drøyt 20 prosent.

Underrepresentasjonen av kvinner i vitenskapelige stillinger var utgangspunktet for et sterkt engasjement for likestilling ved universitetet fra midten av 1970-tallet. Etter forbilde av Universitetet i Bergen besluttet kollegiet i 1976 å opprette et permanent likestillingsutvalg ved Universitetet i Oslo, og kollegiet fattet et prinsippvedtak om tiltak for likestilling.

Likestillingsvedtaket omfattet en rekke tiltak for å motivere kvinner til å søke en vitenskapelig karriere og for å legge forholdene bedre til rette for kvinners arbeidsmuligheter ved universitetet som studenter og ansatte. Ett slikt tiltak var å øke antallet barnehageplasser. Samtidig gikk kollegievedtaket inn for at universitetet skulle praktisere moderat kjønnskvotering ved ansettelser i vitenskapelige stillinger.

I 1979 besluttet kollegiet å innføre en generell bestemmelse i ansettelsesreglene for vitenskapelige stillinger som fastsatte at der hvor flere søkere anses å ha likeverdige kvalifikasjoner, kan en kvinnelig søker stilles foran en mannlig søker.

Likestillingsutvalget ønsket å gå lenger og foreslo «en viss grad av radikal kjønnskvotering» til rekrutteringsstillinger – det vil si å la det underrepresenterte kjønn gå foran på tross av forskjeller i faglige kvalifikasjoner. Begrunnelsen var at moderat kjønnskvotering ikke ville gi tilstrekkelige resultater, og at det var ved utvalget av søkere til rekrutteringsstillinger at den viktigste utsilingen av fremtidige forskere fant sted. I 1982 vedtok kollegiet å åpne for sterkere favorisering av kvinnelige søkere til rekrutteringsstillinger i fagmiljøer hvor det var særlig få kvinnelige ansatte.

Parallelt med arbeidet for likestilling skjedde en sterk oppblomstring av feministisk inspirert kvinneforskning ved alle fakulteter. Sett under ett var fremveksten av kvinneforskningen den kanskje mest omfattende faglige nyskapning ved universitetet gjennom 1970-tallet. Kvinneforskning ble støttet av NAVF, som også gav den et organisatorisk støttepunkt i et eget sekretariat for kvinneforskning. I 1986 ble det ved universitetet opprettet et tverrfaglig senter for kvinneforskning med bidrag fra NAVF.

# Studentsamskipnaden i krise og omstilling

For Studentsamskipnaden kom universitetets år med stagnasjon til å bli en periode med store utfordringer, noe som fremtvang omfattende endringer i organisasjonen. Økende medlemstall og omsetning hadde gitt Studentsamskipnaden sterk vekst frem til 1973. Bedriften hadde over 800 ansatte. Med stagnerende studenttall stoppet veksten opp, og marginene i flere av virksomhetene ble presset. Mens forretningsmessig virksomhet innen bokhandel, varehus, reisebyrå og forlag tidligere hadde gitt overskudd som kom studentene til gode, oppstod det nå et press for å øke prisene på kantinemat og studenthybler. Statsstøtten til Studentsamskipnaden ble redusert, og bedriften ble skadelidende gjennom de knappe driftsbudsjettene ved universitetet. Den lovpålagte medlemsavgiften – semesteravgiften – hadde lenge vært en ganske beskjeden medlemskontingent. Gjennom 1970-årene ble den økt vesentlig.

Endringene i studentbefolkningen fikk store konsekvenser for Studentsamskipnaden. Flere studenter hadde familie, og flere var deltidsstudenter. Dette var noe av grunnen til at færre spiste middag i universitetskantinene, men i stedet foretrakk å lage mat hjemme. Dette skapte en ond sirkel med synkende omsetning og stigende priser på kantinematen. Samtidig var Studentsamskipnaden under press for å skaffe flere familieleiligheter og flere barnehageplasser.

Planlagte utbyggingsprosjekter møtte motstand. Studentsamskipnaden hadde engasjert seg i et prosjekt for sanering av en hel bydel på Kampen, hvor det forelå planer om å reise studentboliger blandet med ordinære boligblokker. Prosjektet ble skrinlagt på grunn av motstand mot å rive den gamle bebyggelsen. Samme skjebne fikk en studentby som var planlagt bygget i Ullevål kolonihage. Et mindre studenthus ble reist i Pilestredet, og på Tøyen sikret Studentsamskipnaden seg en blokk med familieleiligheter. Deretter ble det slutt med å bygge studentboliger i Oslo for lang tid fremover. Det var ikke mulig å skaffe tomt og reise studentboliger i Oslo til en så lav pris som var fastsatt for de statlige støtteordningene for studentboliger. Disse ordningene kom til å favorisere bygging av studentboliger i Trondheim og Tromsø og i distriktene. Derimot greide Studentsamskipnaden i Oslo å bygge flere barnehager for studentenes barn.

Studentsamskipnaden kjempet for å bevare tjenestetilbudet til studentene på tross av omsetningssvikt og synkende lønnsomhet. Styret satset på å utvikle de forretningsmessige avdelingene for å gjenvinne vekst og inntjening, noe som ville komme velferdstilbudet til gode. Den største satsingen gjaldt Universitetsforlaget. Studentsamskipnaden ønsket å utvikle Universitetsforlaget til et landsomfattende forlag for fagbøker, vitenskapelige publikasjoner og lærebøker for alle skoleslag og klassetrinn. Samtidig sprengte Universitetsforlaget rammen for den virksomheten som kunne gis gratis lokaler av universitetet. Forlaget fikk lokaler i et stort nybygg på Tøyen. Her måtte Studentsamskipnaden bære en stor del av utgiftene selv.

Studentsamskipnadens forretningsvirksomhet vokste ut av de offentlige støtteordningene som de lenge hadde vært omgitt av. Foran 1980-tallet stod bedriften overfor utfordringen å omstille seg til konkurranse på et åpent marked. Studentsamskipnadens administrerende direktør gjennom 30 år, Kristian Ottosen, trakk seg tilbake i 1979. De påfølgende årene ble en turbulent periode for Studentsamskipnaden, med hyppige lederskifter og stor politisk uro rundt styret. Utgangen ble en omstrukturering av Studentsamskipnaden. Reisebyrået og varehusene ble solgt. Universitetsforlaget ble i 1984 utskilt som eget aksjeselskap, hvor Studentsamskipnaden i Oslo beholdt en minoritetsandel og hvor også blant andre universitetene i Oslo, Bergen og Tromsø tegnet aksjer.

Etter omstruktureringen stod Studentsamskipnaden igjen med en klarere konsentrasjon om primære velferdsoppgaver: kantiner, studentboliger, barnehager, helsetjeneste, studentidrett og støtte til kulturelle og sosiale studenttiltak. Av forretningsavdelingene ble bokhandelen beholdt og videreutviklet som fagbokhandel under navnet Akademika. Omstruktureringen av Studentsamskipnaden hadde bred støtte i Studenttinget på tvers av politiske

*Konstruktivt hode, skulptur 1916 (Naum Gabo)*

skillelinjer. Den reduserte den økonomiske risiko og dempet den politiske usikkerheten rundt bedriften.

## Universitetenes tid er ikke forbi

«Det er ingen ting som tyder på at universitetenes tid er forbi,» uttalte den nyvalgte rektor Inge Lønning ved sin tiltredelse i 1985. Han trakk frem mange tegn som tydet på at det var liv og vekstkraft i universitetene, som ellers kunne se ut som «utlevde kolosser på leirføtter»: «I dag har vi en situasjon hvor vi – om vi får nåde til å stelle oss vettugt – kan komme på offensiven når det gjelder den langsiktige og fremtidsrettede planlegging.» Dette optimistiske utsagn satte samtidig søkelyset på et punkt i universitetet som organisasjon som forgjengeren Bjarne A. Waaler trakk frem i sin avskjedstale ved samme anledning. Her konkluderte Waaler med at universitetet hadde greid omstillingen til den nye styreformen rimelig bra:

> Analytisk og granskende er vi gode, mer enn gode nok. Og en tjenestevillig og kunnig administrasjon hjelper og leier oss gjennom dagsens og semestres løpende strev. Men noe skortet det på i vårt åpne individualist- og miljø-sterke system. Det skortet på evne til syntese, evne til å se langt nok frem og vidt nok ut, til å samle de mange tråder og krefter i fellesskapelig politikk. Vi greidde taktikken, men ikke strategien. Og den tid er forbi da en institusjon som vår kan forvente at verden bukker den videre frem i stadig og dyp takknemlighet. Vi er – som alle andre institusjoner – avhengige av å kunne møte en vanskelig fremtid på planmessig, gjennomtenkt vis. I vår videre ferd måtte vi utvikle større evne til å samle universitets-tråder i helhetlig politikk, til å legge gode planer – for så å følge dem.

Bestrebelsene på å formulere en felles strategi for Universitetet i Oslo var påbegynt i Waalers rektortid. En hovedutfordring var å utvikle universitetets organisasjon slik at den kunne tilpasse seg endrede rammevilkår for universitetets virksomhet. En annen utfordring var å endre universitetets indre organisasjon og sette den i stand til å drive strategisk ledelse.

Et stikkord for endrede rammevilkår var markedsorientering av forskningen. Det kom klare forskningspolitiske signaler om at regjeringen ønsket en tilnærming mellom universitetet og næringslivet slik at universitetet kunne tiltrekke seg eksterne forskningsoppdrag og bli en kilde til innovasjon i bedriftene. Oslo kommune og det statlige Industrifondet hadde vendt seg til universitetet i årsskiftet 1982/83 med forespørsel om universitetet ville medvirke til å opprette et innovasjonssenter i Oslo. Senteret skulle være et treffpunkt for næringsliv og forskning og gi muligheter til å fange opp ideer fra forskningsmiljøene, som kunne utnyttes i industriell produksjon.

Ideen til innovasjonssenteret var inspirert av «science parks» som var anlagt i tilknytning til universitetsområder i mange land, og som hadde de svært vellykkede industriområdene rundt amerikanske universiteter som forbilder. «Silicon Valley» nær Stanford University var selve idealtypen av den vekselvirkning man ønsket å få til mellom industri og universitetsforskning. Det var en internasjonal trend at man vendte seg til universitetsforskerne for å finne ideer som grunnlag for ny vekst og sysselsetting i industrien.

Ideen om et innovasjonssenter ble tatt godt imot ved universitetet. Det matematisk-naturvitenskapelige fakultet hadde allerede arbeidet med planer om en egen stiftelse for å stimulere oppdragsforskningen ved universitetet. Høsten 1984 ble Innovasjonssenteret A/S opprettet med universitetet som aksjonær, sammen med kommunen, industribedrifter og forskningsinstitusjoner.

Samtidig ble det opprettet en egen enhet i universitetsadministrasjonen for å bistå i håndteringen av eksternt finansiert forskningsvirksomhet. I 1982 ble 500 årsverk i forskning ved universitetet finansiert ved midler utenom grunnbudsjettet. I forhold til et samlet antall på 3000 faste stillinger ved universitetet, var dette betydelige tilskudd. Midlene kom fra mange forskjellige kilder. Forskningskontrakter fra departementer, offentlige institusjoner og private bedrifter eller forskningsfond utgjorde omtrent den samme andel av de eksterne tilskuddene som bevilgningene fra NAVF.

Omfanget av eksternt finansiert forskning må ses på bakgrunn av stagnasjonen i universitetets egne budsjetter og i støtten fra NAVF. De forskningsmiljøer ved universitetet som hadde anledning til det, hadde skaffet seg midler fra nye kilder som kompensasjon. De største eksterne midlene gikk til forskning ved Det medisinske og Det matematisk-naturvitenskapelige fakultet.

Eksterne forskningsbidrag var tradisjonelt håndtert på grunnplanet i universitetets organisasjon – ved det enkelte institutt eller hos den enkelte forskergruppe. Kollegiet ønsket nå en sentral organisasjon for eksternt finansiert forskning for å sørge for at avtaler og ansettelsesforhold ble håndtert på en enhetlig måte og at de oppfylte formelle krav fra myndighetene. Samtidig var det stigende forventninger til hvilke inntekter oppdragsforskning kunne skaffe til universitetet i fremtiden.

I 1985 startet et utredningsarbeid som tok sikte på å etablere en egen forskningsstiftelse for Oslo-regionen, hvor universitetet skulle gå inn sammen med en rekke forskningsinstitusjoner i og omkring hovedstaden. Stiftelsen skulle initiere programmer hvor forskere ved universitetet skulle samarbeide med forskere ved andre institusjoner, med sikte på å trekke til seg større eksterne forskningsmidler. Forslaget var tilpasset nye forskningspolitiske signaler. De tidligere forskningsinstituttene under NTNF ble fristilt og organisert som uavhengige institusjoner. Forskningsrådet ønsket å vri forskningsstøtten fra instituttbevilgninger til programbevilgninger.

Forskningsstiftelsen FOSFOR ble etablert i 1987 med Universitetet i Oslo og seks forskningsinstitutter som medstiftere. Det hadde da en tid vært arbeidet med planer som ville gi universitetets eksternt finansierte forskning et sterkt synlig ansikt utad. I forlengelse av samarbeidet innen Innovasjonssenteret ble det tatt initiativ til å reise et stort forskningsbygg – Forskningsparken – i Gaustadbekkdalen i tilslutning til universitetsområdet på Blindern. Dette området hadde fra 1950-årene vært utsett til universitetsformål, men universitetets byggeplaner hadde strandet på manglende bevilgninger. Ett forskningsbygg var reist for midler fra NTNF. Gjennom et samarbeid mellom universitetet og NTNF var det ordnet slik at Institutt for informatikk hadde kunnet flytte inn i et nybygg i området – Informatikkbygget – som ble bygget for Norsk Regnesentral og delvis leid ut til universitetet.

Planene for Forskningsparken gikk ut på at bygningen skulle reises uten statsbevilgninger. Et eget aksjeselskap sørget for nødvendig lånefinansiering. Fremtidige leieinntekter fra bedrifter og forskningsvirksomheter som skulle fylle huset, var forventet å dekke renter og avdrag. Planen ble delvis møtt med skepsis, men også med adskillig entusiasme innenfor universitetet. Etter 15 års stillstand skulle universitetet endelig få realisert et nytt stort byggeprosjekt nær Blindern.

Høsten 1989 stod Forskningsparkens første byggetrinn ferdig. Da var imidlertid Forskningsparken og spørsmålet om eksternt finansiert forskning kommet i sentrum for en dyptgripende politisk strid innad ved universitetet.

## Ny ledelse og ny universitetspolitikk

Universitetet markerte sitt 175-årsjubileum i 1986 med en beskjeden feiring. Situasjonen inviterte ikke til ekstravaganse, men universitetsledelsen grep anledningen til en felles gjennomtenkning av universitetets situasjon og fremtidsmuligheter frem til 200-årsjubileet i 2011. Dokumentet *Perspektiver mot år 2011* ble utarbeidet under rektor Inge Lønnings ledelse og vedtatt av kollegiet i 1987. Hensikten var å formulere en felles forståelse av universitetets langsiktige politikk.

Hovedtendensen i dokumentet var at universitetet skulle søke å opprettholde sin identitet bygget på tradisjonelle universitetsverdier. Samtidig var det ønskelig å tilpasse seg endrede forskningspolitiske rammebetingelser og åpne for kommunikasjon på tvers av etablerte fag- og institusjonsgrenser. Universitetet ønsket ikke å vokse i studenttall, men heller å styrke hovedfag og forskerutdannelse.

Perspektivanalysen la vekt på å bevare universitetets egenart, men også å modernisere universitetet for å gjøre det bedre i stand til å trekke til seg forskningsmidler, dyktige og motiverte studenter og velkvalifiserte lærere. Ordbruken innvarslet at universitetet måtte tilpasse seg en situasjon med økt konkurranse på alle disse områdene.

I 1987 avgikk universitetets administrative leder gjennom 25 år, universitetsdirektør Olav Trovik, ved døden. Ingen enkeltperson hadde i dette århundre satt sitt preg på universitetet som Trovik. Han hadde sittet i ledelsen av universitetet både gjennom den raske vekstperioden på 1960-tallet og den lange stagnasjonsperioden som kom etter. Som mangeårig generalsekretær for rektormøtene – samarbeidsorganet mellom universitetene og de vitenskapelige høyskolene – hadde han også spilt en viktig rolle på nasjonalt nivå.

Prosessen med å rekruttere Troviks etterfølger grep inn i en diskusjon om nødvendige endringer i universitetets administrasjonsform. Det var et utbredt synspunkt at administrasjonens og den valgte ledelses arbeidsform ikke lenger stod i forhold til universitetets størrelse og kompleksitet. Administrativ og valgt ledelse var bebyrdet med store og små saker som skulle avgjøres på høyeste nivå. Det hadde lenge vært diskutert å legge om arbeidsformen mer i retning av «konsernledelse», hvor avgjørelse i løpende saker ble delegert nedover til fakultetene og derfra igjen til instituttene, mens toppledelsens kapasitet ble frigjort til overordnede strategiske avgjørelser.

I tråd med slike ønsker gikk kollegiet utenfor universitetets egne rekker for å rekruttere ny universitetsdirektør. Etter kollegiets innstilling ble Kjell Stahl ansatt som universitetsdirektør. Stahl hadde bakgrunn både fra politikk og statsforvaltning. Han hadde vært statssekretær i Kommunal- og arbeidsdepartementet for Høyre og senere leder av Arbeidsdirektoratet. Ansettelsen var et signal om at kollegiet ønsket en ny ledelsesform, mindre diktert av universitetets tilvante rutiner og arbeidsstil.

Kjell Stahls tiltredelse i 1988 falt sammen med en hektisk reformperiode ved universitetet. Delvis hadde reformene utgangspunkt i universitetets egne initiativer, men for en stor del skyldtes de beslutninger fattet på politisk nivå, som skulle få vidtrekkende konsekvenser for universitetet.

På regjeringsnivå hadde det i flere år vært arbeidet med forslag til omlegning av den overordnede styring av offentlige virksomheter. Et utvalg oppnevnt av Finansdepartementet – Haga-utvalget – hadde i 1984 foreslått endringer i de offentlige budsjettsystemene. Forslaget innebar at offentlige virksomheter – blant dem universitetene – skulle få vesentlig større frihet til å disponere over bevilgede midler. Departementene skulle avlastes detaljstyring. Samtidig skulle styringen gjøres mer resultatorientert. Gjennom prinsippet om *målstyring* ønsket man å tvinge frem en klarere formulering av målet for virksomhetene for å kunne avgjøre hvordan det ble oppfylt. Hensikten var å gjøre det tydeligere hva offentlige midler ble brukt til. Ett av forslagene var at alle offentlige virksomheter skulle pålegges å utarbeide virksomhetsplaner som kunne gi grunnlag for å vurdere graden av måloppfyllelse.

Hovedtrekkene i forslagene ble vedtatt gjennomført som ledd i et omfattende program for modernisering av statsforvaltningen, formulert i stortingsmeldingen *Den nye staten* som Stortinget sluttet seg til i 1987. Alle statlige institusjoner fikk frist til utgangen av 1991 med å iverksette målstyring og virksomhetsplanlegging.

Universitetet i Oslo gikk i gang med å innføre de nye ordningene i 1988. Tre fakulteter – det medisinske, det historisk-filosofiske og det samfunnsvitenskapelige – ble valgt ut til å innføre ordningen først, for å vinne erfaring før virksomhetsplanlegging ble innført for hele universitetet.

Prosessen fikk et svært dramatisk forløp. Både målstyring som prinsipp og den måten målstyring var tenkt gjennomført på, møtte sterk motstand ved universitetet. Det kom til et rent opprør fra grunnplanet av universitetslærere. Fra slutten av 1988 og utover i 1989 ble det formulert krasse angrep i pressen på målstyring som prinsipp og ideologi, og på universitetsledelsen for den måten den hadde håndtert saken på.

Motstanden mot målstyring og virksomhetsplanlegging bunnet i en avvisning av at universitetets kjernevirksomhet kunne måles i objektive kvantitative størrelser. «Produksjonsmål» for forskning ble karakterisert som meningsløse. Skulle slike mål innføres ved universitetet, ville det presse universitetsforskningen over i det kortsiktig nytteorienterte og gå utover mulighetene for fri og kritisk refleksjon. Universitetets identitet, knyttet som den var til grunnforskningen og dens uforutsigbare karakter, ville bli truet. Det ble også hevdet at gjennomføringen av målstyring ville innebære en vesentlig maktforskyvning fra forsker til byråkrat. Målstyring førte inn fremmede elementer i universitetet i strid med universitetets grunnleggende idé.

Motstanden mot målstyring av universitetet hadde mange likhetspunkter med motstanden mot Ottosen-komiteens forslag 20 år tidligere. Universitetslærere slo ring om sin institusjon og dens uavhengighet og avviste innføring av begreper hentet fra produksjons- eller servicebedrifter. Styringen av universitetet måtte etter deres mening ta utgangspunkt i den virksomheten som for universitetet var den grunnleggende, nemlig grunnforskning og forskningsbasert undervisning.

Det medisinske og Det historisk-filosofiske fakultet hadde benyttet målstyringsprosessen til å gjennomgå den organisatoriske strukturen på instituttnivå. Ved begge fakultetene var det gjennom årene opprettet et stort antall institutter. Det medisinske fakultet hadde 110, Det historisk-filosofiske 40. Det store antallet skyldtes at instituttene ble definert etter disiplin. Spesialisering og oppdeling i nye disipliner hadde presset frem nye institutter. Etter råd fra Statskonsult ble det ved Det medisinske fakultet foreslått å slå instituttene sammen til seks store instituttgrupper. Det historisk-filosofiske fakultet vedtok å slå instituttene sammen til 11 institutter som hver omfattet flere disipliner.

Fordelen med større institutter var først og fremst en bedre utnyttelse av administrative ressurser og forenkling av tidkrevende ledelsesarbeid pålagt vitenskapelig ansatte. Delegering av myndighet og ansvar fra fakulteter til institutter forutsatte at instituttene hadde tilstrekkelig ressurser til administrasjon. Det var ikke mulig å få dette til med mange små institutter. Sammenslutning kunne også begrunnes ut fra et behov for større grad av samarbeid på tvers av disiplingrenser.

Forslagene om sammenslutning av instituttene møtte adskillig motstand. Motstanden var begrunnet i kravet om at disiplinene selv måtte være herre i eget hus, og at avgjørelsesmyndighet ikke kunne løsrives fra sakkunnskap. Instituttreformen ble gjennomført ved de to fakultetene, men ved Det historisk-filosofiske fakultet var motstanden fra enkelte miljøer tilstrekkelig stor til at to sammenslåtte institutter ble delt etter kort tid.

Motstanden mot virksomhetsplanlegging gikk over i en generell offentlig fremført kritikk av universitetsledelsen. Kritikken rettet seg også mot andre disposisjoner ved universitetet. Særlig tre punkter stod i fokus. Det ene gjaldt sentralisering av beslutningsprosesser og økt innflytelse fra administrasjonen. Det andre gjaldt styring av forskning sentralt på bekostning av grunnplanets frihet til å initiere og utføre forskning. Det tredje punktet gjaldt aktiviteten for å øke eksternt finansiert forskning og oppdragsforskning, noe som ble hevdet å gå på bekostning av det som var universitetets hovedoppgaver – grunnforskning og forskningsbasert undervisning og veiledning.

I tråd med intensjonene bak etableringen av FOSFOR hadde kollegiet ved utgangen av 1980-tallet opprettet enkelte forskningssentre og forskningsprogrammer organisert utenom den etablerte fakultets- og instituttstrukturen. Disse sentrene skulle ta opp tverrfaglig forskning innenfor utvalgte områder – i hovedsak slike områder som var prioritert av forskningsrådene eller av regjeringen, de fleste finansiert av forskningsrådene eller andre eksterne kilder. Andre sentre var opprettet av forskningsråd eller departementer og lagt administrativt til universitetet. Dette gjaldt for eksempel Senter for internasjonal klimapolitikk (CICERO), opprettet av Miljøverndepartementet i 1989.

Kritikken av sentrene fra noen universitetslærere gikk ut på at forskningen ved slike sentre fikk bedre vilkår enn ved de ordinære universitetsenhetene, og at dette innebar økt styring av universitetsforskningen etter politiske kriterier. Kritikken ble imøtegått av andre universitetsforskere som ønsket muligheter til tverrfag-

lig forskning velkommen. Disse pekte på at den vidtgående opp-
delingen i spesialiserte disipliner ellers ved universitetet kunne
hindre ønskelig faglig fornyelse.

Forskningsparken ble gjort til gjenstand for kritikk. Allerede
før Forskningsparken var fullført, var det økonomiske grunnla-
get for driften blitt betydelig svekket. Etter oljekrisen i 1986
arbeidet norsk næringsliv i motgang, og flere interesserte bedrif-
ter hadde gitt opp å flytte inn slik det var planlagt. Blant disse var
Norsk Data – selve flaggskipet blant norske høyteknologibedrif-
ter – som raskt gikk mot konkurs. Da Forskningsparken stod fer-
dig, hadde universitetet selv måttet overta en stor del av arealene.
Det gav universitetet et kjærkomment tilskudd av arealer, men
det gjorde samtidig utgiftene til Forskningsparken sterkt synlige
på universitetets budsjett. Det utløste skarpe reaksjoner at uni-
versitetet syntes å prioritere Forskningsparken fremfor grunn-
forskningen ved fakultetene.

Debatten om målstyring og kritikken som ble avledet av
denne, ble ført med stor bitterhet og i full offentlighet i dagspres-
sen. I motsetning til debatten om Ottosen-komiteen var dette en
debatt hvor kritikken ikke rettet seg mot myndigheter eller inter-
esser utenfor universitetet. I hovedsak ble den et opprivende opp-
gjør innenfor universitetet selv. I 1990 skulle debatten bli ført
videre inn i en ledelseskrise ved universitetet. Denne krisen hadde
som sin forutsetning endringer i universitetets styreform, som var
gjennomført med den nye universitetsloven som Stortinget ved-
tok i 1989.

## Ny universitetslov – og ledelseskrise

Universitetsloven av 1989 innebar en ny form for politisk styring
av universitetet. Mens det tidligere hadde vært en egen lov for
Universitetet i Oslo, var den nye en felles lov for alle fire univer-
siteter og de vitenskapelige høyskolene. Måten den var blitt til på,
skilte seg også fra tidligere praksis. De fleste tidligere universi-
tetslovene hadde bygget på forslag som universitetet selv hadde
utarbeidet, eller som universitetsprofessorer hadde vært med på å

utforme. Forslaget til felles universitetslov var utarbeidet administrativt i Kultur- og vitenskapsdepartementet. Universitetet og de andre berørte institusjonene hadde fått forslaget til høring med svært kort tidsfrist.

Universitetsloven av 1989 var utformet for å bringe styreformen ved universitetet i overensstemmelse med prinsippene i *Den nye staten.* Ett hovedpunkt i den nye loven var delegasjon av myndighet fra departementet til universitetet. Universitetet fikk for eksempel delegert ansettelsesmyndighet for professorer. Dette innebar at professorene ikke lenger skulle være embetsmenn utnevnt av Kongen i statsråd. Kollegiet fikk myndighet til å ansette universitetsdirektør. Kollegiets myndighet og arbeidsmåte skulle legges nærmere opp til å være et ansvarlig styre for en bedrift.

Loven innebar en fullstendig endring av kollegiets sammensetning. Departementet hadde ønsket seg et handlekraftig kollegium som skulle stå for en helhetlig styring av universitetet. Så lenge kollegiet bestod av ledelsen for de ulike fakulteter, mente man at helheten ville gå tapt i forhandlinger mellom etablerte særinteresser. Derfor ble båndene mellom kollegiet og fakultetenes ledelse kuttet av. Dekanene skulle ikke lenger sitte i kollegiet.

Kollegiets medlemstall ble sterkt redusert. I tillegg til rektor og prorektor skulle det heretter bestå av syv medlemmer, tre representanter for det vitenskapelige personale ved hele universitetet, to for det teknisk-administrative personale og to studentrepresentanter. Loven innførte et kollegieråd som et rådgivende organ for kollegiet, med valgte representanter for fakultetene og ulike grupper ansatte og for studentene. Kollegierådet skulle uttale seg om prinsipielle spørsmål og om hovedlinjer i universitetets planer. Ved Universitetet i Oslo fikk kollegierådet 30 medlemmer, blant dem dekanene som ble medlemmer i kraft av sin stilling. I seg selv var dette dyptgripende endringer av universitetets styringsordning. I det politiske klimaet som hersket ved Universitetet i Oslo da loven trådte i kraft, fikk reformen i tillegg andre og helt utilsiktede følger.

Valg av representanter til det nye kollegium fant sted høsten

1989, midt oppe i debatten om målstyring ved universitetet. Dette fikk konsekvenser. Motstanderne av målstyring mobiliserte, og det ble valgt inn representanter som stod i sterk opposisjon til rektor og universitetsdirektør. Samarbeidsforholdene innenfor den nyvalgte universitetsledelsen ble raskt uholdbare. Krisen som fulgte fikk et dramatisk forløp. Rektor Lønning ble sykmeldt for en lang periode, og mellom universitetsdirektør Stahl og kollegiet kom det til åpen konflikt. Konflikten endte med at Stahl valgte å fratre som universitetsdirektør i august 1990. Universitetet hadde aldri gjennomlevet en intern krise av tilsvarende alvorlig art, når vi unntar det som skjedde under okkupasjonen. Landets største universitet var lammet av en opprivende indre konflikt hvor synspunktene syntes uforenlige.

Krisen avslørte stor avstand mellom toppledelse og grunnplan. Rektor og universitetsdirektør mente det var nødvendig å styre universitetet i forhold til de politiske signalene som ble utsendt fra regjeringen og departementet. På grunnplanet var det sterk motstand mot å la seg diktere av slike signaler. Grunnplanet ønsket å kjempe imot der hvor topplanet ønsket tilpasning.

Motstanden på grunnplanet må forstås ut fra situasjonen i etterkrigstiden, hvor forskningen ble styrt på laveste nivå i universitetet. NAVF hadde hatt som prinsipp å vurdere søknader og prosjektforslag fra forskere, ikke fra institusjoner. Veien fra grunnplan til toppen hadde vært kort innenfor det tidligere styringssystemet. Alle professorer og dosenter var medlemmer av fakultetsrådene og hadde direkte innflytelse på avgjørelsene på fakultetsnivå. Hver og en kunne forlange sine særuttalelser lagt frem for kollegiet. Etter lovendringen i 1975 ble avstanden større mellom den enkelte professor og det valgte lederskap på fakultets- og kollegienivå. Grunnplanopprøret i 1989–90 tydet på at avstanden hadde skapt frustrasjon og misnøye.

Både universitetets størrelse og den nye styringsordningen hadde skapt en hierarkisk organisasjon med flere ledd fra topp til bunn. Noen kritikere hevdet at administrativt ansatte var i ferd med å få for stor innflytelse ved universitetet. Styringen ble for sterkt preget av formaliserte planer og rapporter. Ved universite-

*Carl Schiøtz' gullmedalje for hygienisk forskning, 1954*
*(Oscar Sørensen)*

tet skulle faglig kvalitet skulle veie tyngst, ikke byråkratiske hensyn. Ellers ville den enkelte forskers frihet bli truet.

Kritikken vendte seg mot universitetsledelsens ønske om tilpasning til endringer i politiske signaler og i samfunnsmessige rammebetingelser. Slik rektor Lønning uttrykte det, var en slik tilpasning nødvendig for å styrke og videreføre universitetets egenart. Det gjaldt å modernisere universitetet for å bevare dets identitet. Regjeringen og forskningsrådene la bevisst om sin støtte til forskning på en måte som universitetet ikke kunne unnlate å forholde seg til, uten at det ville medføre tap av muligheter til å drive forskning ved universitetet. Det gjaldt for universitetet å organisere virksomheten slik at det kunne få fordel av de nye ordningene og ikke bare bli skadelidende.

Forskningsrådene la om til programforskning på bekostning av individuelle prosjekter. Dette brøt med tradisjonene ved universitetet. Initiativene til nye organisasjonsformer for universitetsforskning hadde som formål å utnytte de nye finansieringsformene til universitetets fordel. Samtidig kom utviklingen til å forsterke frustrasjonen hos den enkelte universitetsforsker, som møtte større problemer med å få støtte til sine individuelle prosjekter. Universitetsforskere kunne også føle seg truet av konkurransen fra anvendte forskningsmiljøer og fra et voksende antall distriktshøyskoler som konkurrerte om de samme knappe midler.

# 9

# Universitetet foran tusenårsskiftet

Årene etter 1990 i universitetets historie fikk et forløp som knapt noen hadde kunnet forutse. Ved slutten av 1980-årene var det bekymring for at studenttallet i Norge skulle bli for lite i 1990-årene, men før tiåret var omme, begynte studenttallet å vokse med eksplosiv kraft ved alle de norske universitetene. Fra 1988 til 1989 økte studenttallet ved Universitetet i Oslo med 5000, eller 25 prosent. Derfra fortsatte veksten i høyt tempo til studenttallet kulminerte med 38 265 i 1996. Studenttallet er deretter gått noe tilbake. I høstsemestret 1998 var 34 494 studenter registrert. Dette er likevel et nivå som ligger 75 prosent over det studenttall universitetet hadde hatt gjennom 1970- og 80-årene.

Mens få hadde forutsett den tallmessige ekspansjonen ved universitetene, var det store forventninger til at 1990-tallet skulle bli et tiår preget av organisasjonsmessige reformer. Regjeringen hadde i 1987 oppnevnt Hernes-komiteen, med tidligere professor i sosiologi ved Universitetet i Bergen Gudmund Hernes som formann, for å «vurdere mål, organisering og prioritering når det gjelder høyere utdanning fram mot år 2000–2010». Komiteens innstilling fra 1988 var den mest omfattende utredning med høyere utdannelse som fokus i Norge siden Ottosen-komiteen.

Utgangspunktet for Hernes-komiteen var en ivrig pressedebatt om kvaliteten av norske universiteter. Først ute i debatten var Gudmund Hernes selv, som hevdet at de norske universitetene var middelmådige sammenlignet med de fremste amerikanske. Med særlig adresse til Universitetet i Oslo formulerte han seg slik: «Universitetet er middelmådig. Og middelmådigheten består i at vi nøyer oss med mindre enn det som er mulig å nå. Det som er innen rekkevidde, blir ikke grepet. Det man gjør, kunne gjøres bedre». Han fulgte opp med forslag om kritisk evaluering av universitetsforskningen for å få opp kvalitetsbevisstheten. Om nødvendig måtte man alliere seg med studentene for å få til en fornyelse og kvalitetshevning ved universitetet.

Etter mange års stillstand, 'forgubbing' og liten anledning til faglig fornyelse var det mange ved universitetet som hilste friske reforminitiativ velkommen. Det var et utbredt ønske om å gjenreise den akademiske stolthet og heve ambisjonsnivået, selv om det kunne synes urettferdig å sammenligne Universitetet i Oslo med Harvard University, slik Hernes hadde gjort.

Perspektivet ble forandret og utvidet i Hernes-komiteens mandat. Utvalget fikk i oppgave å se all høyere utdannelse i Norge under ett. Det mest slående trekk i helhetsbildet var de mange små institusjoner. I tillegg til fire universiteter og de tradisjonelle vitenskapelige høyskolene var nær 200 skoler oppgradert til 'regionale høyskoler'. Utfordringen var å heve kvaliteten innenfor denne samlede sektor for høyere utdannelse.

Hernes-komiteens innstilling munnet ut i en sterk oppfordring om et krafttak for å heve det generelle kompetansenivået i det norske samfunn. Hele samfunnets kunnskapsmessige ambisjonsnivå måtte økes. Rekrutteringen til studier og forskning måtte styrkes. Kvaliteten av undervisning og forskning måtte bedres gjennom samarbeid og arbeidsdeling. Små institusjoner måtte slås sammen til større, og små og store institusjoner måtte samarbeide innenfor 'Norgesnettet' for høyere utdannelse. Norgesnettet skulle være en landsomfattende ramme for arbeidsdeling og kompetanseutveksling for hele feltet høyere utdannelse.

I tillegg til dette inneholdt Hernes-komiteen en hel katalog av store og små reformforslag med sikte på å styrke universitetene og heve kvaliteten av utdannelse og forskning. Bredden i og mengden av forslagene gjenspeiler utvalgets ambisjonsnivå. Tiden var inne for å ta et virkelig stort løft, med allsidige og omfattende reformer innen høyere utdannelse. Komiteen fulgte opp med forslag om en betydelig realvekst i bevilgningene til høyere utdannelse. Innstillingen bekreftet at universitetets klage over knappe ressurser var berettiget. Realverdien av driftsmidlene var gått ned gjennom flere år, og innsparingspålegg hadde ført til at stillinger måtte holdes ledige. Utstyrsmangelen var mange steder skrikende.

Hovedlinjene i Hernes-komiteens forslag fikk støtte fra regjeringen, som ønsket seg en 'vitalisering' av universitetene. Reformer på mange nivåer skulle bidra til å fornye universitetene, styrke deres 'resultatbevissthet' og øke deres samfunnskontakt. Blant de reformer som fulgte i kjølvannet av Hernes-komiteens forslag, var Stortingets pålegg om å innføre organisert forskerutdannelse ved alle fakulteter. Doktorgrad eller tilsvarende kompetanse kreves som forutsetning for fast ansettelse i vitenskapelig stilling ved universitetene. Ansatte i mellomgruppestillinger fikk adgang til å rykke opp til professor etter kompetansevurdering.

Særlig tyngde ble lagt bak arbeidet med universitetsreformer på politisk nivå da Gudmund Hernes i 1990 ble statsråd og sjef for Kirke-, utdannings- og forskningsdepartementet. Hans statsrådstid ble en periode med reformer av norsk undervisningsvesen fra nederst til øverst. En rekke av enkeltreformene foreslått av Hernes-komiteen ble gjennomført, og komiteens overordnede intensjoner ble fulgt opp i en ny universitetslov vedtatt av Stortinget i 1995. Loven ble gjort gjeldende for alle universiteter og høyskoler, og Norgesnettet ble skrevet inn i loven.

Universitetsreformene kom likevel i skyggen av den sterke veksten i studenttallet. Veksten kom brått og uventet. I perspektivanalysen for Universitetet i Oslo fra 1987 hadde kollegiet uttalt at det ikke ønsket at universitetet skulle få stort flere studenter enn det da hadde. Kollegiet var faktisk bekymret for at det skulle bli for få som søkte seg til hovedfag og forskeropplæring. Herneskomiteen hadde vært bekymret for at andelen av ungdomskullene som søkte høyere utdannelse ikke var større. Med synkende ungdomskull i 1990-årene kunne det bli mangel på studenter i Norge.

Utviklingen ble den stikk motsatte. I 1992 måtte Universitetet i Oslo for første gang håndheve adgangsbegrensning ved alle sine fakulteter. Selv Det teologiske fakultet opplevde en tilstrømning som var for stor til at fakultetet kunne håndtere den.

Forklaringen på at så mange fant veien til universitetet lå i forholdene på arbeidsmarkedet. Fra 1987 var Norge rammet av en generell nedgangskonjunktur. Optimisme og investeringslyst i 'jappetiden' forut for oljeprisfall og børskrakk var gått over i krise. Den registrerte arbeidsledighet begynte å stige fra 1988 og var i 1990 nådd over fire prosent. Den ble liggende på dette nivået i flere år. Arbeidsledigheten rammet særlig de unge. Søkningen til universitetene viste at de søkte utdannelse for å komme unna køen av arbeidssøkere. Tilstrømning av studenter fra eldre alderskull mer enn kompenserte for nedgangen i kullene av 19-åringer.

Regjeringen gjorde kampen mot arbeidsledigheten til sin hovedsak. Milliarder av kroner ble satt inn på tiltak for å redusere den. Meget betydelige midler ble kanalisert til universitetene for å holde studiene åpne. Høyere utdannelse ble trukket inn i offentlig sysselsettingspolitikk på en måte som aldri før hadde vært gjort i Norge. De ressursene som Universitetet i Oslo rådet over, økte fra 1,5 milliarder kroner i 1989 til 2,5 milliarder kroner i 1998. Beløpene inkluderer ikke store bevilgninger til nybygg.

Ved utgangen av 1980-årene kom det et gjennomslag for byggeplaner som universitetet lenge hadde presset på overfor myndighetene. Store offentlige byggeoppgaver ble et middel for å motvirke arbeidsledigheten. Det første bygget som ble reist, var annet byggetrinn for Preklinisk medisin. Byggearbeidet startet i 1988, samme år som Stortinget vedtok å bygge et nytt Rikshospital på Gaustad, kloss inntil bygningen for Preklinisk medisin.

Senere fulgte påbygning av Det historisk-filosofiske fakultets bygninger og nybygg for pedagogikk, Helga Engs Hus (innviet 1994). Etter at Det medisinske fakultet var flyttet ut av universitetsbygningene i sentrum i 1990, ble det bevilget midler til at Domus Media og Domus Biblioteca ble pusset opp og istandsatt for Det juridiske fakultet. Det juridiske fakultet fikk dessuten et betydelig arealtilskudd ved at universitetet i 1993 fikk leie det tidligere Oslo Helseråds bygning i Pilestredet (omdøpt til Domus Nova). Det teologiske fakultet fikk egen bygning da universitetet i 1994 fikk kjøpe den tidligere Jernbaneskolen i Blindernveien, som ble gitt navnet Domus Theologica.

Gjennombruddet for nybygg åpnet for nye organisatoriske løsninger. Helga Engs Hus gav rom for et nytt fakultet. Universitetet hadde tatt opp i seg Statens spesiallærerhøgskole. Dette var ett av Hernes-komiteens forslag. Det tidligere Pedagogisk seminar ble integrert i universitetet som Senter for lærerutdanning og skoleutvikling. I 1996 inngikk disse to enheter sammen med Pedagogisk forskningsinstitutt i det nye utdanningsvitenskapelige fakultet. Kollegiet hadde foreslått at det også skulle opprettes et niende fakultet – et psykologisk fakultet, etter mønster fra Universitetet i Bergen – men dette ble avvist av regjeringen.

Det aller største enkeltbygget på 1990-tallet står ferdig høsten 1999. Det er Universitetsbiblioteket, Georg Sverdrups Hus. Med dette byggeprosjektet, som er beregnet å koste omtrent 500 millioner kroner, ble det endelig mulig å skjære igjennom en debatt om plasseringen av Universitetsbiblioteket som hadde vært ført kontinuerlig siden 1950- og 60-tallet. Det var allerede i 1988 vedtatt å dele Universitetsbiblioteket i et nasjonalbibliotek og et universitetsbibliotek. Dermed stod ett av de uløste spørsmål, som hadde hengt over universitetet siden århundreskiftet, endelig foran sin løsning. Nasjonalbiblioteket skulle overta oppgavene med å motta og oppbevare all trykt skrift utgitt i Norge og være en serviceinstans for det øvrige bibliotekvesen. Fra 1. januar 1999 ble delingen gjennomført. Drøyt 100 medarbeidere i Universitetsbiblioteket ble overført til Nasjonalbiblioteket, som overtok Universitetsbibliotekets bygning på Drammensveien. Universitetsbiblioteket skal heretter være forsknings- og undervisningsbibliotek for Universitetet i Oslo. Georg Sverdrups Hus vil romme fakultetsbibliotekene for Det teologiske, Det historisk-filosofiske og Det samfunnsvitenskapelige og Det utdanningsvitenskapelige fakultet og en rekke spesialsamlinger. De øvrige fakultetsbibliotekene er lokalisert sammen med sine respektive fakulteter.

Georg Sverdrups Hus representerer en ny arkitektonisk vending på Blindernområdet. Helga Engs Hus ble realisert som pendanten til Farmasøytisk institutt, strengt symmetrisk plassert i henhold til Blindernreguleringen fra 1920-årene, og med bygningskropp og fasader avpasset bygningene fra 1930-tallet.

Bibliotekbygningen bryter bevisst med omgivelsene. Riktignok følger den Blindernaksen i lengderetning, men i byggematerialer og utformning står bygningen frem i iøynefallende kontrast, i sort polert fasadesten og med hovedfasaden som en buet glassvegg bak en kolossal søylestilling.

Studentsamskipnaden lyktes også å realisere et prosjekt det lenge hadde vært arbeidet med. Idrettsanlegget Domus Athletica ble bygget i nordenden av Gaustadbekkdalen. Fra 1998 kom det i gang bygging av nye studentboliger i Oslo etter mange års stillstand. 243 studentboliger er under oppføring i Gaustadbekkdalen, og Studentsamskipnaden har fått overta boligblokker fra Ullevål sykehus som vil bli ominnredet til drøyt 100 hybler. Det største byggeprosjektet for Studentsamskipnaden er fortsatt på tegnebrettet. Samskipnaden har kjøpt et stort område på Bjølsen som planlegges utbygget til en studentby for 1000-1200 beboere.

Lederkrisen ved inngangen til 1990-årene ble avløst av en periode med relativ ro og stabilitet i universitetets indre liv. Konfliktene som hadde vært, kom til å prege rektorvalget høsten 1992. Dette var det første rektorvalg med direkte valg blant universitetets ansatte. For første gang i universitetets historie ble det drevet regulær valgkamp. Kandidatene la frem sine programmer i form av valgmanifester. Professor Lucy Smith vant valget med klart flertall. Det program hun hadde lagt frem, innvarslet en klar omlegging i forhold til den forrige periodens politikk. Det understreket betydningen av å opprettholde universitetets identitet. Universitetet måtte ledes ut fra en forståelse av forskningens betydning for undervisningen også på grunnplanet. Valget av en kvinnelig rektor var et gjennombrudd for likestillingen ved universitetet. Lucy Smith var den første kvinnelige dr. juris, hun var den første kvinne som ble professor i rettsvitenskap, og hun ble den første kvinnelige rektor i universitetets historie.

Som ny universitetsdirektør ansatte kollegiet i 1990 Tor Saglie. Han kom til universitetet fra en stilling i Oslo kommunes administrasjon, men hadde lang yrkeserfaring fra sentraladministrasjonen.

Universitetet hadde ikke ønsket å bli større, og det hadde vendt seg til et studenttall på rundt 20 000. Myndighetenes politikk gjennom 1990-årene medførte at universitetet ble satt under press for å holde sine studier mest mulig åpne. Lokkemidler fra myndighetene var løfter om tilførsler av driftsmidler og stillinger. Pressmidler var forslag om å gjøre ressurstildelingen avhengig av 'produksjonsmål'. For å gi insentiver til økt gjennomstrømning av kandidater og forskerrekrutter, ble budsjetteringsprosessen delvis lagt om, slik at universitetene ble belønnet for et høyere uteksaminert kandidattall. Utfordringen var å håndtere et voksende studenttall uten at dette skulle gå ut over de vitenskapelige ansattes muligheter til å drive forskning. Samtidig er universitetet satt under press for å øke inntjeningen via eksternt finansiert forskning. Presset for økt samfunnsrelevans er kommet til uttrykk blant annet på den måten at Det akademiske kollegium etter universitetsloven av 1995 har fått to eksterne medlemmer, oppnevnt av Kirke-, utdannings- og forskningsdepartementet etter forslag fra universitetet og Oslo kommune.

«Universitetets fremtidige rolle innen høyere utdanning og forskning er blitt uklar og trenger avklaring og markering», heter det i en tilstandsanalyse vedtatt av Det akademiske kollegium sent i 1998. Valgkampen foran rektorvalget samme år bar preg av at det ved universitetet var et utbredt ønske om en avklaring. En rekke kandidater stilte til valg, og det ble debatt i pressen med mange innlegg om nødvendigheten av å klargjøre universitetets fremtidige oppgaver. Professor Kaare R. Norum ble valgt til rektor for perioden 1999-2001. Han stilte til valg på et program om å vende tilbake til universitetets primæroppgaver, med den forskerinitierte grunnforskningen i sentrum.

Universitetet satte internasjonalisering i fokus, og det ble ett av hovedsatsingsområdene i perspektivanalysen fra 1987. Kollegiet anførte at det var ønskelig at alle kandidater fra Universitetet i Oslo skulle ha minst ett semester av sin studietid i utlandet. Fra å være et nærmest utopisk utsagn, er dette kommet betydelig nærmere virkeligheten. Fra 1988 ble Norge med på EUs studentutvekslingsprogram ERASMUS, og et stort antall studenter har hatt anledning til å reise ut og studere ved europeiske universiteter som del av sin utdannelse ved Universitetet i Oslo. Foreløpig har antallet utenlandske studenter som er kommet til Norge under samme program vært betydelig lavere, men universitetetet har innført egne undervisningsopplegg på engelsk som et tilbud til utvekslingsstudenter. Egne Master-grader med engelskspråklig undervisning og eksamen er innført som tilbud til studenter fra den tredje verden som får sitt studieopphold i Norge dekket av norske bistandsmidler. Internasjonaliseringen omfatter også forskning. En rekke fagmiljøer er engasjert innen forskjellige EU-programmer.

Ett stadig tilbakevendende klagemål gjennom 1980- og 1990-årene var misnøyen fra universitetsansatte med tiltagende byrå-kratisering og vekst i administrasjon. Klagene økte etter hvert som det ble klart at ressurstilførslene gjennom 1990-årene ledet til større ekspansjon i administrativ stab enn i forskerpersonale. Universitetsledelsen bestemte seg for å møte problemet med en fullstendig gjennomgåelse av den administrative ressursbruken gjennom det stort anlagte Effektiviseringsprosjektet. Prosjektet tok sikte på å frigjøre administrative ressurser for å kunne over-føre dem til primæroppgavene undervisning og forskning. Som ledd i gjennomføringen ble det foretatt forenklinger av den valgte ledelse ved fakulteter og institutter, for å frigjøre den vitenskape-lige staben fra administrative plikter og for å få frem en styrket faglig ledelse ved universitetet.

Universitetet gjorde omsorgen for studentene, deres lærings-miljø og deres levekår til en hovedsak da innrykket av studenter økte. Samarbeidet med Studentsamskipnaden ble mer intimt enn på mange år. Universitetet, samskipnaden og studentenes tillits-valgte gikk sammen om felles løft for å gjøre studentenes hverdag mindre belastende. I 1998 førte dette samarbeidet frem til reali-sering av en idé som var over 70 år gammel: Universitetet kjøpte Chateau Neuf fra eierselskapet, og bygningen vil i 1999 bli tatt i bruk til det formål den egentlig var tenkt – kulturhus og sosialt sentrum for Oslostudentene.

Universitetet i Oslo går ut av årtusenet i en situasjon hvor fremtiden fortoner seg usikker. For første gang siden 1950-tallet er det samlede antall søkere til høyere utdannelse gått ned. Konkurransen om studentene forventes å øke. Universitetet markedsfører sine studietilbud overfor potensielle studenter. All høyere utdannelse er igjen under utredning av et regjeringsoppnevnt utvalg. Hele utdannelsesfeltet er i rask forandring. Etter- og videreutdanningsreformen som er forhandlet frem av regjeringen og partene i arbeidslivet åpner for muligheter, men innebærer også trusler. Et kommersielt marked for høyere utdannelse vil sannsynligvis bringe frem alternativer til universitetene slik vi har lært dem å kjenne siden 1960-årene. Tiltagende internasjonalisering vil kunne føre utenlandske læresteder inn på det norske utdannelsesmarked på en måte som vi ikke har sett før.

Universitetet står foran en prosess der det blir viktig å klargjøre sine prioriteringer og avstemme dem mot myndighetenes utdannelses- og forskningspolitikk. Som nyvalgt rektor vakte Kaare R. Norum oppsikt da han varslet at Universitetet i Oslo kunne tenke seg en reduksjon av både studenter og stab, som ledd i en fokusering av virksomheten og en arbeidsdeling med andre institusjoner innenfor Norgesnettet. Det historisk-filosofiske fakultet er allerede i ferd med å foreta en reduksjon av den vitenskapelige staben med 10 prosent. Det er en nedskjæring uten sidestykke i universitetets historie. Samtidig er det kommet signaler om at myndighetene ikke lenger vil gjøre ressurstilførsler til universitetene ensidig avhengig av studenttall og kandidatproduksjon. I forskningsmeldingen fremlagt i juni 1999 varsler regjeringen at universitetenes bevilgninger heretter også skal ta utgangspunkt i de forskningsmessige oppgavene. Samtidig varsles det at universitetene skal få «større ansvar og krav til profilering og resultater». Krav om strategisk planlegging av forskning står i et spenningsforhold til det budskap som et samlet universitet gav uttrykk for i debatten forut for rektorvalget i 1998. Budskapet er at for å tjene samfunnet, må universitetet beholde sin karakter av å være en utdannelsesinstitusjon bygget på forskning, initiert og ledet av forskerne selv.

# Litteratur

Det er tidligere utgitt to store universitetshistorier. Ved 100-årsjubileet utkom *Det kongelige Fredriks Universitet 1811–1911*, bind 1–2, Kristiania 1911. Første bind er skrevet av Yngvar Nielsen og Bredo Henrik von Munthe af Morgenstierne og omhandler institusjonens historie. Annet bind er skrevet av flere forfattere og omhandler de ulike fagfelts historie. Ved 150-årsjubileet 1961 utkom *Universitetet i Oslo 1911–1961*, bind 1–2, Oslo 1961. Første bind – med Leiv Amundsen som hovedforfatter – omhandler forskningsvirksomheten ved fakultetene. Annet bind, med flere forfattere, omhandler institusjonens historie. Til 175-årsjubileet 1986 ble det utgitt et spesialnummer av Nytt fra Universitetet i Oslo. Universitetets årsberetning er utgitt som egen årlig trykksak siden 1845.

Aall, Jacob: *Erindringer som Bidrag til Norges Historie fra 1800 til 1815* (2.utg.), Christiania 1859.

Amundsen, Knut M. og Østlund, Arne (red): *Blindernboka. Studentene fra Blindern studenterhjem 1925–1942*, Oslo u.å.

Amundsen, Leiv: *Instituttet for sammenlignende kulturforskning 1922–1972*, Oslo 1972.

Amundsen, Leiv: *Det norske Videnskaps-Akademi i Oslo 1857–1957*, bd 1–2, Oslo 1957.

Aslaksby, Truls og Hamran, Ulf: *Arkitektene Christian Heinrich Grosch og Karl Friedrich Schinkel og byggingen av Det Kongelige Frederiks Universitet i Christiania*, Øvre Ervik 1986.

Aubert, Vilhelm m.fl.: Akademikere i norsk samfunnsstruktur 1800–1850, *Tidsskrift for samfunnsforskning*, 1960, s. 185–204.

Bagge, Sverre: Nordic Students at Foreign Universities until 1660, *Scandinavian Journal of History,* 1984, s. 1–29.

Barlaup, Asbjørn (red): *Det Norske Meteorologiske Institutt 1866–1966,* Oslo 1966.

Benestad, Haakon B., Iversen, Jens-Gustav og Nicolaysen, Gunnar (red): *Grunnforskningens verd. Festskrift til professor Bjarne A. Waaler på hans 70-årsdag,* Oslo 1995.

Benum, Edgeir: *Sentraladministrasjonens historie. Bind 2, 1845–1884,* Oslo 1979.

Berg, Ole, Hodne, Fritz og Larsen, Øivind: *Legene og samfunnet,* Oslo 1986.

Bergh, Trond og Hanisch, Tore Jørgen: *Vitenskap og politikk. Linjer i norsk sosialøkonomi gjennom 150 år,* Oslo 1984.

Bjerknes, Vilhelm: *C.A.Bjerknes. Hans liv og arbeide,* Oslo 1925.

Bleiklie, Ivar (red): *Kunnskap og makt. Norsk høyere utdanning i endring,* Oslo 1996.

Blom, Grethe Authen: *Fra bergseminar til teknisk høyskole,* Oslo 1957.

Bratholm, Anders: Motstandskampen 1940–45 ved Universitetet i Oslo. Særlig om arrestasjonen av studentene for 50 år siden, *Lov og Rett,* 1993, s. 515–555.

Bruun, Christopher: *Folkelige Grundtanker,* Christiania 1878.

Brøgger, W.C.: *Fridtjof Nansens fond og de dermed forbundne fond til videnskapens fremme 1896–1921,* Kristiania 1921.

Bull, Trygve: *Mot Dag og Erling Falk,* Oslo 1955.

Castberg, Frede: *Minner fra politikk og vitenskap fra årene 1900–1970,* Oslo 1971.

Christensen, Tom: *Virksomhetsplanlegging. Myteskaping eller instrumentell problemløsning?* Oslo 1991.

Christophersen, H.O.: *Marcus Jacob Monrad. Et blad av norsk dannelses historie i det 19. århundre,* Oslo 1959.

Collett, John Peter: *Videnskap og politikk. Samarbeide og konflikt om forskning for industriformål 1917–1930,* hovedoppgave i historie, Universitetet i Oslo, 1983.

Collett, John Peter (red): *Making Sense of Space. The History of Norwegian Space Activities,* Oslo 1995.

Collett, John Peter: *Det kongelige Frederiks Universitet blir til,* Oslo 1996.

Dahl, Helge: *Lærerutdanningen ved Universitetet i Oslo fra 1814 til i dag,* Oslo 1964.

Dahl, Ottar: *Norsk historieforskning i 19. og 20. århundre,* Oslo 1959.

Dale, Erling Lars: *Det sosialpedagogiske studiet. Kritikk og rekonstruksjon av pedagogikken ved PFI,* Oslo 1994.

*Det Norske Studentersamfund gjennom 150 år,* Oslo 1963.

Devik, Olav: *Blant fiskere, forskere og andre folk,* Oslo 1971.

Eggers, C.U.D. von: *Raisonneret Plan til et Universitet for Norge,* Christiania 1794.

Elgarøy, Øystein og Hauge, Øivind: *Svein Rosseland. Fra hans liv og virke,* Oslo 1994.

Forland, Astrid og Haaland, Anders m.fl.: *Universitetet i Bergens historie,* bind 1–2, Bergen 1996.

Friedman, Robert Marc: *Appropriating the Weather: Vilhelm Bjerknes and the Construction of a Modern Meteorology,* Ithaca 1989.

Fulsås, Narve: *Universitetet i Tromsø 25 år,* Tromsø 1993.

*Fysiologisk institutt 1875–1975,* Oslo 1975.

Gard, Ellen og Pedersen, Bjørn: *Kjemisk institutt, Universitetet i Oslo. En presentasjon.* Oslo u.å.

Getz, Bernhard: *Anatomisk institutt Universitetet i Oslo 1815–1965,* Oslo 1965.

Gran, Gerhard: To stadier i universitetets liv. Lochmann 1874 — Brøgger 1907, i Gran, Gerhard: *Norsk aandsliv i hundrede aar,* bind 1, Kristiania 1915, s. 209–243.

Grotnæss, Ivar, Sundet, Olav og Øygarden, Sverre: *Søkelys på praktisk lærerutdanning. Pedagogisk seminar i Oslo 75 år,* Oslo 1982.

Guleng, Mai Britt og Paulssen, Kjell M. (red): *Fra Mester Geble til Charles Darwin,* Oslo 1998.

Gussgard, Gunnar: *Om maktdimensjonen i byplanleggingen,* Oslo 1987.

Halvorsen, Arne: *Amerikansk militærfinansiert forskning i Norge, hovedoppgave i historie,* Universitetet i Oslo, 1979.

Hambro, Carl Joachim: *De første studenterår. Ungdomserindringer,* Oslo 1950.

Hambro, C.J.: *Du herlige studentertid,* Oslo 1956.

Hartmann, Sverre: *Det norske Studentersamfunds skrift til minne om 1905,* Oslo 1955.

Hjeltnes, Guri (red): *Universitetet og studentene. Opprør og identitet,* Oslo 1998.

Hjeltnes, Guri (red): *Vitenskapelige profiler på 1800-tallet,* Oslo 1997.

Hoel, Adolf: *Universitetet under okkupasjonen,* Oslo 1978.

Holst, Christian: *Universiteterne i Christiania og Upsala,* Christiania 1836.

Hopstock, Carsten og Madsen, Stephan Tschudi: *Rosendal. Baroni og bygning,* Oslo 1965.

Høydal, Reidun: *Ein ny norsk elite: norskdomsrørslas akademikere,* Oslo 1997.

Koht, Halvdan: *Universitetet og det norske folke, Syn og Segn,* 1911.

Korsvold, Håkon: *'Den som kan, han skal, just han.' Anathon Aall – Fra teolog til eksperimentalpsykolog,* hovedoppgave i historie, Universitetet i Oslo, 1999.

*Kvinner på Universitetet 100 år,* Oslo 1984.

*Københavns Universitet 1479–1979,* bind 1–14, København 1979–.

Larsen, Øivind: *Mangfoldig medisin. Det medisinske fakultet Universitetet i Oslo 175 år 1814–1989,* Oslo 1989.

Liestøl, Knut: *Moltke Moe,* Oslo 1949.

Midbøe, Hans: *Det Kongelige Norske Videnskabers Selskabs historie 1760–1960,* bind 1–2, Trondheim 1960.

Monrad, Marcus Jacob: *Det kongelige norske Frederiks Universitets Stiftelse,* Christiania 1861.

Munthe, Wilhelm: *Professor Ludvig Daae. En minnebok,* Oslo 1944.

Nilsen, Odd Viggo: *Studentvelferd i forandring. Studentsamskipnaden i Oslo 1939–1989,* Oslo 1989.

*Norges Landbrukshøgskole 1859–1959,* Oslo 1959.

Norrback, Märtha og Ranki, Kristina (red): *University and Nation. The University and the Making of the Nation in Northern Europe in the 19th and 20th Centuries,* Helsinki 1996.

Nørstebø, Sigurd: *Preliminæreksamen og norsk embetseksamen ved Universitetet i Oslo,* Oslo 1961.

Olsen, Kr. Anker: *Norsk Hydro gjennom 50 år. Et eventyr fra realitetenes verden,* Oslo 1955

Pedersen, Sverre: *Blindernreguleringen,* Oslo 1925.

Pram, Christen: *Forsøg til en Høiskoles Anlæg i Norge,* Christiania 1795.

*Program for oprettelse av nye institutter ved Det historisk-filosofiske fakultet,* Oslo 1937.

Rodvang, Ellen: *Sosial åpning – kulturell erobring. Målsak og målmenn ved Det Kongelige Frederiks Universitet 1881–1910,* hovedoppgave i historie, Universitetet i Oslo, 1999.

Rokseth, Peter: *Beretning fra en studiereise til Frankrike og Tyskland,* stensilert,1936.

Rokseth, Peter: *Universitetet på Blindern,* Oslo 1945.

Rotevatn, Jarle: *Til tjeneste for utdannings-Norge. Statens lånekasse for utdanning 1947–1997,* Oslo [1997].

Rothblatt, Sheldon og Wittrock, Björn (red): *The European and American university since 1800. Historical and sociological essays,* Cambridge 1993.

Sandved, Arthur O.: *Fra «kremmersprog» til verdensspråk. Engelsk som universitetsfag i Norge 1850–1943,* Oslo 1998.

Sanness, John: *Patrioter, intelligens og skandinaver. Norske reaksjoner på skandinavismen før 1848,* Oslo 1959.

Sars, Michael og Tranøy, Knut Erik (red): *Tysklandsstudentene,* Oslo 1946.

Seip, Didrik Arup: *Universitetet og studentene,* Oslo 1937.

Seip, Didrik Arup: *Hjemme og i fiendeland 1940–1945,* Oslo 1946.

Seip, Jens Arup: *Ole Jacob Broch og hans samtid,* Oslo 1971.

Seip, Jens Arup: *Utsikt over Norges historie, bind 1–2,* Oslo 1974–81.

Steen, Sverre: Universitetet i ildlinjen, i Steen, Sverre (red): *Norges krig,* bind 3, Oslo 1949, s. 127–194.

Strøm, Elin: *Sophus Lie. Studenten 1859–1865,* Oslo 1997.

Strøm, Elin: *Sophus Lie. Kandidaten 1866–1869,* Oslo 1997.

Stubhaug, Arild: *Et foranskutt lyn. Niels Henrik Abel og hans tid,* Oslo 1996.

Supphellen, Steinar: Nasjonaländ framfor lokalpatriotisme? Frå debatten om lokaliseringa av det første norske universitet, i *Clios tro tjener. Festskrift til Per Fuglum,* Trondheim 1994, s. 172–190.

Sørbye, Hild: *Universitetsutbygningen på Blindern 1918–1968,* magisteravhandling i kunsthistorie, Universitetet i Oslo, 1972.

Thingsrud, Leif: *50 år for universitetslærerne. Foreningen av vitenskapelige tjenestemenn ved Universitetet i Oslo 1936–1986,* Oslo 1986.

Thue, Fredrik W.: *Empirisme og demokrati. Norsk samfunnsforskning som etterkrigsprosjekt,* Oslo 1997.

Torgersen, Ulf: Universitetet og politikken, *Tidsskrift for samfunnsforskning,* 1961.

*Utbygging av Universitetet i Oslo. Utredning ved Det akademiske kollegium,* Oslo 1949.

Verger, Jacques: *Les universités au Moyen Age,* 2.utg, Paris 1999.

Verger, Jacques og Charle, Christophe: *L'histoire des universités,* Paris 1994.

Wallem, Fredrik B.: *Det norske Studentersamfund gjennem hundrede aar,* 1–2, Kristiania 1916.

Wallem, Fredrik B.: *Det kongelige Frederiks Universitets hundredeaar-sjubilæum 1911,* Kristiania 1913.

Wergeland, Nicolay: *Mnemosyne. Et Forsøg paa at besvare den af det Kongl. Selskab for Norges Vel fremsatte Opgave om et Universitet i Norge,* Christiania 1811.

Westgaard, Ellen Elizabeth: *Striden om utbyggingen av universitetet på Blindern,* hovedoppgave i historie, Universitetet i Oslo, 1996.

Winsnes, A.H.: *Niels Treschow.* En opdrager til menneskelighet, Oslo 1927.

Wyller, Egil: *Universitetets idé gjennom tidene og i dag,* Oslo 1991.

Økland, Fridthjof: *Michael Sars,* Oslo 1955.

Øverland, O.A.: *Det kgl. Selskap for Norges Vel 1809–1909,* bind 1, Kristiania 1909.

# Personregister

278

# Stikkordregister